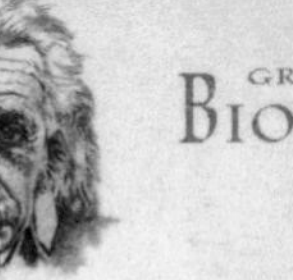

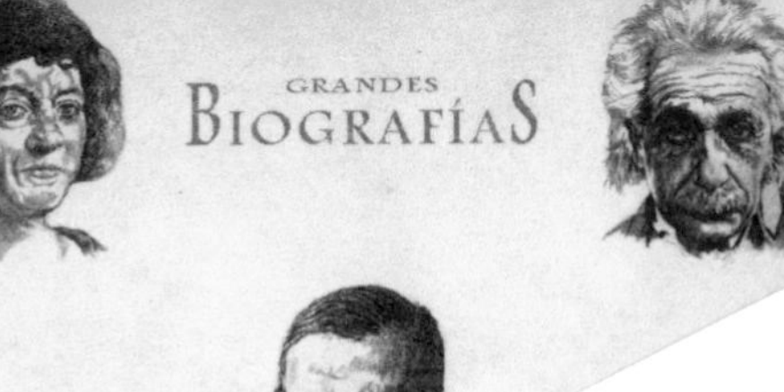

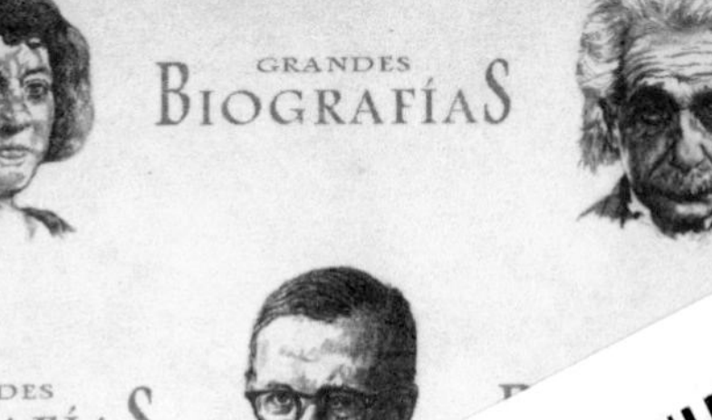

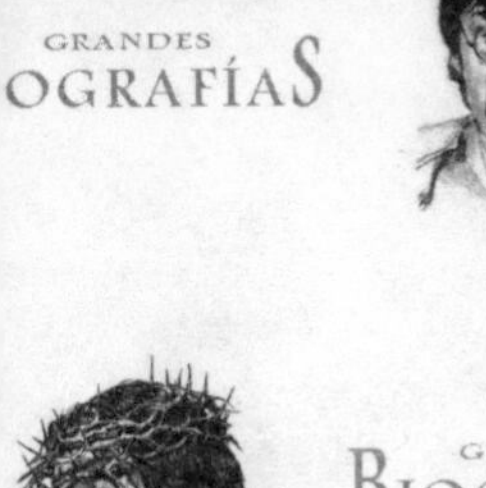

GRANDES BIOGRAFÍAS

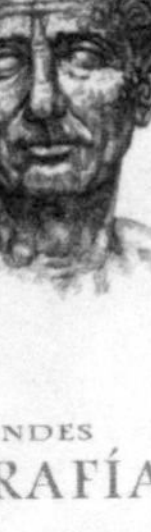

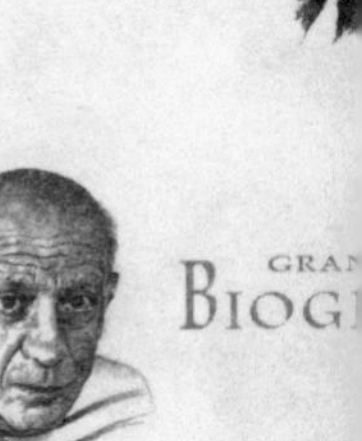

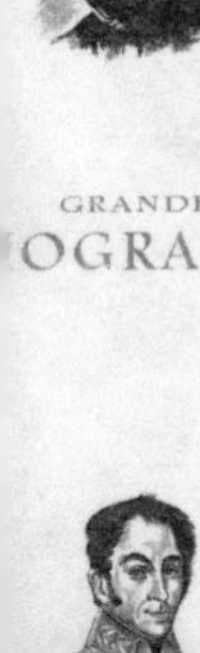

Martin Luther King
LA VIDA POR UN SUEÑO

MARTIN LUTHER KING
LA VIDA POR UN SUEÑO

María Jesús Rodríguez Illán

Autora: María Jesús Rodríguez Illán
Ilustración de cubierta: Ramón López
Director de colección: Felipe Sen
Dirección editorial: Raul Gómez
Edición y producción: José Mª Fernández

c/ M nº 9 Pol. Ind. Europolis
28230 Las Rozas (Madrid)
Telf.: (+34) 916 375 254
Fax: (+34) 916 361 256
e-mail: dastinexport@dastin.es
www.dastin.es

I.S.B.N.: 84-96249-69-7
Depósito legal: M-31.943-2004

Impreso en España - Printed in Spain

María Jesús Rodríguez Illán es Licenciada en Filología Hispánica y Filología Inglesa por la Universidad Complutense de Madrid; ha ejercido la docencia en España y en Estados Unidos.

Es autora de diversas publicaciones sobre Historia y Literatura, también es autora de cuentos para niños y para adultos y colabora activamente con diversas instituciones de ayuda humanitaria.

ÍNDICE

Introducción

Un hombre excepcional con grandes dotes de orador, disponibilidad total para dar su vida por los demás y una profunda fe religiosa. Una mujer cansada, que en el autobús se niega a tener que ceder su asiento a un blanco por ser negra. Una ciudad sureña de Estados Unidos, Montgomery, en diciembre de 1955. Estas coordenadas dieron lugar a un movimiento social nacido de la opresión injusta sufrida durante décadas, un movimiento pacífico capaz de cambiar las leyes de un país para millones de personas, un movimiento que hizo soñar a muchos con un mundo de fraternidad en el que se enterraran todos los prejuicios, un mundo en el que «los hijos de los esclavos y los hijos de los antiguos propietarios de esclavos podrán sentarse juntos a la mesa de la fraternidad»...

El hombre excepcional desafió a los grandes poderes e hizo tambalearse al sistema que permitía los agravios a los negros y los desfavorecidos, todo ello empuñando su única arma: la no violencia.

Él mismo sabía que no le iban a permitir vivir mucho tiempo, pero a pesar de todo siguió en el empeño. ¡Cuánto más habría podido conseguir, de no haber muerto en aquel hotel de Memphis, a los treinta y nueve años!

Sólo queda la esperanza de que su ejemplo sea la antorcha de los héroes del futuro.

I. INFANCIA Y JUVENTUD

Martin Luther King nació en Atlanta, capital del Estado de Georgia, el 15 de enero de 1929, precisamente el año en que se desató la Gran Depresión. Georgia es un Estado del Sur de Estados Unidos, donde ser negro suponía una barrera social difícil de franquear para ser alguien en la vida. El Estado de Georgia era el que tenía un número mayor de población negra, más de dos millones. El compromiso social y el talante religioso de Martin Luther King estaban enraizados en la tradición de su familia. Si nos preguntamos por la clase social de su familia, podemos decir que la familia King era una familia de clase media, profundamente marcada por la vida religiosa. Su padre, Martin Luther King Senior (para distinguirle de su hijo, al que se llamó Martin Luther King Jr. o Junior), era pastor baptista en la iglesia de Ebenezer. Su abuelo materno, Allan Daniel Williams, también había sido pastor en la misma iglesia, incluso su bisabuelo también había ejercido como predicador en los tiempos de la esclavitud. Merece la pena que nos detengamos en estas dos personas, ya que influyeron de manera especial en la formación y la ideología de Martin Luther King Jr., aunque antes es preciso también tratar cómo era la vida en el Sur para los negros en la primera mitad del siglo XX.

La vida de los negros en el Sur de Estados Unidos

Martin Luther King nació en una época de crisis para el país. Durante la década de los años 20 la economía de Estados Unidos se enfrentaba a problemas cada vez más acuciantes. Se habían perdido mercados, al cesar la demanda producida durante la Primera Guerra Mundial. Los valores bursátiles disminuían su cotización hasta que se produjo el derrumbe de las bolsas en 1929; como consecuencia de ello millones de personas perdieron sus ahorros, muchas empresas quebraron y se produjo una subida alarmante del número de parados en el país. El nuevo presidente desde 1932, Franklin D. Roosevelt, impulsó una serie de reformas encaminadas a solucionar los problemas del declive económico; fueron las medidas englobadas en el llamado «New Deal» o «Nuevo Trato».

Si ésta era la situación general del país, el panorama para la población negra era peor, pues siempre habían estado situados en el lugar más bajo de la escala social, y por ello fueron los primeros en sufrir las consecuencias de la depresión. Además las reformas sociales impulsadas desde el Nuevo Trato les dejaban al margen. Sin embargo, el principal problema de la comunidad negra era la discriminación que sufría, discriminación que procedía de los tiempos de la esclavitud. A pesar de que la esclavitud había sido abolida en el siglo XIX, la vida de la comunidad negra había progresado muy poco. Los Estados del Sur habían creado sus propias leyes para separar a blancos y negros en todas las facetas de la vida pública, desde los hospitales hasta los cementerios, pasando por escuelas, restaurantes, cafés, cines, iglesias y centros de trabajo. Eran las llamadas leyes de la segregación, que consolidaron los lugares y establecimientos con la denominación «Jim Crow». Este término procedía de una canción y había pasado a designar a cualquier lugar o establecimiento destinado a la comunidad negra.

Cuando un negro quería salirse de los esquemas establecidos, el poder blanco contaba con el Ku Klux Klan para lincharlo de manera impune. El Ku Klux Klan había nacido en 1866 para eliminar a los negros que dieran problemas y se había expandido por todos los Estados del Sur. Su táctica principal era inculcar el miedo en la comunidad negra, por medio de linchamientos, la quema de propiedades o incluso las bombas. Los miembros del Ku Klux Klan solían cometer sus acciones vestidos de blanco y encapuchados, en muchas ocasiones también dejaban cruces en llamas como símbolo de su presencia. Nunca se detenía a nadie por estos delitos, ya que en muchos casos sus miembros ostentaban cargos de poder en las localidades donde vivían y eran personas respetadas por toda la comunidad. Su estructura interna estaba fuertemente jerarquizada. En la actualidad la organización permanece activa, aunque no disfruta del poder del que disponía aún a mediados del siglo XX.

La comunidad negra vivía en su gran mayoría en los Estados del sudeste de Estados Unidos, sobre todo en Georgia, Alabama,

Mississipi, Louisiana y Carolina del Sur; en estos cinco Estados la población negra suponía más de un tercio de la población total. En ellos la economía se había basado en gran parte en los campos de algodón. Para sus propietarios era muy importante mantener una mano de obra barata que les permitiera obtener los máximos beneficios. Los esclavos eran la mejor mano de obra, pero como la esclavitud ya era ilegal, había que mantener a los trabajadores negros en una situación lo más cercana posible a la condición de esclavos. Cuando los campos de algodón dejaron paso a las industrias existía la misma necesidad de mano de obra barata. Estas circunstancias provocaban que la situación de la comunidad negra no mejorase; los negros seguían teniendo los peores trabajos y muy pocos podían ser propietarios de tierras o negocios. Una pequeña esperanza surgió con el nacimiento de la N.A.A.C.P. (Asociación Nacional para el Avance de las Gentes de Color, en inglés *National Association for the Advancement of Colored People*), que desde principios de siglo intentaba mentalizar a la comunidad negra para que luchara por su propio progreso; en 1947 la organización contaba con más de medio millón de afiliados. La N.A.A.C.P. centró sus esfuerzos en denunciar las diferencias educativas entre blancos y negros y consiguió que el Tribunal Supremo declarase ilegal la segregación en los colegios en 1954. La aplicación de la sentencia fue muy lenta, pero al menos la ley era un precedente histórico que mostraba la posibilidad de lograr cambios.

De la esclavitud a la emancipación: Adam Daniel Williams

Aunque la esclavitud se abolió en 1863, su recuerdo estaba muy vivo en las familias negras, sobre todo porque en la generación de Martin Luther King la mayor parte de los abuelos procedían directamente de esclavos. Por supuesto la esclavitud no había supuesto el fin de la injusticia, ya que la segregación daba lugar a situaciones vergonzantes. Pero además el pasado de plena esclavitud aún seguía vivo en la memoria colectiva y particular de cada familia.

En el caso de Martin Luther King Jr., su abuelo materno nació de padres esclavos en el condado de Greene, perteneciente al Estado de Georgia. Precisamente su nacimiento tuvo lugar el 2 de enero de 1863, año en que se hacía efectiva la Proclamación de la Emancipación. Willis y Lucrecia Williams trabajaban en la plantación de la familia Williams. Adam Daniel creció en la plantación, hasta que su padre murió en 1874. En esa fecha Adam Daniel y su familia se mudaron a una comunidad rural cercana, Scull Shoals, a orillas del río Oconee.

Desde la infancia, Adam Daniel Williams quiso seguir el ejemplo de su padre, quien, como decíamos antes, había actuado como predicador ante los otros esclavos de la plantación. Martin Luther King Jr. cuenta en sus obras que su abuelo cuando era niño ya aprovechaba cualquier situación para pronunciar un sermón, por ejemplo, cuando se moría un gato, un perro, un caballo o cualquier otro animal; los niños del pueblo siempre le llamaban a la menor oportunidad para que pronunciara unas palabras porque les causaba una gran diversión. Adam Daniel Williams no pudo ir a la escuela, como muchos otros niños de entonces, ya que desde la infancia tenían que trabajar recogiendo la cosecha. Sin embargo, sus grandes dotes para la narración y para hablar en público le hicieron posible obtener una licencia para poder pronunciar sermones en 1888, después de que varios pastores de la comunidad le hubieran formado como predicador.

Los primeros años Adam Daniel Williams se dedicó a ejercer de pastor de forma itinerante y para mantenerse trabajaba también en el campo. Después tuvo un accidente que le hizo perder casi totalmente la mano derecha; por ello ya no podía trabajar y decidió marcharse de Greene. Como tantos otros negros, Adam Daniel Williams tuvo que abandonar su comunidad rural para emigrar a una gran ciudad. En 1893 comenzó a desempeñar las labores de pastor en la iglesia baptista de Ebenezer. Se trataba de una pequeña iglesia, pero gracias a las dotes de Adam Daniel como predicador pronto la iglesia aumentó su popularidad de manera significativa. El abuelo de Martin Luther King era consciente de la limitación que suponía para un pastor el no haber recibido educación en la escuela. El aprecio a la educación es algo que pudo influir en su hijo y después en su nieto, ya que estaba convencido de que la educación, el aprender, era algo extremadamente valioso que tenía gran importancia en la vida, sobre todo para los negros, que antes no habían podido acceder a la escuela o lo habían hecho de forma muy limitada. Por ello Adam Williams se matriculó en el Colegio Baptista de Atlanta para cursar estudios generales y al mismo tiempo estudios religiosos para formarse como pastor. Esta formación permitió a Adam Williams volver a la iglesia de Ebenezer a desarrollar sus tareas religiosas con mejores capacidades; a partir de entonces sus sermones y actividades adquirieron una fuerza mayor. Esto se reflejó en el aumento de feligreses de la iglesia, que antes de 1913 ya alcanzaban los 750 miembros. Adam Williams se esforzó por conseguir un edificio mejor para la iglesia. Tras dos primeros emplazamientos, adquirió un terreno en la esquina de la avenida Auburn y la calle Jackson. Concibió un ambicioso plan para conseguir 25.000 dólares, con el fin de construir un auditorio con capacidad para 1.250 personas, y al final lo consiguió. En 1914 se inauguró el nuevo edificio, aunque no estaba terminado; habría que esperar hasta 1922 para que se pudiera considerar definitivamente concluido. Sin embargo, la congregación entró en una fase de declive: sus miembros bajaron de 900 en 1918 a 300 en 1924.

Martin Luther King halló en su abuelo Adam Williams un primer modelo de pastor, hombre religioso, pero al mismo tiempo líder comprometido con la causa negra y la lucha contra la segregación. Por supuesto, Adam Williams era un hombre que luchó en favor de la igualdad con el hombre blanco. En 1917 se comprometió con la Asociación Nacional para el Avance de la Gente de Color, asociación fundada en 1906, para organizar una pequeño grupo de seguidores en torno a su iglesia. Adam Williams era considerado como un orador convincente y apasionado, así como un buen líder. El grupo de la N.A.A.C.P., que Adam Williams se dedicó a coordinar, creció de manera espectacular y llegó a alcanzar más de 1.400 miembros en cinco meses, además consiguió aumentar el número de negros registrados para poder votar. Adam Williams se inspiró en otros líderes anteriores de la comunidad negra, como Booker T. Washington y su esfuerzo en mejorar las condiciones de la población negra, o en W.E.B. Du Bois y su llamamiento para luchar por los derechos civiles.

Para mostrar el carácter activo de Adam Daniel en favor de los derechos de los negros podemos mencionar algunas de las actividades de la N.A.A.C.P. en las que Adam Daniel tuvo un papel destacado. Una de ellas fue el movimiento de protesta que se produjo para anular la emisión de unos bonos de la ciudad que no incluían ningún dinero para la construcción de escuelas secundarias públicas para los negros de Atlanta. Poco después Adam Daniel fue uno de los organizadores de un boicot a un periódico local llamado «The Georgian», precisamente por denunciar a los votantes negros que se habían opuesto a la emisión de esos bonos; al final consiguieron que cerraran el periódico.

En octubre de 1899 Adam Williams se había casado con Jennie Celeste Parks, a la que había conocido mientras estudiaba en Atlanta. El matrimonio tuvo varios hijos, pero debido a los elevados índices de mortalidad infantil de la época, para los negros especialmente, sólo sobrevivió una niña llamada Alberta Christine, que había nacido en septiembre de 1903. Alberta Christine Williams se convertiría veintiséis años después en la madre de Martin Luther King Jr. En 1924 Alberta Christine se casó con Martin Luther King senior. Adam Williams falleció en 1931 y Martin Luther King padre se convirtió en el nuevo pastor de Ebenezer. A su muerte la comunidad baptista de Georgia lo describió como «un roble poderoso en el bosque baptista de la nación», y en cuanto a su labor dijo lo siguiente:

«Nacido en el campo y con una formación limitada, la gran riqueza de su capacidad innata, su tacto y esfuerzo le hicieron un hombre singular y una fuerza destacada en los consejos eclesiásticos y económicos tanto a nivel local como estatal y nacional. Fue un predicador de fuerza poco corriente, un experimentalista cautivador, un evangelizador persuasivo y un doctrinario convincente.»

La influencia del padre

Si Adam Daniel Williams, su abuelo, pudo constituir para Martin Luther King un modelo de hombre de iglesia y comprometido socialmente, su padre, Martin Luther King senior, ejerció una influencia decisiva en su vida y su pensamiento. Así lo reconoció él personalmente en un ensayo titulado «Una Autobiografía de Desarrollo Religioso». Martin Luther King padre fue todo un ejemplo moral para su hijo y este ejemplo pesó bastante en la decisión de Martin Luther King Jr. de convertirse en pastor. En las propias palabras de Martin Luther King sobre su padre, nos dice: «Mi admiración por él fue el factor decisivo; me mostró un noble ejemplo que no me importó seguir.»

El primer nombre de su padre no fue Martin Luther, sino Michael. Sus padres se llamaban Jim y Linsey King. Michael fue el primer hijo varón de los diez que tuvieron. Nació en diciembre de 1897 y creció en Stockbridge, pequeña población cercana a Atlanta. La familia asistía a la iglesia baptista de Floyd y ya desde pequeño Michael se sintió atraído por las palabras de los pastores cuando denunciaban la injusticia racial. Como tantos otros negros de su época, Michael no pudo asistir a la escuela de manera regular. Su familia era muy pobre, su padre se daba a la bebida y pronto Michael tuvo que empezar a trabajar en lo que pudo. A los dieciséis años se iba caminando a Atlanta con su único par de zapatos al hombro para trabajar en la ciudad. Trabajó como mecánico, bombero y un sinfín de ocupaciones. Por la noche iba a la escuela. A los veinte años Michael, movido por su vocación religiosa, decide convertirse en pastor. A pesar de las lagunas que existían en su educación, los pastores lo consideraron válido para la labor religiosa. Tras un periodo de formación a su cargo, le concedieron la licencia para poder ejercer de pastor. Debido quizá a su fe poderosa y su gran afecto hacia la gente, poseía una gran elocuencia al hablar, que luego heredó su hijo Martin.

El espíritu defensor de la no violencia en Martin Luther King Jr. no puede decirse que proceda de la familia de su padre, pues en ella todos tenían un talante capaz de reaccionar con violencia si se les atacaba injustamente. Coretta Scott King relata en sus memorias una anécdota que contaba el padre de Martin Luther King Jr. de cuando era pequeño (pág. 90). Un día su madre le dio un cubo para que fuera a buscar agua. Cuando ya lo había llenado y había emprendido el camino de regreso a casa un hombre blanco le detuvo y le dijo: «¡Eh, chico, dame ese cubo!» El padre de King respondió: «No puedo, mi mamá me ha dicho que se lo lleve.» El blanco volvió a insistir: «Chico, te he dicho que me des ese cubo», a lo que el chaval replicó: «No voy a hacerlo.» Entonces el blanco lo agarró, le arrancó la ropa y le golpeó. Cuando volvió a casa y le contó a su madre lo que había ocurrido ésta le hizo prometer: «Debes jurarme que no le contarás a papá esto, porque si se lo cuentas irá a matar a ese blanco.». En ese momento su madre cogió un palo y salió de la casa para ir a pegar a ese hombre. La historia se difundió entre los vecinos y cuando el padre llegó a enterarse cogió una pistola para ir tras aquel hombre blanco. Como resultado la familia tuvo que ocultarse en el bosque por un tiempo, hasta que la situación se tranquilizó y las aguas volvieron a su cauce. Coretta Scott con esta acnécdota llegó a la conclusión de que «el espíritu de la no violencia no lo heredó Martin de su familia».

Una hermana mayor de Michael vivía en Atlanta y se hospedaba en la casa del pastor de Ebenezer, Adam Daniel Williams. Michael se instaló definitivamente en Atlanta en 1918 y pudo alojarse con su hermana; así es como entró en contacto con el pastor Adam Williams. Por supuesto, conoció a la única hija del pastor, Alberta Williams. Cuando Alberta y Michael se hicieron novios, Michael fue acogido en la familia Williams y el pastor le animó a que prosiguiera sus estudios para trabajar como ministro religioso. Primero estudió en la Escuela Preparatoria Bryant y después King se matriculó en la carrera religiosa de tres años que ofrecía el centro de estudios superiores llamado Escuela Religiosa de Morehouse (Morehouse School of Religion). Allí también estudió su hijo Martin Luther. Michael finalizó sus estudios en 1926 y el mismo año se casó con Alberta Williams en la iglesia de Ebenezer. King había empezado a ejercer como ministro religioso en varias iglesias y en un colegio. El matrimonio King vivía en la casa familiar de los Williams, un edificio victoriano de madera situado en la avenida Auburn, donde se habían establecido varios negocios regentados por la comunidad negra de Atlanta. Allí tuvieron a sus tres hijos: Willie Christine, Martin Luther King Jr. y Alfred Daniel.

Tras la muerte de Adam Williams en 1931, Michael King se convirtió en el nuevo pastor de Ebenezer. Tuvo que hacerse cargo de los problemas financieros de la iglesia, a causa de la depresión. Consiguió atraer nuevos miembros para la congregación y al mismo tiempo fondos para sanear la iglesia. Pronto Michael King empezó a ser considerado como un pastor respetable y eficiente en su comunidad religiosa. En 1934 tuvo la oportunidad de viajar a Berlín para asistir a la Alianza Baptista Mundial. Es allí cuando cambió su nombre de pila por el de Martin Luther.

En cuanto a su labor como líder social para la causa negra, su contribución no fue tan señalada como la de Adam Williams. Lo más significativo es que dirigió la Liga Política y Cívica de Atlanta y la sección local de la N.A.A.C.P. (Asociación Nacional para el Avance de la Gente de Color). Aun así, puede decirse que Martin Luther King padre desempeñó un papel muy activo en algunas campañas, como la que se hizo para conseguir que los salarios de los profesores negros se equiparasen con los de los blancos; otra campaña en la que destacó su labor fue la llevada a cabo para eliminar la segregación de los ascensores en el Palacio de Justicia de Atlanta. Martin Luther King padre adoraba a su hijo Martin; Coretta Scott nos cuenta en sus memorias algunas de las cosas que su padre dijo sobre él tras su asesinato (pág. 94):

«Siempre hubo algo especial en Martin Luther. Incluso antes de que supiera leer se rodeaba de libros, le gustaba simplemente la idea de tenerlos cerca. Aprendió a recitar las Escrituras antes de los cinco años, muchos años antes de que pudiera leer la Biblia solo. (...) A Martin Luther le gustaba escuchar a buenos predicadores antes de que fuera capaz de comprenderlos. Si se enteraba de que algún hombre destacado iba a hablar me pedía que lo llevara a escucharlo. Recuerdo una vez que después de una ocasión así cuando sólo tenía diez años dijo: "Ese hombre ha hablado con palabras importantes, papá. Cuando sea mayor voy a buscarme palabras importantes para mí." Tan pronto como aprendió a leer se rodeaba de diccionarios y llegó a hacer verdadera aquella frase.»

Los biógrafos de Martin Luther King Jr., e incluso él mismo, señalan que la influencia decisiva de su padre sobre él partió sobre todo de su ejemplo en la vida diaria, en las conversaciones que tenían y en las situaciones cotidianas que se presentaban cada día. Su padre siempre denunciaba la segregación y la injusticia racial como algo injusto y absurdo que se debía combatir. Otra de las ideas fundamentales del padre de Martin Luther King Jr. era la importancia de la educación; de acuerdo con él, la población negra tenía que recibir una sólida formación para defender sus derechos y por ello los líderes tenían que dar el primer ejemplo. En casa de los King se vivía un ambiente de aprecio por la cultura y el saber, al que contribuían su padre, su madre y el resto de la familia. Esto resultó decisivo para el joven Martin Luther King.

Martin Luther King padre apoyó a su hijo durante toda su carrera. Tras la muerte de su hijo en 1968 desempeñó un papel público mayor, dedicado a preservar la memoria de su hijo y entregado también a la lucha en favor de los derechos civiles. Participó de manera activa en las Convenciones Nacionales Democráticas de 1976 y 1980.

La trágica muerte de su hijo no fue la única desgracia en su vida. Aún tuvo que sufrir el asesinato de su mujer, Alberta, en 1976. Este duro golpe le hizo abandonar su labor de pastor. Martin Luther King padre falleció en 1984.

La primera formación de Martin Luther King

Podemos imaginarnos el ambiente en el que pasó sus primeros años, en una familia dedicada a la iglesia. En su autobiografía Martin Luther King cuenta que pasaba mucho tiempo en la iglesia de Ebenezer, a la que consideraba incluso «su segundo hogar». Por supuesto, desde sus primeros años Martin Luther King recibió instrucción religiosa y su familia le inculcó ideales cristianos. Como veíamos antes, tanto su abuelo como su padre consideraban que la educación tenía una gran importancia. Puesto que ninguno de los dos, como la mayoría de los negros de sus respectivas generaciones, pudo adquirir una formación adecuada cuando eran niños, ahora en el caso de Martin Luther y sus hermanos su padre se esmeró especialmente en que vivieran en casa un ambiente de estudio. Martin Luther King fue desde el principio un estudiante aplicado, con tenacidad y una gran curiosidad. Inició sus primeros estudios en la escuela pública para negros de Atlanta.

Pronto tuvo conciencia de la segregación racial. En sus libros cuenta que en su infancia tenía dos amigos blancos que se habían hecho sus compañeros de juegos casi inseparables. Los padres de estos chicos tenían tiendas al lado de su casa en Atlanta. Sin embargo, en un momento dado, los padres de los muchachos empezaron a decirles que no podían jugar con él y sus amigos comenzaron a poner excusas. Quizá se debiera al hecho de que los niños ya tenían seis años y empezaron a asistir a la escuela: Martin a la escuela para negros y los otros dos niños a la de blancos; puede que las familias blancas consideraran inadecuado para sus hijos que siguieran siendo amigos de un niño negro, ahora que ya estaban en un entorno exclusivo de blancos. Desde luego Martin Luther no comprendía a qué se debía aquel cambio de actitud y se lo preguntó a su madre. Suponemos que su madre, Alberta Williams, educada en la casa de un pastor con compromiso social, le hablaría de la lucha desde los tiempos de esclavitud hasta los años 30 de entonces y le contaría lo que significaba la segregación racial en los Estados del Sur, como Georgia, con el ejemplo de que la exclusión de ciertos lugares por ser negro comenzaba desde la escuela.

En otra ocasión Martin Luther viajó hasta Valdosta, en Georgia, con una organización negra llamada Los Alces, que patrocinaba un concurso de oratoria. Martin Luther King formaba parte de un grupo del colegio que se dedicaba a organizar debates y discusiones en público; sin duda por destacar en el grupo fue seleccionado para participar en el concurso. Fue un viaje largo y Martin iba acompañado por su profesor. Ganó el segundo premio con una exposición titulada «El negro y la Constitución». Tanto su profesor como él estaban muy contentos cuando comenzaron el viaje de vuelta a Atlanta en autobús. Sin embargo, los únicos asientos libres que había en el autobús no estaban en la parte reservada para los negros, así que se vieron obligados a realizar todo el trayecto de pie habiendo asientos desocupados; incluso King fue insultado por el conductor, que le llamó «negro bastardo». Para Martin resultaba una situación extremadamente humillante y al mismo tiempo irónica, ya que acababa de ser premiado por un discurso sobre los derechos de los negros y se daba cuenta de que la realidad era muy distinta: haber ganado ese premio no significaba nada para los blancos si uno era negro, pues de todas formas había que ceder el sitio a un blanco por obligación.

Otra anécdota de su infancia resulta muy reveladora de cómo Martin Luther King empezó a ser consciente de lo que significaba ser negro y de la reacción de su padre ante la injusticia racial. Martin Luther King padre y su hijo entraron en una zapatería de Atlanta. Fueron a sentarse en los primeros asientos libres que vieron y un dependiente blanco se acercó a ellos enseguida para rogarles que se sentaran en otros asientos que estaban detrás:

—No hay ningún problema con estar en estos asientos, estamos cómodos aquí —contestó el padre.

El dependiente blanco replicó:

—Lo siento, pero tienen que cambiarse de sitio.

Entonces el padre de Martin Luther King Jr. perdió la paciencia y le dijo al dependiente:

—Bien, o compramos los zapatos estando sentados aquí o no los compramos.

Tomó a su hijo de la mano y se marcharon. Al salir el padre dijo algo así como: «No sé cuánto tiempo tendré que soportar este sistema, pero nunca lo aceptaré. Lucharé contra él hasta que muera. Nadie puede convertirle a uno en un esclavo si uno no piensa como un esclavo.»

Martin Luther King padre tenía que vivir conforme al sistema, pero no se callaba ante las situaciones injustas. Una vez vio cómo golpeaban a unos pasajeros negros en un autobús y a raíz de ello nunca volvió a subir en los autobuses de Atlanta. Sin duda la indignación del padre ante la segregación fue algo que pronto se grabó en la memoria del hijo y dejó una huella indeleble. Podemos citar las propias palabras de Martin Luther King Jr. sobre las experiencias de su infancia y juventud:

«De joven nunca pude aceptar viajes en la parte posterior de un autobús o sentarme en el departamento segregado de un tren. La primera vez que tuve que sentarme detrás de una cortina en un vagón restaurante, sentí como si la cortina se hubiera caído sobre mi propia alma. De muchacho, sentía el gusto por las películas y fui a un cine de las afueras de la ciudad, sólo por una vez. La experiencia de tener que situarme en la parte posterior y sentarme en una galería sucia fue tan desagradable que no pude prestar atención a la película. Nunca he podido acostumbrarme a las salas de espera separadas, a las salas separadas en los restaurantes, a las salas de descanso separadas, en parte porque la separación no era en igualdad de condiciones y en parte porque solamente la idea de la separación hería mi sentido de la dignidad y del respeto.»

Pronto Martin Luther King supo que su futuro iba a estar marcado por la vocación religiosa que habían sentido antes su padre y su abuelo; un principio de vocación le impulsaba a él ahora a dedicar su vida al ministerio religioso. Además su conciencia social ya estaba firmemente enraizada. La formación que recibiría primero en el Atlanta Morehouse College y después en el seminario de Crozer le darían los conocimientos y la fuerza moral necesaria para emprender la lucha.

El centro Morehouse

También Martin Luther padre había estudiado en el Atlanta Morehouse College. Su hijo ingresó en 1944, cuando tenía quince años, muy joven. Por supuesto se trataba de un «college» o centro de estudios superiores sólo para negros, de talante progresista gracias a su presidente, Benjamin E. Mays. En sus escritos Martin Luther King Jr. considera a Mays como «una de las grandes influencias de su vida». Otros profesores prestigiosos que habían estudiado o trabajado allí eran Mordecai Johnson, que llegó a presidir la Universidad de Howard, o George Kelsey, catedrático de Ética Cristiana de la Universidad de Drew. Morehouse era uno de los centros universitarios más importantes del país para la comunidad negra; las familias negras que podían enviar allí a sus hijos sentían la misma satisfacción que las familias blancas que enviaban sus hijos a Harvard.

Benjamin E. Mays sostenía que los negros, en especial los estudiantes de Morehouse, no debían resistir pasivamente la segregación sin hacer nada, sino que debían luchar y aprovechar la democracia para hacerlo. Es posible que Mays fuera el primero que habló a Martin Luther King de la filosofía de la no violencia que defendía Ghandi. El mismo Mays había viajado a la India, donde había estado en contacto con el dirigente hindú.

Martin Luther King Jr. desarrolló múltiples actividades como estudiante en Morehouse College, sobre todo en su vertiente de activismo social. Se unió al grupo de estudiantes que formaba la sección de la N.A.A.C.P. en Morehouse. Además actuaba como presidente del Club de Sociología y era miembro del equipo de debates, de la asamblea de estudiantes, de la unión de ministros e incluso del orfeón. Como a los jóvenes de su edad, le gustaba salir con chicas. Solía ir siempre con dos amigos, Walter McCall y Larry Williams; los tres tenían fama de conquistadores y les llamaban los «galanes»; King utilizaba su habilidad con la palabra para cortejar a las chicas y utilizaba con ellas palabras refinadas y elocuentes. Solía llevar trajes de «tweed», un tejido con mezcla de lana; por esta costumbre empezaron a llamarle «tweddie».

Según testimonios de sus compañeros, no estudiaba con mucho ahínco; parece que hacía lo necesario, sin mostrar excesivo interés, simplemente lo justo para ir aprobando. Prefería dedicarse a otras actividades, como prepararse para las competiciones de oratoria que se celebraban en el College, donde obtuvo el segundo premio en los años 1946 y 1948. Quizá ya tenía formada su opinión sobre la educación, la misma que recogió en un artículo que escribió para el periódico escolar *Maroon Tiger*, en el que señalaba que el propósito fundamental de la educación no es la adquisición de títulos o conocimientos, sino aprender a pensar con intensidad y a pensar de manera crítica.

Lo que sí que iba haciendo mella en él era la conciencia de la segregación y la necesidad de luchar contra ella. La influencia de

Mays y su defensa de la lucha no violenta cada vez se refleja más en los escritos de Martin Luther King por aquella época. Se hace cada vez más consciente de la necesidad de combatir la discriminación y llegar a la igualdad con los blancos. Uno de los escritos de este periodo donde se reflejan con claridad sus inquietudes y sus ideas es la carta que escribió a un periódico, el *Atlanta Constitution*. Se había producido una serie de asesinatos cometidos en la ciudad por motivos raciales, y Martin Luther King Jr. quiso responder. En la carta se encuentra un resumen de las reivindicaciones que Martin Luther King consideraba básicas y legítimas para los ciudadanos negros del país:

«Queremos y tenemos derecho a las oportunidades y derechos básicos de los ciudadanos americanos: el derecho a ganarse la vida en el puesto de trabajo al que accedamos por capacidad o formación; oportunidades iguales en educación, salud, ocio y servicios públicos similares; el derecho a votar; la igualdad ante la ley; la misma cortesía y buenas maneras que nosotros mismos manifestamos en todas las relaciones humanas.»

Esta conciencia social fue acentuándose con el tiempo. Martin Luther King cada vez desempeñaba un papel más activo en los grupos estudiantiles. Empezó a formar parte del Intercollegiate Council, una asamblea de estudiantes que procedían de varios centros. Esto supuso un enriquecimiento para Martin Luther King, puesto que en esta asamblea también había estudiantes blancos y esto le permitió superar los prejuicios que tenía contra la totalidad de la población blanca. Su visión de los problemas raciales en Estados Unidos ya no consistía en una idea simplista de blancos contra negros; King ya era plenamente consciente de que el objetivo de la lucha no era el poder blanco, sino la discriminación y la injusticia contra los negros.

Hasta ahora hemos visto cómo la estancia en Morehouse supuso el desarrollo de la conciencia social en Martin Luther King. Pero además allí tomó la decisión más importante de su vida en cuanto a su futuro: en Morehouse decidió de manera firme que se iba a convertir en ministro religioso. Al principio de su ingreso en Morehouse pensaba que quería llegar a ser abogado o doctor, sin manifestar ninguna inclinación por la vida religiosa; sin embargo, con el tiempo esta posición fue cambiando. En este punto debemos mencionar otra de las personas que ejerció una gran influencia en Martin Luther King, sobre todo a la hora de tomar esta importante decisión. Nos referimos al profesor de Ética Cristiana George Kelsey, que ya mencionamos antes. Según afirmó Martin Luther King en una entrevista, fueron Mays y Kelsey quienes le hicieron tomar la decisión de hacerse pastor. Kelsey constituía un modelo de lo que King consideraba que debía ser un ministro religioso. Kelsey daba mucha importancia al evangelio cristiano y encontraba en él una firme base para construir una sociedad justa sin discriminación racial.

Al principio de su adolescencia Martin Luther King ya había tenido una primera intención de dedicarse al sacerdocio, pero después había descartado la idea. Sin embargo, cuando pasó un tiempo en Morehouse volvió a pensar en ello. El estudio de la Biblia, que llevó a cabo bajo la dirección de Kelsey, le hizo replantearse la cuestión y decidirse finalmente por continuar los pasos de su padre y de su abuelo. En la Biblia encontró las verdades por las que merecía luchar en la vida. Además Martin Luther se dio cuenta de que la búsqueda de la igualdad entre los hombres era perfectamente compatible con una visión profundamente religiosa de la vida, visión inspirada en Jesucristo.

Tomada ya la decisión de convertirse en pastor, Martin Luther King se lo comunicó a su padre. Éste le propuso que diera un sermón a un pequeño grupo de fieles en la parroquia de Ebenezer. Acudió mucha gente a escucharle y el sermón resultó ser todo un éxito. King tenía entonces sólo diecisiete años. Su profesor Benjamin Mays decía de él que era una persona ya madura a pesar de su extrema juventud y que hablaba como si tuviera diez años más, con equilibrio y gran comprensión de los problemas que entrañaba la vida de los hombres. Martin Luther King heredó de su padre la elocuencia y la capacidad de seducción que poseía su palabra. Su padre se sintió muy orgulloso de él. En 1947, cuando tenía dieciocho años, fue ordenado y nombrado pastor ayudante de la iglesia de Ebenezer por su padre.

La lectura de Thoreau

Como acabamos de ver, durante los años que pasó en Morehouse Martin Luther King consolidó la formación de su conciencia social y tomó la decisión de entrar en el ministerio religioso. Durante estos años también leyó mucho. Algunas de estas lecturas le impresionaron de manera profunda y dieron forma a su visión de la vida. Una de ellas fue el ensayo de Thoreau titulado «Sobre la Desobediencia Civil», obra que tuvo especial relevancia en su propia teoría de la resistencia no violenta.

Para comprender el pensamiento de Martin Luther King merece la pena que nos detengamos en la obra que supuso una conmoción para él. La leyó varias veces durante los años de Morehouse. Se trata de un libro que trasciende su época para convertirse en un clásico sobre la lucha del hombre por la justicia en la sociedad. Unos cuantos años antes que a Martin Luther King, el libro había inspirado a Ghandi y desde luego su lectura merece la pena, incluso cabe señalar que aún más, en nuestro tiempo.

Thoreau puede ser considerado como uno de los escritores más relevantes en la literatura de Estados Unidos. Nació en 1817 y murió en 1862. Thoreau escribió su ensayo sobre la desobediencia civil en 1849. Este ensayo es todo un alegato contra la política de su tiempo. Thoreau se dirige a los ciudadanos de Massachusetts para que se nieguen a cooperar con un sistema que defiende injusticias tales como la esclavitud de los negros, el maltrato e incluso exterminio de los indios y la guerra contra México, a la que considera ilegítima. De acuerdo con Thoreau, si alguien era partidario de abolir la esclavitud, en ese caso debía retirar su apoyo al Gobierno; no era suficiente el voto a favor de lo que se considera justo. Además Thoreau sostenía que delegar el poder en lo que decida una mayoría no suponía que existiera una mayor justicia. Según Thoreau, los hombres honestos tienen la obligación de rebelarse y sublevarse cuando existen en la sociedad males gravísimos, como lo eran entonces que una sexta parte de la población estuviera formada por esclavos y que el país hubiera impuesto su dominio militar sobre otro sin ningún derecho.

Otra de las tesis de Thoreau es que si un gobierno comete injusticias o niega los derechos a alguien, el único lugar adecuado para un hombre justo y libre es la cárcel. Martin Luther King tuvo que ingresar en la cárcel en numerosas ocasiones por defender sus ideas; seguro que recordaba las palabras de Thoreau cada vez que ingresaba en una celda. Thoreau entiende por hombre justo y libre a aquel que se resiste a un sistema que tolera la injusticia; esta resistencia supone para él un deber. Esta resistencia procede de su conciencia y la conciencia debe anteponerse a la obediencia civil. Podemos citar algunas de sus palabras:

«El ciudadano, así sea por un momento, o en el menor de los grados, ¿debe rendir su conciencia ante el legislador? Entonces, ¿para qué tiene cada hombre una conciencia? Considero que primero debemos ser hombres y después sujetos. No es deseable cultivar un respeto por la ley al mismo grado que por la justicia. La única obligación que tengo derecho de asumir es la de hacer en cualquier momento lo que yo considero.»

Thoreau creía en el cambio social para eliminar las injusticias si existía al menos una minoría de hombres libres que actuara conforme a su conciencia. Si esta minoría resistía al Estado, podía llegar a obstaculizarlo. Los que pueden constituir esta minoría pueden ser los héroes, los mártires; en difinitiva, los hombres que obran en conciencia:

Si mil, cien, si diez hombres a quienes pudiera nombrar—si sólo diez hombres honestos—; *sí, si sólo un hombre HONESTO, en este Estado de Massachusetts,* dejara de tener esclavos *y se apartara de esta sociedad y por ello fuese encerrado en la cárcel del condado, eso significaría la abolición de la esclavitud en Norteamérica.*

Estos hombres se diferencian de la mayoría considerada como buenos ciudadanos, pero cómplices a la vez de las bajezas morales del Gobierno. De acuerdo con Thoreau, en general la mayoría de los legisladores, los abogados, los políticos y los empleados públicos no siguen su propio criterio moral. Thoreau se mostraba especialmente crítico con la impasibilidad de la mayoría ante las acciones de esos pocos hombres justos, y no sólo impasibilidad, sino incluso la creencia de que su actitud es inútil. Como señala Ansbro (pág. 119):

«Thoreau deploraba el hecho de que la mayoría considera inútil y egoísta al patriota que escucha las exigencias de la conciencia, rechaza las medidas injustas del Estado, está dispuesto a aceptar el castigo impuesto por su resistencia y se entrega totalmente a sus congéneres, mientras que considera como benefactor y filántropo al hombre que se entrega sólo parcialmente a sus congéneres.»

Finalmente, podemos citar las palabras que Thoreau pronunció en un discurso de 1854, en una convención contra la esclavitud, acerca del poder del ciudadano individual sobre la ley:

«La ley nunca hará libres a los hombres; son los hombres quienes tienen que hacer libre a la ley. Ellos son los amantes de la ley y el orden que observan la ley cuando el Gobierno la quebranta.»

Unos años después, cuando comenzaba el boicot de Montgomery, Martin Luther King recordó la obra de Thoreau y de acuerdo con ella pidió a la población negra de la ciudad que no cooperara con un reglamento injusto que no les reconocía como hombres con la misma dignidad que la de los blancos.

El seminario de Crozer

Al terminar sus estudios en Morehouse College, y ya decidido a ser sacerdote, Martin Luther King Jr. deseaba estudiar teología y conseguir el doctorado. Le habían admitido en varios centros, como el Seminario Teológico de Chicago y otro situado en Andover Newton. Se matriculó en el Seminario Teológico de Crozer, lejos de Atlanta, en 1948. Crozer está situado en Chester, en el Estado de Pensilvania. La primera diferencia con su vida anterior es que Crozer era un centro de formación religiosa donde los blancos constituían la mayoría. Al principio se sentía incómodo. En sus escritos recordaba así sus primeros tiempos en el seminario:

«Si llegaba un minuto tarde a clase, me sentía tan avergonzado por ello que estaba seguro de que todo el mundo se daba cuenta. Más que pensar de mí que estaba siempre riendo, me temo que ofrecí un semblante muy serio durante un tiempo. Tendía a vestirme de manera demasiado formal, a mantener mi habitación limpísima, mis zapatos de un perfecto brillante y mi ropa con un planchado esmeradísimo.»

En el seminario de Crozer se intentaba crear un clima de igualdad entre todos los estudiantes. Por ejemplo, las puertas de los dormitorios no tenían cerraduras, con lo cual todos podían acceder libremente a las habitaciones de sus compañeros. En el seminario convivían estudiantes de múltiples procedencias: chinos, hispanos, negros, indios y blancos. Un compañero de Martin Luther King llamado Marcus Wood recordaba así la experiencia de Crozer (extraído de Gerbeau, pág. 28):

«Allí vivíamos todos juntos, lo cual era muy diferente de nuestra experiencia en el Sur. Había doncellas blancas que nos limpiaban las habitaciones y nos hacían las camas. Eso se salía de lo corriente para unos jóvenes negros que habían visto otras realidades muy distintas.»

En este seminario pasó tres años y el clima de apertura que se respiraba hizo que King superara las preocupaciones del comienzo. Con el tiempo se mostró más relajado, empezó a relacionarse más y llegó a ser el mejor de la clase, incluso se graduó con las máximas calificaciones. El seminario poseía la reputación de ser un lugar moderno, abierto a nuevas ideas. Martin Luther King estudió allí teología y filosofía. Leyó obras como *Cristiandad y crisis social,* de Walter Rauschesbusch, y estudió obras clásicas de Platón, Aristóteles, Hobbes, Locke o Rousseau. Al mismo tiempo solía acudir a las clases de filosofía de la Universidad de Pensilvania.

En el seminario de Crozer se familiarizó King con las tesis pacifistas y comenzó a desarrollar sus ideas sobre la no violencia como método de reforma social. También conoció la obra de Marx. En las vacaciones de Navidad comienza su lectura, sobre todo de *El manifiesto comunista* y *El Capital.* Las tesis de Marx le sirvieron para reafirmarse en su cristianismo militante, frente al materialismo dialéctico, aunque le hicieron reflexionar sobre la distribución de la riqueza y el capitalismo. Más tarde escribiría sobre ello:

«Yo estaba profundamente interesado, desde mi juventud, sobre la división entre la riqueza superflua y la pobreza miserable; mi lectura sobre Marx me hizo más consciente de esta decisión. (...) A pesar de que el moderno capitalismo americano ha reducido en gran parte las diferencias mediante las reformas sociales, todavía existía la necesidad de una mejor distribución de la riqueza.»

Tanto el comunismo como el capitalismo le parecían inadecuados para alcanzar la justicia social. Martin Luther King se mostró en desacuerdo con los métodos marxistas revolucionarios y expresó su preferencia por el pacifismo, aunque tardó un tiempo en llegar a esta conclusión, un tiempo que pasó buscando, escuchando, leyendo a unos y a otros. Los primeros que le hicieron conocer las ideas pacifistas en el seminario de Crozer fueron A. J. Muste, en una conferencia, y Mordecai Johnson, presidente de la Universidad de Howard, en un sermón. En este sermón Johnson habló sobre la vida y las enseñanzas de Mahatma Gandhi. Ya probablemente Martin Luther King había oído hablar sobre Gandhi a Mays, el presidente de Morehouse, quien tanta influencia ejerció sobre él. Gandhi se convirtió para Martin Luther King en el modelo a seguir, sobre todo por la importancia que confería al amor y a la no violencia.

De entre sus profesores en Crozer cabe destacar George Washington Davis, que le acercó aún más a la filosofía social basada en los Evangelios y le hizo conocer las obras de Reinhold Niebuhr. Otro profesor que influyó en él fue Robert Keighton, sobre todo en la retórica para elaborar sus conferencias y sermones. La forma de componer los discursos de Keighton hizo mella en King, que la incorporó a los suyos. Keighton clasificaba los sermones según el efecto y el mensaje que se quería comunicar (Roig y Coronado, pág. 32):

«Un buen predicador ha de preparar un bosquejo basado en una de las estructuras básicas para sermones. El predicador debe elegir qué forma de discurso se adecua más a lo que va a decir y el efecto que desea provocar. Utilizaremos el "sermón escalera" si lo que queremos es ascender a lo largo de varios argumentos hasta llegar a la conclusión final. Pero si queremos presentar una idea y analizarla desde diferentes ángulos, tenemos que emplear el "sermón joya". ¿Y si lo que pretendemos es comenzar de forma apasionada con una historia que desemboque en una lección espiritual? En ese caso, el apropiado es el "sermón fuegos artificiales".»

Martin Luther King consiguió varios honores al terminar sus estudios en Crozer. Le quedaba obtener el doctorado en teología. Solicitó la admisión en varias universidades y le admitieron todas, entre las que estaban Harvard y Yale; sin embargo, Martin Luther King se decidió por la Universidad de Boston. Después de su brillante graduación en 1951, Martin Luther King se marchó al Norte, a una universidad donde también los blancos eran la mayoría. Martin Luther King ya había recibido su licenciatura en Filosofía y Teología y estaba capacitado para ejercer el sacerdocio, pero deseaba afianzar su formación accediendo al grado de doctor. Uno de sus profesores favoritos en Crozer, Raymond Bean, había obtenido su título universitario en la Universidad de Boston y le había hablado de la Escuela de Teología como un centro acogedor y agradable para estudiantes afroamericanos. Además Martin Luther estaba interesado en conocer a fondo la filosofía del personalismo y en la Universidad de Boston impartían clases dos de sus mayores exponentes, Edgar S. Brightman y Harold DeWolf.

En la Universidad de Boston

Haber accedido a estudiar en Crozer ya había puesto a Martin Luther King en contacto con profesores eminentes, filósofos y teólogos destacados y, sobre todo, con compañeros blancos. Pero sin duda para un joven negro la posibilidad de estudiar en la Universidad de Boston, lo más avanzado de la intelectualidad americana, suponía una gran oportunidad siendo un chico negro de Georgia, estado sureño, como Martin Luther King. Tengamos en cuenta las diferencias entre el Sur, más tradicional, más apegado a las tradiciones y por supuesto con más segregación, y el Este, sobre todo Boston, donde está situada también la Universidad de Harvard. Puede decirse que Boston es la ciudad americana con mayor influencia europea y cuna de la sociedad más refinada.

Martin Luther King ingresó en la Escuela de Teología de la Universidad de Boston, para seguir el Programa de Doctorado. De esta manera Martin Luther King podía acceder al título académico más prestigioso, el de doctor, y además en una de las facultades de teología más destacadas de Estados Unidos.

Sin duda Martin Luther deseaba profundizar su formación antes de comenzar su carrera profesional como ministro religioso. Además estaba cada vez más interesado en conocer a fondo la filosofía del personalismo. De acuerdo con esta teoría filosófica, el significado último de la realidad se halla en la personalidad humana. En la Escuela de Teología Martin Luther King tenía la posibilidad de acceder a las enseñanzas de dos de los más eminentes teólogos personalistas del país, Edgar S. Brightman y Harold DeWolf, que ya citábamos antes. Por supuesto, se matriculó en los cursos que impartían. Primero fue su tutor Brightman, hasta su muerte en 1953; a partir de entonces lo fue DeWolf.

El personalismo es una teoría filosófica que, por definición y por sus postulados, contribuía a reafirmar la conciencia social de Martin Luther King y su interés en dedicarse a luchar contra la desigualdad. El personalismo hace hincapié en el valor individual de cada persona, sin importar su raza o su credo. Acerca de él Martin Luther King escribió lo siguiente, muchos años después de su estancia en Boston:

«Este idealismo personal continúa siendo hoy mi posición filosófica básica. La insistencia del personalismo en que sólo la personalidad —finita o infinita— es real en último extremo, consolidó dos de mis convicciones: me dio los fundamentos metafísicos y filosóficos para la idea de un Dios personal y me dio la base para mi creencia en la dignidad y el valor de toda la personalidad humana.»

Uno de los textos que Martin Luther King estudió a fondo fue la obra *Leyes Morales,* de Edgar Brightman. En ella se establece una distinción entre la ley moral y los códigos sociales. La ley moral es un principio universal que la voluntad debe obedecer, mientras que los códigos sociales consisten en principios que la sociedad obliga a cumplir o espera que se cumplan. En general es moral acatar los códigos sociales, si estos códigos están bien hechos por personas que poseen un valor moral reconocido. Sin embargo, la ley moral está por encima y debe oponerse a los códigos sociales si éstos no son justos; esta distinción será decisiva para Martin Luther King cuando exprese la necesidad moral de ponerse en contra del código social de los Estados Unidos, porque legaliza algo tan inmoral como la segregación. Para mantener la decisión y la firmeza con las que Martin Luther King obró en su lucha no violenta contra la segregación, quizá tuviera en mente algunas de estas leyes morales que el personalismo de Brightman le llevó a enunciar, por ejemplo la Ley del Altruismo (citadas por Ansbro, pág. 89):

«Toda persona debería respetar a las demás como fines en sí mismas y, hasta donde sea posible, cooperar con las demás en la producción y el disfrute de valores compartidos.»

O la Ley del Fin Completo:

«Todas las personas deberían elegir una vida coherente en la cual pueda realizarse la gama de valores más amplia que sea posible.»

Al mismo tiempo que se adentraba en las tesis del personalismo, Martin Luther King realizó otros cursos de filosofía, en especial sobre historia de la filosofía. De esta forma estudió a fondo las obras de filósofos como Hegel, Reinhold Niebuhr, Platón o Alfred North Whitehead. El tema elegido para escribir la tesis doctoral fue un análisis comparativo del concepto de Dios en dos filósofos; la tesis se titulaba «Una comparación del concepto de Dios en el pensamiento de Paul Tillich y Henry Nelson Wieman»; King eligió este tema porque no estaba de acuerdo con la concepción de Dios de ninguno de los dos filósofos. El concepto que Martin Luther King tenía de Dios era de un ser infinito y personal a la vez, un padre que nos ama y se esfuerza por lograr el bien y luchar contra el mal que existe en el universo; de la misma manera, los que dedican su vida a Dios, como Martin Luther King, se convierten en sus instrumentos para esa lucha sin tregua.

Martin Luther King obtuvo el grado de doctor con calificaciones satisfactorias. Después de un análisis exhaustivo de los trabajos que escribió y de su tesis hay quien ha afirmado que King no aportó nada original en ellos, simplemente se limitó a exponer o analizar las ideas que otros habían propuesto antes. Lo que es innegable es que Martin Luther King destacaba en sus intervenciones orales y en los exámenes escritos.

Sus actividades en la Universidad de Boston no se limitaron al interior del aula. Martin Luther acudía de cuando en cuando a iglesias para pronunciar un sermón, y llegó a labrarse cierta fama como predicador convincente y enérgico. Formaba parte del Club de Filosofía de la Universidad, que se reunía todos los viernes por la noche; allí uno de sus miembros leía una disertación sobre un tema concreto y después comenzaba un debate sobre el tema de la disertación; al principio todos los estudiantes que acudían eran negros, pero con el tiempo también participaron algunos blancos. Además desarrolló su activismo de conciencia social sobre la población negra. Para ello, paralelamente al Club de Filosofía, fundó un grupo de estudiantes llamado Sociedad Dialéctica, en la que alrededor de una docena de estudiantes se reunían una vez al mes para comentar ideas filosóficas y teológicas diversas y después discutir sobre cómo aplicarlas a los problemas sociales de los negros.

Martin conoce a Coretta

Durante su estancia en la Universidad de Boston Martin Luther King no se limitó a las actividades académicas, ni tampoco a sus sermones o a otras actividades paralelas de la Universidad. A principios de 1952, en su segundo año de estancia en Harvard, sucedió algo que modificó en gran parte su vida para siempre, nos referimos al momento en que Martin Luther King conoció a Coretta Scott a finales de enero de ese año. Coretta había iniciado sus estudios en Boston en 1951, el mismo año que Martin Luther King. Una amiga común, Mary Powell, les puso en contacto.

Mary Powell estaba casada con un sobrino de Benjamin Mays, el presidente de Morehouse en Atlanta, donde Martin Luther King había estudiado, por ello los dos se habían conocido durante la estancia de Martin Luther King en Morehouse. Al mismo tiempo Mary Powell era amiga de Coretta Scott. Parece ser que un día Martin Luther preguntó a Mary Powell si conocía a chicas atractivas y agradables, ya que hasta el momento no le había gustado ninguna de las que había conocido. Mary Powell le habló de una que él ya conocía, por tanto descartada, y de Coretta Scott. Mary describió a Coretta como una chica guapa, inteligente y agradable, pero le advirtió que no era muy religiosa y que no acudía a la iglesia con frecuencia. Martin Luther King pidió a Mary el número de teléfono de Coretta y ella se lo dio.

Por otra parte, un día Mary Powell había preguntado a Coretta si conocía a Martin Luther King y ella le respondió que no. Mary le contó que era un ministro baptista, que su carrera era muy prometedora y que de cuando en cuando daba sermones muy brillantes en iglesias de Boston. Cuando Coretta supo que se trataba de un ministro religioso perdió interés, no se sentía atraída por los estereotipos de hombres religiosos que había conocido hasta entonces. Además tampoco le atraía el cristianismo baptista, ella pertenecía a la iglesia metodista episcopal y la práctica del bautismo por inmersión, esencial para la iglesia baptista, le parecía innecesaria e inadecuada.

Estas reticencias de Coretta desaparecieron cuando por fin conoció a Martin Luther King. Un día de enero de 1952 Coretta recibió su llamada. En su libro de memorias Coretta nos cuenta cómo fue aquella primera conversación. Él hablaba de manera suave, lentamente; hablaron durante un buen rato sobre sus ocupaciones respectivas y él incluyó también algunas bromas. Al final él le dijo que quería quedar con ella para conocerla y continuar charlando; así que acordaron verse para comer al día siguiente.

Martin la recogió en su coche, un Chevrolet verde. La primera impresión de Coretta al verlo en el coche fue más bien negativa. Le pareció que era bajito y algo así como «poca cosa» («unimpressive», dice Coretta textualmente en sus memorias, pág. 68). Los primeros minutos fueron difíciles para Coretta, estaba nerviosa en esta primera cita. La primera impresión desfavorable que había tenido sobre él se desvaneció en seguida (pág. 68):

«Fue un poco difícil, pues en aquellos pocos minutos me había olvidado de que Martin era bajo y ya había revisado completamente mi primera impresión sobre él. Irradiaba encanto. Cuando hablaba, crecía en estatura. Incluso siendo tan joven, se ganaba a la gente desde el primer momento con su elocuencia, su sinceridad y su estatura moral. Supe de inmediato que se trataba de alguien muy especial.

Conseguimos una mesa, nos sentamos y empezamos a hablar. Este joven se volvía cada vez más guapo conforme hablaba, con tanta fuerza y siendo tan convincente. Con un dominio sobre sí mismo muy masculino, parecía saber exactamente a dónde iba y cómo iba a llegar allí. En nuestra conversación debe ser que yo hice algunos comentarios más o menos inteligentes porque dijo "¡Oh! Veo que sabes otras cosas además de música".»

Resulta curioso saber que en aquella primera cita ya hablaron sobre matrimonio. Se advierte que Martin Luther King ya pensaba en casarse y parecía estar buscando una esposa. Después de la comida en el restaurante, cuando iban en el coche de vuelta al conservatorio, Martin le dijo a Coretta (pág. 68):

«Tienes todo lo que siempre he buscado en una esposa. Son solamente cuatro cosas y tú las tienes todas.»

Coretta se quedó muy sorprendida al oírle hablar de «esposa» y le respondió razonablemente que aún no la conocía lo suficiente como para hacer una afirmación semejante. Él insistió:

«Las cuatro cosas que busco en una esposa son carácter, inteligencia, personalidad y belleza. Y tú las tienes todas. Quiero quedar contigo de nuevo. ¿Cuándo puede ser?»

Coretta estaba un poco abrumada ante un hombre con las ideas tan claras. No porque no le agradara Martin Luther King, que sí le había gustado y mucho. Le parecía extraño que le hablara de matrimonio en la primera cita. Más tarde Coretta se dio cuenta de que Martin Luther King ya tenía la suficiente madurez como para casarse y no por ello era un hombre excesivamente calculador o metódico, también era romántico; siempre tenía las ideas muy claras a la hora de tomar una decisión. En aquel momento Coretta no pensaba en casarse todavía, sino en continuar con su carrera musical.

La carrera de Coretta

Coretta Scott se hallaba en Boston porque también era estudiante, en el Conservatorio de Nueva Inglaterra. Al igual que Martin Luther King, Coretta procedía de una familia del Sur y gracias a sus méritos había accedido a una beca para ampliar sus estudios. A diferencia de la familia de Martin Luther king, la familia de Coretta tenía recursos limitados y ella había pasado grandes dificultades para poder estudiar. Coretta había nacido en abril de 1927 en Marion, en el Estado de Alabama, otro de los Estados con mayor población negra y con las leyes de segregación más severas. Sus padres, Obie Leonard Scott y Bernice McMurray Scott, tenían una pequeña granja y una camioneta con la que él transportaba madera. Coretta recuerda cómo desde los diez años tuvo que trabajar en los campos de algodón para ayudar a sus padres. Pronto tuvo conciencia de lo que entrañaba ser negra cuando empezó a ir a la escuela primaria para negros; tenía que caminar con sus hermanos cinco kilómetros para llegar y por el camino pasaban los autobuses que llevaban a los niños blancos a su colegio, llenándoles de polvo o salpicándoles de barro según la estación. Como los demás niños negros del Sur de Estados Unidos, Coretta tenía que sentarse en la parte alta de los cines, porque la de asientos cómodos de abajo era para los niños blancos; o en la tienda de la esquina tenía que comprar un helado por la parte lateral y esperar a que todos los niños blancos fueran atendidos; además, aunque eligiera un tipo de helado concreto, no importaba pues el dependiente le servía del que más hubiera en la tienda. La escuela a la que asistía tenía menos recursos que la de los blancos; por ejemplo, no tenía biblioteca ni aulas separadas para cada curso; los niños negros compraban los libros de texto, mientras que a los blancos se los proporcionaban de forma gratuita; otra diferencia radicaba en la duración del curso escolar: nueve meses para los blancos y siete meses para los negros.

Sus padres daban mucha importancia a la educación como primer paso para alcanzar la libertad. Coretta cuenta en sus memorias que su madre le decía (pág. 48): «Consigue una buena educación para intentar ser alguien. Así nadie te tratará a patadas ni tendrás que depender de nadie que te mantenga, ni siquiera de un hombre.» De acuerdo con esta manera de pensar, su madre se las arregló para enviar a Coretta y su hermana Edythe al instituto Lincoln de Marion, centro de gran calidad. Allí todos los alumnos eran negros y el cuerpo de profesores estaba formado por una mitad negra y otra blanca, de graduados del Norte casi en su totalidad. Coretta recordaba el ambiente de hermandad que existía entre todos los profesores blancos y negros. Aquellos profesores blancos del Norte eran despreciados por los blancos del Sur, que les llamaban «amigos de los negros» («nigger lovers»); en Marion también Coretta conoció más el trato despectivo de los blancos. En el instituto Lincoln comenzó Coretta su formación musical, al igual que su hermana. Cuando tenía quince años ya era la directora del coro de la iglesia y tocaba el piano. En una ocasión el coro en el que cantaba realizó una gira de conciertos por varios centros universitarios, entre ellos el de Antioch, situado en Yellow Springs, en el Estado de Ohío. Dos años después este centro decidió ofrecer becas para admitir a estudiantes negros, una de ellas para algún estudiante del instituto de Lincoln. La beca fue obtenida por su hermana Edythe, quien en 1943 fue la primera estudiante negra aceptada en Antioch con una integración total. Mientras, Coretta se graduó en el instituto Lincoln y solicitó una beca para ser admitida en Antioch, como su hermana. Se le concedió una beca parcial y Coretta pudo ingresar en el Antioch College; se matriculó en música y educación primaria. Para Coretta fue esencial contar con el apoyo de su hermana, sobre todo el primer año. A pesar de la calidad del centro universitario, pronto observó que existía también una barrera racial, aunque mucho más sutil; Coretta advertía que muchos compañeros blancos sentían cierta superioridad, quizá heredada a través de las generaciones anteriores.

Consciente de la discriminación, Coretta Scott pronto desarrolló una conciencia social que la llevó a unirse a grupos y organizaciones. En el centro universitario de Antioch, Coretta empezó a formar parte de la sección local de la N.A.A.C.P. y colaboró con el Comité de Relaciones Raciales, así como con el Comité de Libertades Civiles. También se convirtió en una militante política de los Jóvenes Progresistas y en 1948 fue la delegada de los estudiantes de Antioch en la Convención del Partido Progresista.

En cuanto a su experiencia en Antioch, este centro le procuró a Coretta Scott una sólida formación y la necesaria seguridad en sí misma para poder convivir con gente de todas las razas y creencias. Además le dio confianza para iniciar una carrera musical. Fue en Antioch donde decidió que iba a desarrollar las posibilidades de su voz hasta alcanzar todo su potencial. Llegó a ofrecer conciertos, en una ocasión junto al barítono de fama mundial por entonces, Paul Robeson. En 1949 obtuvo la licenciatura en música y educación primaria y decidió que quería proseguir sus estudios en un conservatorio de música.

Coretta solicitó el ingreso en dos conservatorios como las dos mejores opciones que veía para continuar su formación musical. Uno de ellos era el de Julliard, en la ciudad de Nueva York, y el otro el de Nueva Inglaterra, en Boston. No le atraía mucho la idea de estudiar en Nueva York, pues le parecía una ciudad demasiado competitiva e impersonal. Pensaba que sería más fácil para ella adaptarse a la vida de Boston, ciudad que creía más accesible. Recibió la notificación de que había sido aceptada por el Conservatorio de Música de Nueva Inglaterra; sin embargo, sus recursos eran limitados y necesitaba una beca. Al final pudo iniciar sus estudios gracias a una beca de la fundación Jessie Smith Noyes. En el Conservatorio de Nueva Inglaterra cursó la carrera musical, especializándose en voz. La beca no era suficiente para cubrir todos los gastos de manutención y alojamiento, así que Coretta tuvo que trabajar limpiando la casa en la que se alojaba. Más adelante recibió también una beca del Estado de Alabama, que concedía becas a estudiantes negros que, debido a la segregación de los centros superiores, no encontraban un centro donde completar su formación profesional especializada dentro del Estado.

La boda de Martin y Coretta

Al día siguiente de aquella primera cita Martin Luther King la llamó por teléfono. Recordemos que ella estaba un tanto abrumada al oírle hablar ya de matrimonio. Sin embargo, a ella le habían invitado a ir a una fiesta aquella misma noche y le propuso a él que asistiera con ella. Allí observó la gran popularidad de que gozaba Martin Luther King y al volver a casa advirtió que la relación se iba a consolidar. El domingo también pasaron algún tiempo juntos y prácticamente desde entonces ya empezaron a verse todos los días. Conversaban sobre muchos temas y Martin Luther King le hablaba de filosofía, del personalismo o de su entusiasmo por Ghandi y su filosofía de la no violencia. Hablaban también de la injusticia de la segregación y de la necesidad de la lucha por los derechos civiles. Coretta asistió a uno de sus sermones y se quedó impresionada; el sermón que escuchó fue el titulado «Las tres dimensiones de una vida completa», sermón que volvería a escuchar en la iglesia de la Avenida Dexter en Atlanta y en Londres cuando le concedieron el Premio Nobel. Ella le contó su reticencia a hacerse baptista por no creer necesario bautizarse por inmersión y él le respondió que no era una cuestión tan importante.

Puede decirse que desde los primeros días ya se habían hecho novios, sobre todo por la convicción de Martin de ver en Coretta desde el principio la esposa ideal. Sin embargo, pronto Martin le habló del compromiso que tenía con una chica de Atlanta, un compromiso hecho más bien por las familias de los dos; a este respecto le dejó claro que él iba a elegir a su propia esposa y que ya la había elegido a ella, Coretta. La chica de Atlanta se llamaba Juanita Sellers y había sido novia de King durante su primer año de estudios en el seminario de Crozer; para el padre de King se trataba de una chica ideal, ya que pertenecía a una de las familias más importantes de Atlanta; por entonces estudiaba en la Universidad de Columbia. Sin embargo, al llegar a Boston Martin Luther King se había fijado en otras chicas, la primera fue una blanca llamada Betty Moitz, hija de una inmigrante alemana que trabajaba como cocinera en Crozer; Martin Luther King incluso llegó a pedirle que se casara con él, algo inusual en la época, ya que los matrimonios mixtos no estaban bien considerados y en el Sur eran algo impensable. Al final la relación con Betty Moitz terminó y King volvió a enamorarse al conocer a Coretta Scott.

La que pronto se convertiría en su esposa nos cuenta en su libro de memorias qué opinión tenía Martin Luther King acerca de las mujeres y su papel en la sociedad. Él quería una esposa con la que poder comunicarse y con ideas propias, pues una mujer podía ser tan inteligente como un hombre, pero al mismo tiempo su preferencia personal era la de una mujer que se quedara en casa cuidando de la familia (pág. 74):

«Martin tuvo, durante toda su vida, una actitud ambivalente hacia el papel de las mujeres. Por una parte, creía que las mujeres eran igual de inteligentes y capaces que los hombres y que podían desempeñar puestos de autoridad e influencia. Pero cuando se refería a su propia situación imaginaba a su esposa como la que cuida el hogar y como la madre de sus hijos. Tenía bastante claro que esperaba que la que fuera su esposa estuviera en casa esperándole.»

Al mismo tiempo también era importante para él que su esposa se dedicara a la iglesia y desempeñara con abnegación el papel de esposa del pastor. Coretta Scott se daba cuenta de que todo esto resultaba incompatible con la carrera musical que ella deseaba emprender y de que además ella nunca se había imaginado casándose con un ministro religioso. Necesitó tiempo para decidirse; sin embargo, pudo más el amor que sentía por él, amor inspirado sin duda por las cualidades morales que ella admiró en él, por su carácter y por la forma de comportarse que tenía con ella. Sobre la personalidad de Martin Luther King, Coretta escribió (págs. 75-76):

«Era bueno, un hombre muy bueno. Su conciencia era algo formidable que le mantenía en el sendero que él juzgaba correcto. Si alguna vez hacía algo malo o cometía una acción egoísta, su conciencia lo devoraba por completo. Durante toda su vida sufrió de veras cada vez que sintió que había habido alguna posibilidad de que se hubiera equivocado con alguien o de que hubiera actuado de forma irreflexiva. Cuando ocurría esto, si era posible, siempre se disculpaba y pedía perdón. Sentía que haber nacido en el seno de una familia negra de clase media era un privilegio que él no se había ganado, de la misma manera que sentía que los muchos honores que se le concedieron en años sucesivos no eran sólo suyos. Solía autoexaminarse continuamente para determinar si se estaba volviendo corrupto o si aceptaba galardones demasiado fácilmente. Era muy sensible al hecho de que la gente hiciera cosas para él por su posición. Estaba enormemente agradecido a cualquier ayuda que recibía. Era un hombre de veras humilde y nunca se sintió merecedor de sus puestos. Por eso se preocupaba tanto, trabajaba tanto

y estudiaba constantemente, mucho tiempo después de haberse convertido en una figura de talla mundial. Estas cualidades le permitían continuar creciendo.

Pero era también muy vivaz y gracioso, y muy divertido para convivir con él. Era un gran bromista; cuánto le gustaba bromear conmigo cuando éramos novios, fingiendo que le gustaba otra chica, hasta que yo mordía el anzuelo con los ojos encendidos. ¡Cómo se reía de mí en ese momento!

Le encantaba bailar y era un buen bailarín. Le gustaba la gente y disfrutaba de las fiestas y, sobre todo, de la buena conversación.»

Los meses iban pasando y la relación continuaba. En el verano Martin pidió a Coretta que le visitara en Atlanta, pues en julio Martin Luther King iba a pasar unas semanas con sus padres. Para Coretta aquella primera visita a la familia King no fue nada fácil, pues le preocupaba el deseo de los padres de Martin de que su hijo se casara con la chica de Atlanta. En noviembre los padres de Martin Luther le visitaron en Boston y fue durante aquella visita cuando Martin y Coretta tuvieron una conversación con Martin Luther King padre; su hijo le comunicó que estaba resuelto a casarse con Coretta. El señor King aún mostraba cierta reticencia, pero por fin aceptó; sin duda se dio cuenta de que su hijo tenía ya una personalidad madura capaz de tomar decisiones importantes en la vida y con las ideas muy claras de con quién quería compartir su vida. Martin y Coretta fijaron la fecha de la boda para el mes de junio, así que el 18 de junio de 1953 Martin Luther y Coretta se casaron en la casa de la familia Scott, en Alabama, y Martin Luther King padre fue por supuesto el encargado de oficiar la ceremonia.

Martin y Coretta pasaron aquel verano en Atlanta, en la casa de los King, hasta que las clases comenzaron de nuevo en otoño y volvieron a Boston para finalizar sus estudios.

El apoyo de Coretta

Suponemos que un hombre de la talla de Martin Luther King, tan sensato a los veinticuatro años a pesar de ser tan joven, había decidido casarse con Coretta Scott por haber descubierto en ella valores dignos de admiración, más allá de aquellas cuatro cualidades que él buscaba en una esposa. Si nos fijamos en la trayectoria de Coretta Scott King durante su vida en común con él y en la etapa posterior, mucho más larga, sin duda llegamos a la conclusión de que Martin Luther King no se equivocó en absoluto al elegir a su compañera. Si todo el mundo está de acuerdo en que él fue un gran hombre, de Coretta Scott puede afirmarse con rotundidad que ha sido una gran mujer, a la altura de un líder mundial de la talla de su marido.

Si empezamos por el principio de su matrimonio, cabe pensar que Coretta podía haberse dedicado en firme a su carrera musical, pues poseía un talento brillante. Tras la celebración de su matrimonio, la pareja tenía que plantearse qué rumbo tomar: si quedarse en el Norte, cerca de la Universidad, o volver al Sur. Coretta se mostró de acuerdo con su marido al tomar la difícil decisión de elegir dónde vivir, y por ello no se opuso a marcharse al Sur, dejando atrás el mundo culto del Norte, lugar más propicio para iniciar una carrera profesional en la música.

Como tantas otras esposas, se dedicó a la vida familiar y a apoyar la carrera de su marido, en la que fue una firme colaboradora y trabajó codo a codo con él. Los primeros años de su matrimonio los dedicó a cuidar a sus hijos. La primera hija, Yolanda Denise, nació en 1955; a continuación nació Martin Luther III, después Dexter Scott y por último Bernice Albertine, en 1963. Con el tiempo pudo desarrollar alguna tarea profesional y comenzó a trabajar como profesora de voz en el centro Morris Brown College, en Atlanta.

Su dedicación a la música le sirvió para colaborar con Martin Luther King y apoyar la lucha por los derechos civiles. Durante las décadas de los 50 y los 60 se celebraban «conciertos por la libertad», en los que actuaban cantantes y poetas que recitaban sus versos y líderes negros que ofrecían conferencias sobre la conciencia social y la historia de la segregación. Coretta Scott participó en gran número de estos conciertos, cuya recaudación se donaba por completo a la asociación S.C.L.C. (Conferencia del Liderazgo Cristiano del Sur), presidida por Martin Luther King. Podemos citar, como ejemplo de estos conciertos, el que tuvo lugar en Nueva York en uno de sus mayores auditorios, el Manhattan Center. Coretta Scott actuó junto a artistas de la talla de Duke Ellington o Harry Belafonte. El concierto se celebró cuando aún no había terminado el boicot de Montgomery, el 1 de enero de 1956, y se estaba esperando la resolución del Tribunal Supremo. Coretta Scott pronunció unas palabras sobre la lucha de Montgomery: «Deseo recordarles que, el 5 de diciembre de 1955, la cuna de la injusticia económica, política y social comenzó a oscilar de manera lenta pero segura. Durante un año hemos sufrido, prefiriendo caminar con dignidad antes que viajar en un medio con humillación.» Los fondos obtenidos en el concierto, según la práctica habitual, se destinaron al Movimiento Pro Derechos Civiles.

Coretta acompañó a su marido en muchos viajes, de entre los que destacan, por la trascendencia que tuvieron para el movimiento de la no violencia, el que hicieron a Ghana en 1957 y sobre todo el que realizaron a la India en 1959.

Su música también se escuchó durante los actos y campañas de sensibilización de su marido, acompañándole en sus discursos. En ocasiones Coretta Scott llegó a sustituirle y hablar a la multitud cuando por alguna circunstancia a Martin Luther King le había sido imposible acudir a un compromiso.

El compromiso social de Coretta le hizo participar de forma activa en los movimientos de desarme. Por ello viajó a Ginebra como líder de las mujeres en favor de la paz en la Conferencia de Desarme de 1962, en la que se reunieron representantes de diecisiete países.

La trágica muerte de su marido en 1968 no le hizo claudicar en la lucha por los derechos civiles. Por el contrario, se empeñó con esfuerzo en seguir adelante y extender la filosofía de la no violencia. Puede decirse que Coretta Scott se entregó de lleno a continuar la labor de su marido. Sólo unos días después de su muerte Coretta Scott marchó al frente de los trabajadores de la sanidad en Memphis, en una manifestación. Poco después durante el mismo mes también estuvo en primera línea en la manifestación masiva contra la guerra de Vietnam, que tuvo lugar en abril de 1968 en Nueva York. Al mismo tiempo contribuyó al lanzamiento de la campaña contra la pobreza, último proyecto de Martin Luther King. En su esfuerzo por mantener viva la memoria y el espíritu de lucha de su marido, Coretta Scott comenzó a escribir los recuerdos de su vida en común con Martin Luther King, como resultado vio la luz un libro, *Mi vida con Martin Luther King Jr.*, que resulta apasionante al relatar la crónica de las penalidades, los esfuerzos y las tensiones que vivió la pareja, pero al mismo tiempo la fuerza, la alegría y el coraje para seguir adelante. El libro fue publicado en 1969.

Este mismo año la viuda de Martin Luther King inició un gran proyecto y se movilizó para encontrar los medios de llevarlo a cabo. Se trataba del Centro para el Cambio Social No violento, una institución que pretendía rendir homenaje a la labor de su marido y, al mismo tiempo, continuarla. En este centro Coretta planeaba construir una sala de exposiciones, una biblioteca con las obras de Martin Luther King, un museo, un Instituto de Estudios Afroamericanos e incluir también la casa natal restaurada de su esposo. El emplazamiento elegido por ella para este Centro era un lugar cercano a la iglesia baptista de Ebenezer.

Sus actividades públicas continuaron. Con motivo del vigésimo aniversario de la *Marcha sobre Washington por el trabajo y la libertad*, que lideró Martin Luther King en 1963, Coretta Scott consiguió reunir más de medio millón de manifestantes en la misma ciudad. Desde 1984 promovió una campaña para establecer un día de fiesta en Estados Unidos en honor a Martin Luther King. Se creó una Comisión Federal presidida por ella y al final se fijó la fiesta en el mes de enero. La fiesta de Martin Luther King se celebra en Estados Unidos desde 1986.

La labor de Coretta ha sido tan encomiable que se pueden citar innumerables actividades en favor de la paz y los derechos humanos. Ha formado parte de numerosas organizaciones, como la Organización Nacional de Mujeres, las Mujeres Unidas de la Iglesia o la Liga Internacional de Mujeres por la Paz. Por último, podemos destacar su implicación en la lucha anti-apartheid de Sudáfrica; gracias a su participación en varias protestas en Washington se produjeron después manifestaciones nacionales contra la política racial de Sudáfrica. Coretta Scott llegó a viajar allí para reunirse con Winnie Mandela y a la vuelta pidió firmemente al presidente Reagan que emprendiera medidas contra el régimen político del país.

La vuelta al Sur

Después del verano de 1953 Martin y Coretta, ya casados, lo primero que debían hacer era abordar la última fase de su formación. Coretta estaba a punto de finalizar sus estudios en el conservatorio y a Martin Luther King no le quedaba mucho tiempo para terminar los estudios de doctorado y presentar la tesis doctoral sobre el concepto de Dios. Aparte de los cursos para el doctorado, Martin Luther King se matriculó en un curso sobre Platón en la Universidad de Harvard y en otro sobre los filósofos existencialistas Heidegger, Sartre y Jaspers. De manera provisional se instalaron en un apartamento alquilado en Boston. Los dos estaban muy ocupados, pero eran conscientes de que pronto tendrían que empezar a hacer planes para el futuro.

En el invierno de 1954 Martin Luther King ya casi había terminado los cursos y había escrito una gran parte de su tesis. Por otro lado, Martin Luther King ya estaba en condiciones de comenzar a ejercer las labores de un ministro baptista. El matrimonio tenía que plantearse qué salida profesional tomar y dónde vivir. A Martin Luther King le llegaron varias ofertas profesionales desde varios centros de educación; al mismo tiempo más de una iglesia se mostró interesada en acogerle como predicador, concretamente dos iglesias del Norte y dos del Sur; recordemos que durante sus estudios Martin Luther King había pronunciado sermones religiosos en muchas ocasiones y se había labrado una buena reputación como orador. Desde luego Martin Luther King deseaba dedicarse a la labor de pastor, pero al mismo tiempo quería una oportunidad para trabajar en la mejora de las condiciones sociales de la comunidad negra. Por otra parte, también el mundo académico le parecía una carrera atractiva; sin embargo, pesaban más en la balanza su vocación religiosa, su conciencia social, sus lecturas y sus reflexiones durante estos años de formación; todo esto le inclinaba hacia el Sur, donde podía realizar una labor más comprometida. Unos años después Martin Luther King escribiría estas palabras sobre aquel momento trascendental en el que hubo de decidir su futuro profesional:

«Tenía dos caminos a elegir. ¿Me tenía que inclinar por el ministerio o, por el contrario, dedicarme a la tarea de educar? ¿Por cuál de las dos cosas me debía decidir? Y si aceptaba una iglesia ¿debía ser en el Sur, con todas las trágicas implicaciones de la segregación, o elegiría uno de los dos puestos que me ofrecían en el Norte?»

Al reflexionar llegó a la conclusión de que la educación le atraía, pero no como dedicación exclusiva, si acaso como una ocupación a tiempo parcial como complemento al trabajo de la iglesia. Una vez dedicido que quería ser ministro religioso, la cuestión era dónde. A la hora de decidirse por una de las iglesias que se habían interesado por él, Martin y Coretta no se ponían de acuerdo: ella prefería quedarse en el Norte un tiempo y después marcharse al Sur, pues era de donde ellos procedían, de esta manera Coretta podía disfrutar del ambiente cultural y de mayores oportunidades para su carrera musical; Martin Luther King consideraba que su lugar estaba en una iglesia negra del Sur, donde estaría en contacto más estrecho con la gente y podría dedicar por entero su tiempo a la comunidad negra. Al final fue Coretta quien cedió y los dos acordaron marcharse al Sur.

Aún Martin Luther King no se había decidido en firme por ninguna de las iglesias, aunque sí estaba claro que desempeñaría el ministerio religioso en el Sur, cuando recibió otra oferta de otra iglesia en un lugar lejano. Se trataba de un puesto vacante de pastor en una iglesia situada en la ciudad de Montgomery, en el Estado de Alabama, precisamente de donde procedía Coretta. Montgomery significaba el encuentro con una comunidad negra que vivía día a día los agravios de la segregación, tan fuerte en los Estados del Sur. El lugar parecía cumplir todos los requisitos que buscaba King. La oferta había llegado a través del padre de Martin Luther. Como toma de contacto inicial le habían invitado a oficiar una celebración y pronunciar un sermón. La pareja acudió a Montgomery durante las Navidades y conoció la Iglesia Baptista de la Avenida Dexter. Martin Luther King pronunció su primer sermón en la que sería su iglesia durante muchos años en el mes de enero de 1954. Según cuenta en sus memorias, se preparó el sermón con minuciosidad; no sabía en concreto cómo iba a ser la audiencia, suponía que el ambiente que se iba a encontrar sería de clase media y quizá exigente; a pesar de haber preparado su sermón con esmero, a la hora de empezar a hablar prefirió ser más espontáneo. Eligió para aquella ocasión especial el sermón titulado «Las tres dimensiones de una vida plena», que ya había pronunciado antes, y el público siguió las palabras de Martin Luther sin pestañear. El sermón revela gran parte de las ideas de Martin Luther King sobre el camino que uno debe seguir en la vida y que él por supuesto siguió, un camino que debe incluir a todos los hombres y debe estar enfocado hacia Dios. El sermón gustó tanto a los fieles, la acogida de Martin fue tan positiva, que apenas unas pocas semanas después toda la congregación estaba de pleno acuerdo para comunicarle que deseaban contar con él como pastor permanente de su iglesia.

Martin Luther King no aceptó inmediatamente, aún viajó a otras ciudades como Detroit o Chattanooga para dar otros sermones. Pero la acogida de la congregación de la iglesia de Dexter le había gustado y al final aceptó. Coretta Scott no estaba muy entusiasmada con la idea en un principio, por volver a vivir en un lugar muy cercano a donde ella había crecido y donde las leyes de la segregación estaban plenamente vigentes. Martin Luther King volvió a viajar a Montgomery en abril para ultimar los detalles de su incorporación. La vuelta al Sur no se iba a producir de inmediato, sino que lo harían unos meses más tarde. Tenían varios asuntos profesionales y económicos que solucionar, ya que todavía Coretta no había terminado en el Conservatorio, ni Martin Luther King había concluido su tesis doctoral. Debido a estas circunstancias, King aceptó el puesto, pero pidió que su labor de ministro a tiempo completo comenzara a partir de septiembre de 1954. De esta manera podía disponer del tiempo necesario para finalizar su tesis sin agobios y al mismo tiempo a Coretta Scott le iba a ser posible terminar su carrera musical en el Conservatorio de Boston. De todas formas, como la iglesia de Dexter iba a carecer de ministro durante unos meses, Martin Luther King les prometió viajar de cuando en cuando a partir de mayo. Así pues pasó los meses desde mayo hasta septiembre viajando con frecuencia desde Boston a Montgomery. Cuando comenzó el mes de septiembre ya había terminado la tesis y pudo comenzar su trabajo de pastor a tiempo completo en la Iglesia Baptista de la Avenida Dexter de Montgomery. Coretta Scott se reunió con él y así es como los King establecieron su residencia en el Sur.

II. LA INSPIRACIÓN DE GHANDI

El compromiso y las convicciones de Martin Luther King tuvieron una fuerte inspiración en la vida y la lucha de Ghandi en la India, así como las acciones concretas de sus campañas. Además, Martin Luther King admiraba en él sus múltiples cualidades; entre ellas se pueden destacar su fuerza espiritual, su renuncia a los valores materiales, su valor irreductible o su entrega total a una causa basada en el amor. Martin Luther King lo conoció y admiró desde su estancia en el seminario de Crozer, donde escuchó una conferencia de Mordecai Johnson sobre él. Después realizó una lectura de toda su obra y también de las obras de sus oponentes. Además pudo tener una experiencia directa de la realidad hindú y conocer a sus seguidores en el viaje a la India que realizó en 1956. Puede decirse sin duda que la resistencia no violenta de Ghandi fue el modelo para el movimiento que Martin Luther King lideró, dedicado a la lucha por los derechos civiles de la población negra.

Mohandas Jkaramchad Ghandi nació el 2 de octubre de 1869 en Karthlawar, cerca de Bombay, en el estado de Gujarat. Pertenecía a una familia de mercaderes con cierta riqueza. Su padre fue ministro del Estado, como su abuelo. Al proceder de una familia con recursos, Mohandas Ghandi pudo acceder a una buena educación. Estudió en un colegio inglés y después se licenció en Derecho en la Universidad de Ahmedabad. De acuerdo con la tradición familiar de su casta, a los trece años se casó. Tuvo la posibilidad de viajar a Londres para ampliar sus estudios. Allí Ghandi no sólo se limitó a proseguir sus formación en Derecho, sino que se dedicó a estudiar y leer literatura y filosofía. Conoció las obras de escritores como Ruskin, Carlyle o Tolstoi. Una lectura de este periodo que le causó gran impresión fue el Nuevo Testamento, en el que encontró similitudes con el poema «Bhagavad

Gita» del libro sagrado indio *Mahabharata*, como veremos más adelante.

La etapa de Sudáfrica

En 1893 recibió una oferta para trabajar en Sudáfrica y decidió aceptarla, sin dejar de continuar su formación espiritual. En Sudáfrica, Ghandi no se limitó a realizar la labor comercial que le habían encomendado. La discriminación racial que encontró en el país no le dejó indiferente. Por un lado, estaba la discriminación contra la mayoría negra, pero también advirtió que los prejuicios y normas raciales afectaban también a los doce mil indios que vivían en la región del Transvaal. Estos indios habían llegado a Sudáfrica contratados para trabajar en las minas y después se habían quedado a vivir en el país, dedicados a la agricultura o al comercio. Sin embargo, las autoridades blancas consentían que se les tratara con desprecio, incluso eran amenazados con ser expulsados del país si no respetaban las leyes discriminatorias. Ghandi decidió tomar partido en la situación y ejercer de abogado en favor de la lucha contra el racismo. Ya entonces mostró su indiferencia ante las ambiciones materiales, pues no le importó dejar de ganar seis mil libras al año para ganar sólo trescientas sesenta en su nueva ocupación.

Los primeros pasos en su línea de acción contra la discriminación consistieron en realizar una campaña de sensibilización a traves de mítines, recogida de firmas y la fundación de un periódico, el *Indian Opinion*. A continuación se celebró el Primer Congreso Indio, en la ciudad de Natal. Después en 1903 se constituyó la organización *Transvaal British Indian*. Las actuaciones de esta organización eran pacíficas, puesto que Ghandi rechazaba el uso de la violencia y proponía una lucha basada en la resistencia pasiva. Esta lucha se vio acrecentada cuando el Gobierno de Sudáfrica aprobó la «Ordenanza de Registro Asiático» en 1906, una ley que obligaba a todos los inmigrantes hindúes a registrarse en las oficinas del Gobierno. Como respuesta a la aprobación de esta ley Ghandi consiguió reunir a más de tres mil personas en Johannesburgo y todos los asistentes se pusieron de acuerdo para desobedecer la ley de registro y aceptar las consecuencias derivadas de su resistencia a la ley. Esta reunión tuvo especial importancia para Ghandi en cuanto a sentar las bases de su estrategia y definir el concepto de *Satyagraha* como búsqueda de la verdad. Al mismo tiempo, Ghandi ya pensaba en la situación de la India; por ello, en un pequeño libro que escribió por entonces titulado *Hind Swaraj* Ghandi afirmó:

«La violencia no era el remedio para los males de la India... su civilización requería el uso de un arma de autoprotección diferente y más elevada.»

Poco después Ghandi leyó *Ensayo sobre la desobediencia civil*, de Thoreau, obra que después ejercería una gran influencia en Martin Luther King. Ghandi se inspiró en este ensayo para articular su estrategia de la resistencia no violenta.

Durante los siete años siguientes Ghandi siguió liderando la campaña a favor de los derechos de la minoría hindú en Sudáfrica y fue encarcelado en varias ocasiones. En 1913 el movimiento se intensificó y más de cincuenta mil trabajadores se declararon en huelga. Miles de indios fueron detenidos, pero la lucha continuó y los trabajadores de las minas persistieron en su negativa a trabajar. Ghandi salió de la cárcel pidiendo a sus partidarios que aceptaran el sufrimiento y que no cedieran en la lucha. Se organizó entonces la gran marcha a través del Transvaal. En principio el jefe del Gobierno, el general Smuts, se cerró a las negociaciones y declaró que las medidas discriminatorias iban a continuar. Sin embargo, ante la presión constante del movimiento de resistencia no violenta, el Gobierno se vio obligado a ceder. Como consecuencia de las protestas, en 1914 se suprimió el impuesto de tres libras que debían pagar sólo los hindúes y se instauró el derecho de los trabajadores procedentes de Asia a vivir en el país como trabajadores libres.

Los conceptos de *satyagraha* y *ahimsa*

La expresión *satyagraha* significa búsqueda de la verdad. Es un concepto creado por el mismo Ghandi que encierra el núcleo de la doctrina que le movía a actuar. La palabra *satya* quiere decir «verdad», mientras que *graha* es «aferrarse a» y también «fuerza». Al mismo tiempo *satya* procede de *sat,* que quiere decir «ser». Dios puede ser asimilado a la Verdad, ya que es lo único que existe. Quien se adentra en el camino de la *satyagraha* ha decidido dedicar su vida a la verdad y no debe importarle abandonar o sacrificar todo lo demás, incluso lo más preciado. Para Ghandi constituían todo un ejemplo de *satyagraha* Jesús y Mahoma, pues fueron capaces de ver y expresar la Verdad.

El proceso de búsqueda de la verdad culmina con el hallazgo de la Belleza y la Bondad. El método para encontrar la verdad y conocer por tanto a Dios es la no violencia, lo que Ghandi llama la *ahimsa*. Este concepto de *ahimsa* procede de la religión jainista, muy extendida en Gujarat, el estado donde nació Ghandi. La madre de Ghandi estaba vinculada de manera estrecha con esta religión. La idea de *ahimsa* supone la renuncia a todo deseo de hacer daño o matar, entendiendo, por tanto, que se rechaza cualquier tipo de violencia. En palabras de Ghandi (pág. 37):

«El no hacerle daño a ningún ser viviente es indudablemente una parte de ahimsa; *pero es su mínima expresión. El principio de* ahimsa *se daña incluso por cualquier mal pensamiento, por un apresuramiento injustificado, por la mentira, por el odio, por desearle mal a alguien.»*

Vivir bajo este principio de manera permanente le costaba a Ghandi un gran esfuerzo, pero al mismo tiempo la lucha por mantener sus sentimientos bajo control le daba más fuerza y le hacía sentir una paz mayor. Para Ghandi el concepto de *ahimsa* era un estado positivo de amor y el concepto de *satyagraha* consistía en una fuerza de amor con la que se podía llegar hasta la Verdad.

En la lucha política Ghandi obraba bajo la inspiración de este concepto. Esperaba encotrarse con la injusticia, la incomprensión o la crueldad, pero su reacción siempre tenía que ser el amor, incluso hacia aquellos que lo rechazaban. Según el principio de *satyagraha* había que comportarse con un enemigo o un extraño igual que con un familiar. Ghandi afirmaba en muchas ocasiones que no odiaba a los británicos, sino a su sistema de colonización explotadora, de la misma forma que odiaba el sistema que perpetuaba la existencia de la casta de los intocables, considerados como los más despreciables por el resto de la sociedad. En cuanto a los que defendían estas estructuras, fueran británicos o hindúes, el no odiarlos no implicaba que hubiera que amarlos, pues no se podían tolerar sus sistemas de opresión; el concepto de *ahimsa* indicaba que frente a ellos había que intentar convencerles de su error y al mismo tiempo oponerse de manera activa a sus normas, mediante la no cooperación. Ghandi era consciente del inmenso poder de la no cooperación y de las consecuencias posibles de esta oposición activa (Ghandi, *Non-violent resistance,* pág. 134):

«Al trabajar bajo esta ley de nuestro ser, es posible que un solo individuo desafíe todo el poder de un individuo injusto, salve su honor, su religión, su alma, y siente las bases para la caída de ese imperio, o para su regeneración.»

Otro de los rasgos de la *satyagraha* es que obrar conforme a ella puede acarrear el sufrimiento a quien la ejerce o incluso la muerte. Por ello estaba convencido de que la India sólo podía progresar y librarse de la esclavitud a través del sufrimiento. El uso del sufrimiento, en lugar de la violencia, podía influir en el oponente y hacerle ver que sus métodos o leyes estaban equivocados (Ídem, pág. 112):

«Ningún país ha sobresalido nunca sin purificarse antes mediante el fuego del sufrimiento. La madre sufre para que su hijo pueda vivir. La condición para que el trigo crezca es que la semilla debe perecer. La Vida viene de la Muerte. ¿Podrá la India surgir de su esclavitud sin cumplir con esta ley eterna de la purificación a través del sufrimiento?»

De vuelta a la India

En 1914 Ghandi regresó a la India. Contaba ya con cuarenta y cuatro años y una experiencia previa de compromiso y lucha no violenta contra la discriminación. Pronto se convirtió en el Mahatma, palabra que significa «alma grande» y que lo definía como líder espiritual. Los primeros años en la India Ghandi colaboró con Gran Bretaña en la Primera Guerra Mundial, organizando el cuerpo indio de ambulancias. Su actitud ante la metrópoli era de admiración hacia sus leyes, aunque por otra parte Ghandi tenía la convicción de que los británicos debían abandonar el poder sobre la India. En seguida Ghandi comenzó su labor pacífica de protesta contra la presencia británica en su país.

En la India ya existía un movimiento nacional que operaba contra la dependencia colonial del imperio británico, que estaba liderado por Tilak. Este espíritu nacionalista se remontaba a 1885. Ghandi se unió a los defensores de la independencia y transformó su manera de actuar, puesto que hasta entonces habían protagonizado acciones violentas, totalmente contrarias a la postura que defendía Ghandi. Ante las demandas de los hindúes el Gobierno de la metrópoli había prometido a la India la concesión de un estatuto de independencia cuando terminara la Primera Guerra Mundial; sin embargo, la guerra terminó y la promesa quedó incumplida. Para Ghandi era el momento de pasar a la acción y poner en práctica el ideal de la *satyagraha*.

En 1919 las autoridades británicas promulgaron las leyes llamadas «Rowlatt Bills», mediante las cuales cualquier indio considerado «peligroso» podía ser encarcelado sin que fuera necesario llevarle a juicio. La respuesta de Ghandi no se hizo esperar. Lanzó un llamamiento general a la población, lo que en la India se llamaba *hartal*, que consistía en una manifestación masiva o la convocatoria de una huelga. Este *hartal* pretendía hacer llegar a toda la población el mensaje de que debía luchar contra el dominio injusto de Gran Bretaña. Ghandi convocó un día nacional para realizar un paro masivo y convocar reuniones por todo el país; el día elegido fue el 6 de abril. Este primer *hartal* fue una seria advertencia a las autoridades británicas de que la población de la India estaba preparada para reaccionar en contra de cualquier medida que resultara impopular; puede ser considerada como la primera campaña nacional de *satyagraha*. De esta manera Ghandi había sentado las bases de la Liga de la Resistencia Pasiva. Al año siguiente murió Tilak y Ghandi se convirtió en el primer líder. Comenzó a viajar por todo el país para dar a conocer los fundamentos de su campaña. Ghandi insistía en que la *satyagraha* no incluía la violencia y declaraba que las leyes injustas iban a ser desobedecidas: «Nos negaremos a obedecer esas leyes (...) y seguiremos fielmente la verdad y nos abstendremos de emplear la violencia contra la vida, las personas o las propiedades.»

A pesar de la preparación minuciosa de cada acción, a veces los manifestantes respondían a la reacción violenta de la policía de igual manera. Entonces Ghandi insistía una vez más en que el movimiento debía ser pacífico. En 1921 se celebró un congreso en Nagpur, donde se proclamó la desobediencia civil en todo el país, lo cual implicaba que toda la población india se iba a negar a acatar las órdenes del Imperio Británico. Como consecuencia de la dimensión nacional del movimiento, los británicos respondieron deteniendo a Ghandi y condenándolo a seis años de cárcel. Desde la prisión Ghandi continuó haciendo campaña por medio del ayuno y al final el Gobierno británico se vio obligado a ponerlo en libertad. Ghandi pidió a los hindúes que se negaran a aceptar nada de los británicos: ni cargos, ni honores, ni ningún tipo de producto. El boicot debía extenderse a las escuelas, los tribunales y a la Administración; en todos los casos la rebelión siempre debía realizarse de manera pacífica.

En diciembre de 1928 Ghandi asistió en Calcuta a la sesión del Congreso Nacional Indio, en la que se solicitó formalmente la independencia del país. Ghandi redactó una declaración de independencia en la que se afirmaba:

«El Gobierno británico en la India no sólo ha privado al pueblo hindú de su libertad sino que se ha basado en la explotación de las masas y ha arruinado a la India económica, política, cultural y espiritualmente... Por ello la India debe cortar la conexión con Gran Bretaña y alcanzar la Purna Swaraj *o independencia completa.»*

La campaña de desobediencia proseguía a nivel nacional liderada por Ghandi. El Gobierno británico les proporcionó un nuevo frente en el que actuar cuando promulgó las «Leyes de la Sal», que ilegalizaban la obtención de sal a partir del agua del mar, ya que si se utilizaba este procedimiento el Gobierno británico no podía cobrar impuestos sobre la sal obtenida. El Congreso de la India no hizo esperar su reacción y aprobó una resolución que autorizaba a Ghandi para llevar su campaña de desobediencia civil a este frente. Ghandi personalmente visitó las playas de Dandi y se puso a trabajar en la evaporación de agua de mar para obtener cristales de sal, el 6 de abril de 1930. De esta forma mostraba el camino que los demás podían seguir, aunque al animar a los hindúes a que hicieran lo mismo les recordó que tendrían que afrontar la reacción del Gobierno británico. La campaña de *satyagraha* sobre la sal resultó ser un ejemplo de movimiento pacífico.

Al mismo tiempo que las acciones de la sal, el Congreso convocó un boicot nacional a los productos importados de Gran Bretaña. El Gobierno de la metrópoli llevó a cabo una dura represión y prohibió a la prensa nacional reflejar lo que estaba ocurriendo, lo cual no impidió que los seguidores de Ghandi imprimieran sus propios diarios informando de lo ocurrido.

El Congreso redactó un escrito dirigido al Gobierno británico en el que declaraba que el pueblo de la India estaba unido en la lucha por la independencia y que el movimiento *sayagraha* iba a continuar hasta que la consiguieran. Hubo más de 60.000 hindúes encarcelados y muchos resultaron heridos o murieron en la lucha. Ghandi ingresó en prisión innumerables veces. En 1931 el Gobierno británico aceptó la apertura de negociaciones con el Congreso. Ghandi actuó como su representante y el resultado de estas negociaciones fue el Pacto Ghandi Irwin y la suspensión de la campaña de *satyagraha*. Sin embargo, el Gobierno británico cambió durante el mismo año y Ghandi advirtió que el pacto no se estaba cumpliendo por parte de las autoridades británicas. Por ello la campaña de *satyagraha* se reanudó y Ghandi convocó numerosas acciones de desobediencia civil que lo llevaron de nuevo a la cárcel.

El ingreso de Ghandi en la cárcel abrió una nueva etapa y supuso un triunfo para los británicos, al permitirles posponer la concesión de la independiencia. El Gobierno de la metrópoli modificó su estrategia intentando aislar a Ghandi y reducir su influencia. La *satyagraha* a favor de la independencia perdió su fuerza, pero en la cárcel Ghandi continuaba su actividad, esta vez sobre la falta de derechos del sector social más desfavorecido en la India, los intocables. Ghandi comenzó una campaña de protesta ante el hecho de que los intocables no tuvieran derechos electorales como el resto de la población dentro de la nueva Constitución de la India. Ghandi consiguió difundir su campaña y provocar una reflexion nacional sobre la existencia de esta casta inferior. El resultado fue la supresión de la falta de derechos iguales de los intocables, que a partir de entonces debían dejar de ser considerados en las leyes como ciudadanos inferiores. Esta supresión se formuló en la Asamblea Constituyente de la India de 1947.

Mientras la lucha a favor de la independencia continuaba, Ghandi pasaba mucho tiempo en prisión al ser detenido en numerosas ocasiones. Durante la Segunda Guerra Mundial la agitación nacionalista se intensificó y en algunos casos se utilizó la violencia, a pesar del esfuerzo constante de Ghandi para evitarlo. Puede afirmarse que las campañas pacíficas de Ghandi jugaron un papel decisivo para que el Gobierno británico cediera en muchos aspectos y para que Pandit J. Nehru pudiera formar un Gobierno provisional. El problema más grave fue la falta de acuerdo entre las comunidades hindúes y musulmanas. Ghandi intentó buscar una solución no violenta sin conseguirlo. Incluso entre sus seguidores comenzaron a surgir voces críticas que cuestionaban la efectividad de las campañas no violentas. La unidad de los hindúes se rompió cuando el 15 de agosto de 1947 Gran Bretaña cedió su poder a dos estados independientes: India y Pakistán. Para Ghandi fue un duro golpe que le llevó a emprender una campaña de pacificación de los espíritus.

El 30 de enero de 1948 Ghandi fue asesinado cuando se disponía a asistir a una reunión de oración en Nueva Delhi. Su muerte no impidió que otros prosiguieran el camino que había iniciado. Ghandi había mostrado que existía una alternativa a la violencia y que esta alternativa poseía un poder revolucionario capaz de derribar un sistema de opresión. Lo había conseguido primero al luchar contra el racismo en Sudáfrica, después contra el poder colonial en la India y por último contra la discriminación y la explotación de los grupos sociales más pobres. Como veremos a continuación, Ghandi ejerció una influencia decisiva en el pensamiento y la acción de Martin Luther King, que leyó y analizó con detalle todas las campañas de Ghandi. Además es innegable la influencia y el ejemplo que ha supuesto Ghandi en muchas otras luchas no violentas contra la injusticia en todo el mundo.

La lucha no violenta de Ghandi

El movimiento de la no violencia de Martin Luther King debe mucho a las ideas y las tácticas empleadas por Ghandi en sus acciones de protesta. En realidad, Ghandi tomó el concepto de no violencia presente en varias culturas durante milenios. En estas culturas milenarias la no violencia no se conoce como tal sino que se alude a ella como ley eterna de la vida. Ghandi examinó a fondo los antiguos escritos hindúes y después confirmó la doctrina contra el uso de la violencia a la luz del budismo, el cristianismo y el islam.

La no violencia está presente en escritos como las «Leyes de Manu» o en las epopeyas hindúes, donde se recomienda a todos los hombres que se abstengan de hacer daño a cualquier criatura viviente. Antes se mencionaba el fragmento del *Mahabharata* llamado «Bhagavad-Gita» como una de las obras que inspiró a Ghandi; en este fragmento se hace una alta valoración de la no violencia. A «Bhagavad-Gita» pertenecen las frases siguientes del guerrero Arjuna (citado por Ansbro, pág. 136):

«Yo no deseo matar a estos guerreros aun cuando ellos me den muerte, ni siquiera por dominar estos tres mundos, mucho menos por causa de este mundo... Sería mejor para mí si los hijos de Dhitarashtra, con las armas en la mano, me mataran en la batalla, sin resistencia y desarmado.»

En el budismo halló el principio de compasión hacia todas las criaturas. La vida y las enseñanzas de Buda constituían un ejemplo de no violencia. Fue Buda quien transformó el concepto de *ahimsa* y lo extendió a todos los seres. Además Buda insistió en que el odio no se sacia con el odio, sino con el amor; en comunión con esta idea ordenó a sus discípulos que predicaran por todas partes y a todos los hombres sin distinción social, por considerarlos iguales, su doctrina de la compasión y el rechazo de la violencia.

La no violencia también está presente en los escritos y testimonios de filósofos y pensadores de culturas dispares como Confucio, Lao-Tse o Sócrates; en el filósofo griego Gandhi veía a un auténtico *satyagrahi* por su apego a enseñar la verdad aunque le llevara a la muerte. En Mahoma y el Corán el amor puro y el rechazo de la violencia también están presentes y Ghandi apreciaba el valor de la paz en la religión musulmana, designada precisamente con la palabra «islam», que significa paz. Sin embargo, el exponente más sublime de la doctrina del amor y la no violencia para Ghandi es Jesucristo. El Sermón de la Montaña es su declaración de *satyagraha* más firme, con su mensaje de ofrecer la otra mejilla o dar la propia túnica a quien la pida. Ghandi consideraba a Jesucristo como el príncipe de los *satyagrahis.*

Por ello le atraía también el escritor ruso Tolstoi, debido a su apego a las enseñanzas de Jesucristo y a su empeño en llevarlas a la práctica. El escritor ruso es otra de las influencias que se pueden encontrar sobre el concepto de no violencia para Ghandi. Tolstoi era partidario de una transformación de la sociedad para que fuese posible vivir con arreglo al ideal cristiano de amor incluso al enemigo; en esta sociedad ideal los principios más valiosos serían los de la igualdad y la fraternidad, la comunidad de la propiedad y la no resistencia ante el mal. Además Tolstoi era un buen ejemplo de dedicación activa, ya que a los cincuenta y siete años decidió cambiar su vida para dedicarse a trabajar por los pobres y a pedir al Gobierno ruso que hiciera unas leyes igualitarias para todos.

La lectura de la obra *Sobre la desobediencia civil*, de Thoreau, fue fundamental para Ghandi al mostrarle un camino posible para conseguir el cambio social de manera no violenta. Ghandi leyó esta obra cuando estaba en la cárcel en Sudáfrica. En ella encontró un ejemplo de no cooperación con el poder establecido cuando Thoreau se mostró radicalmente en contra de un gobierno que promovía la injusticia con los indios y la esclavitud. Las acciones que Thoreau llevó a cabo fueron por ejemplo no pagar impuestos, ayudar a un esclavo huido a llegar a Canadá y utilizar su vivienda como estación para el Ferrocarril Subterráneo. Thoreau tuvo que afrontar la cárcel, hecho que aumentó la admiración de Ghandi hacia él. Por la influencia de Thoreau, Ghandi cambió el nombre de su movimiento en Sudáfrica, de «no resistencia pasiva» a «desobediencia civil», para evitar que el primer nombre les sonara a muchos europeos como un movimiento de pusilánimes sin fuerza. Después, sin embargo, volvió a cambiar la denominación a «resistencia civil» y por último «resistencia no violenta».

La resistencia no violenta, en opinión de Ghandi, podía acabar con el colonialismo, puesto que el Gobierno de la metrópoli dependía de que el pueblo colonizado siguiera cooperando con sus instituciones. Por tanto, si se llegaba a la no cooperación se podía derrotar al Gobierno británico. En el caso de un gobierno injusto y corrupto la no cooperación era una obligación (citado por Ansbro, pág. 139):

«Un ciudadano que tiene tratos con un Estado como ése, comparte con él su corrupción e ilegalidad... El rechazo es tanto un

ideal como la aceptación de algo. Es tan necesario rechazar lo no verdadero como lo es aceptar la verdad... La no cooperación es una protesta contra una participación inconsciente e involuntaria en el mal... Los cañones británicos no son tan responsables de nuestra subyugación como lo es nuestra cooperación voluntaria.»

La resistencia no violenta era una manera de acabar con hábitos hindúes establecidos en la sociedad, como la pasividad, la sumisión y la idea de muchas escuelas de pensamiento que proponían que no se luchara contra el mal, sino que se observara con indiferencia.

La no violencia no implicaba que se reaccionara ante la injusticia con cobardía. Al igual que Martin Luther King después, Ghandi se mostraba en contra de la cobardía y negaba que la resistencia activa contra la violencia fuera un método para cobardes. Ghandi manifestaba que si la la cobardía es la única alternativa para la violencia, entonces era mejor decantarse por la violencia. Ghandi afirmaba que en una situación extrema de deshonor en el país era legítimo recurrir a las armas en vez de contemplar ese deshonor de manera pasiva. Una vez el hijo mayor de Ghandi le preguntó cómo debería haber reaccionado si hubiera estado presente cuando su padre sufrió una agresión en 1908 por parte de un extremista hindú que casi le causó la muerte. Su hijo se planteaba si en ese caso, de acuerdo con la no violencia, debería haber huido aunque viese cómo estaban intentando asesinar a su padre, o si debería haber empleado la fuerza física para detener al agresor de su padre. Ghandi respondió de manera tajante que su deber habría sido defender a su padre aunque hubiera tenido que recurrir a la violencia.

Tácticas de la no violencia

Como afirmábamos antes, en el movimiento por los derechos civiles de Martin Luther King existe una gran influencia de los métodos y tácticas utilizados por Ghandi. El procedimiento inicial que Ghandi practicó en Sudáfrica consistió en realizar peticiones al Gobierno para que remediara una ley o un hecho injusto contra los indios, al mismo tiempo haciéndole saber que si no se aceptaba se produciría una acción de *satyagraha*. Si el Gobierno se negaba a aceptar la petición, se declaraba un ultimátum con unas medidas mínimas y un espacio de tiempo determinado para que el Gobierno se retractase. Al no colaborar el Gobierno la acción *satyagrahi* directa se ponía en marcha.

Un aspecto importante para desarrollar las acciones directas con la necesaria eficacia era el entrenamiento para los participantes en ellas. Los voluntarios tenían que estar formados en los principios, métodos y consecuencias fundamentales de la práctica de la no violencia. Para ello se organizaron campos de entrenamiento donde a los voluntarios se les enseñaba a actuar sin hacer uso de la violencia, para aprender habilidades concretas como saber restaurar el orden y dirigir a multitudes. Los voluntarios que querían convertirse en *satyagrahis* debían realizar un juramento en el que se comprometían a resistirse a las injusticias, a sufrir las consecuencias de las acciones y a no recurrir a la violencia contra el oponente en ningún caso. El mantenimiento de la disciplina de los voluntarios en las acciones era esencial para el éxito, idea que Martin Luther King tuvo en cuenta al organizar sus campañas. Esta idea del juramento fue el modelo para las tarjetas de adhesión al movimiento que Martin Luther King propuso para la campaña de Birmingham.

Entre las acciones directas que Ghandi llevó a cabo para desarrollar sus protestas a lo largo de más de cincuenta años se hallan las siguientes:

— La publicación de folletos en los que se solicitaba la supresión del Gobierno. Se publicaban a pesar de que la libertad de prensa estaba restringida, o precisamente por eso. Su finalidad fundamental era la movilización de la opinión pública.

— La celebración de Días o Semanas Nacionales para dedicarlos a mostrarse públicamente en contra de la postura del Gobierno, especialmente por su negativa a ceder a las propuestas de la resistencia no violenta. Durante estos días los voluntarios podían renovar su adhesión y su juramento de fidelidad a la *satyagraha*.

— La convocatoria de reuniones prohibidas, así como manifestaciones para protestar y para sensibilizar a la opinión pública.

— La organización de marchas multitudinarias en contra de las órdenes gubernamentales. Estas marchas fueron especialmente importantes en el *satyagraha* de la Sal en 1930.

— La convocatoria de jornadas de huelga para exigir al Gobierno que mejorara las condiciones laborales y para manifestar públicamente el rechazo a alguna medida gubernamental. Por ejemplo, esto se hizo contra los impuestos para los indios en Sudáfrica.

— La realización de boicots contra instituciones, empresas y bienes extranjeros, con el fin de ejercer presión tanto política como económica.

— El cierre de tiendas y establecimientos determinados días para protestar contra la detención de *satyagrahis* o contra leyes injustas. Un ejemplo fue el cierre de tiendas en Sudáfrica con motivo de la Ley de Registro Asiático de África del Sur, que causó una gran insatisfacción en el Gobierno del país.

— La realización de manifestaciones pacíficas que contribuyeron a aumentar la conciencia política entre los asistentes al mismo tiempo que ejercieron presión sobre el oponente.

— El apropiamiento o la invasión de alguna propiedad del adversario, en este caso del Gobierno británico, basándose en que esa propiedad es arbitraria e indebida, puesto que se trata de un bien destinado al consumo universal. Es el caso del movimiento que Ghandi llevó a cabo para invadir los depósitos de sal durante la realización del *satyagraha* de la Sal de 1930.

— La renuncia voluntaria a propiedades para que el Gobierno no pudiera confiscarlas. De esta forma las propiedades fueron donadas o vendidas para beneficio de la población y sus antiguos propietarios no pudieron ser coaccionados para cooperar con el Gobierno por miedo a perderlas. Ocurrió en el *satyagraha* de la Sal y en el Segundo Movimiento No Violento y de No Cooperación de 1932.

— La renuncia a participar en la Asamblea o el Consejo como una forma de protesta contra la política del Gobierno.

— Acciones de desobediencia civil para mostrar el rechazo al estado o a leyes inmorales. Por ejemplo, Ghandi se negó a que le tomasen huellas digitales o a inscribirse en un nuevo registro obligatorio, organizó manifestaciones frente a las oficinas de permisos, animó a la práctica de la cetrería sin licencia y a la publicación de literatura prohibida.

— Provocar una situación que llevara al encarcelamiento de los *satyagrahis*, normalmente incumpliendo una ley que estuviera en contra de la conciencia. El voluntario aceptaba el sufrimiento de buen grado para suscitar la simpatía y el respeto de la opinión pública; de esta manera la causa podía ganar un mayor número de adeptos.

— La realización de ayunos para desarrollar la autopurificación del *satyagrahi* y ejercer presión moral sobre la conciencia del oponente. Ghandi recurrió a la huelga de hambre para desafiar al Gobierno en contra de sus acciones injustas y para protestar contra el uso de la violencia en los enfrentamientos entre hindúes e islámicos.

— Promover la negativa a pagar impuestos en protesta contra el Gobierno. Ocurrió como última medida en el *satyagraha* de la Sal y en el *satyagraha* de 1940 en contra de la participación de la India en la Segunda Guerra Mundial sin haber consultado a la población.

— La usurpación de las funciones del Gobierno y el establecimiento de funciones en paralelo a las del Gobierno.

Ghandi y Martin Luther King

De la labor de Ghandi uno de los aspectos que más impresionaron a Martin Luther King fue la magnitud de los resultados de sus campañas para conseguir la independencia. Cuando viajó a la India en 1959 se sorprendió gratamente al no detectar un clima de odio entre los británicos y los hindúes, odio que tantas veces aparece en la historia cuando en un país ha tenido lugar una revolución. La no existencia de odio sin duda se derivaba del hecho de que no se hubiera empleado la violencia.

Del pensamiento y la forma de actuar lo que Martin Luther King admiró sin duda, aparte del rechazo de la violencia, fue el concepto de amor. Precisamente cuando King escuchó la conferencia de Mordecai Johnson estaba atravesando por una pequeña crisis como resultado de leer con detenimiento la obra de Nietzsche. Este filósofo afirmaba que el cristianismo favorecía una visión del amor como un sentimiento que ensalza a los débiles y fomenta la decadencia en el hombre, por tanto el amor cristiano no buscaba el bien social, como afirma Ansbro (pág. 3):

«Al enfrentarse a esta crítica del valor del amor para el bien social, King, que aún era seminarista, casi llegó a la conclusión de que el mensaje ético de Jesús de "vuelve la otra mejilla" y "ama a tus enemigos", es efectivo sólo en los conflictos entre individuos, pero no es útil para resolver los conflictos entre los grupos raciales y las naciones.»

Por ello conocer la labor y la obra de Ghandi supuso para Martin Luther King una revelación de que el amor no tiene por qué ser un síntoma de debilidad, sino que puede constituir una fuerza transformadora de la sociedad. Ghandi se inspiró en el ideal de amor de Jesús y lo aplicó a la lucha social por una causa justa, Martin Luther King tomó este ideal de amor como fuerza activa.

Martin Luther King halló en Ghandi la certeza de que se debe resistir al mal por una obligación moral y de que la humillación del oponente debe ser evitada a toda costa. Un ejemplo de este último aspecto se halla en las sugerencias que se dieron a los usuarios de los autobuses cuando el Tribunal Supremo acabó con la segregación en los autobuses de Montgomery; en ellas se advertía a la comunidad negra con especial celo que no se obrara con maldad, sino que se intentara convertir al enemigo en un amigo.

En los sermones de Martin Luther King también aparece mencionado en muchas ocasiones el valor del sufrimiento inmerecido, de la misma manera que lo defendía Ghandi. En las campañas también advirtió a sus seguidores del posible sufrimiento y de que en la lucha pacífica podían hallar la muerte, una muerte honorable si servía para liberarse y liberar a sus hijos de las leyes injustas.

Otro punto fundamental de conexión es la insistencia en la no violencia. El rechazo a la violencia acerca a los dos líderes. Al igual que Ghandi, Martin Luther King hizo múltiples llamamientos a la comunidad negra para que no recurriera a la violencia del espíritu y expresó su rechazo hacia los grupos que defendían la superioridad de los negros sobre los blancos y abogaban por la violencia para hacer valer sus ideas. Como Ghandi, Martin Luther King insistía en que la no violencia no era una reacción propia de cobardes y mostraba el mismo desprecio hacia la cobardía. King afirmó en numerosas ocasiones la importancia del valor en la lucha por la libertad.

Ghandi proporcionó a Martin Luther King el método para luchar de manera pacífica aplicando el concepto cristiano del amor. Debido a su inspiración en Ghandi, King adoptó una gran parte de las tácticas que mencionábamos antes. Hubo algunas de ellas que King no empleó o no fomentó, como el cierre voluntario de tiendas, la renuncia voluntaria a los bienes, los ayunos, la invasión de propiedades, la negativa a pagar impuestos o la usurpación de funciones del Gobierno.

En cuanto al resto de las tácticas de Ghandi, en sus diferentes campañas fueron empleadas por King, incluyendo las peticiones ante las autoridades y el recurrir a los tribunales para transformar las estructuras políticas y económicas. Las peticiones se desarrollaron de múltiples formas, como el envío de una delegación al gobernador de Alabama, George Wallace, durante el movimiento de Selma; la acción de poner un escrito con las peticiones en la puerta de una iglesia en la manifestación de Chicago, la exposición de las peticiones en las Peregrinaciones de Oración, las marchas como la de Washington, sus discursos pronunciados en diversas instituciones, sus libros y artículos en revistas, o sus entrevistas, con los presidentes Kennedy, Eisenhower y Johnson.

Existen algunos aspectos en los que Martin Luther King no coincidía con Ghandi. Ansbro encuentra tres diferencias fundamentales entre los dos líderes:

— En primer lugar, Ghandi no llegó a identificarse con ningún sistema filosófico o religioso, sino que tomó diversas creencias de varias religiones y filósofos. Su pensamiento fue cambiando, ya que estaba abierto a una revisión constante; durante las campañas de *satyagraha* llegó a cambiar sus tácticas y estrategias. Ghandi afirmaba que no había llegado a encontrar la Verdad que buscaba. Sin embargo, Martin Luther King había llegado a unas sólidas convicciones acerca de la naturaleza de Dios, el papel del hombre en el mundo, la misión de la Iglesia o las obligaciones del Estado hacia la sociedad. No buscaba respuestas a sus preguntas, puesto que ya las había encontrado, sino la realización social de esas respuestas. Martin Luther King en alguna ocasión modificó sus tácticas, pero mantuvo intactas sus convicciones básicas sobre la justicia. A lo largo de su liderazgo mostró una coherencia moral inalterable y una adhesión total y continua a los principios fundamentales de la no violencia.

— En segundo lugar Ghandi concedía especial importancia a los programas de autoayuda para el desarrollo de la población, en lugar de recurrir a la intervención del Gobierno para solucionar los problemas de la gente. En cambio Martin Luther King se mostraba partidario de solicitar medidas gubernamentales para solucionar los problemas de la comunidad negra.

Ghandi proponía a los voluntarios *satyagrahis* que elaboraran un programa para el desarrollo de las industrias, la sanidad y la mejora de la educación. Algunos *satyagrahas* se dedicaban por completo a la promoción de la autosuficiencia, como es el caso del *Satyagraha Armedabad* del Trabajo, de 1918, en el que se pedía a los obreros que durante las huelgas trabajaran en otras actividades. Ghandi era partidario de no dar ayudas gratuitas ni limosnas, para recibir había que trabajar antes y dedicarse a alguna tarea constructiva. Además la gente debía evitar la apatía y la inercia con el fin de interesarse cada vez más en el autogobierno, en lugar de esperarlo todo del gobierno existente. Ghandi dedicó grandes esfuerzos a promover el trabajo en las aldeas, organizándose en cooperativas.

Martin Luther King mantenía un punto de vista distinto. El Gobierno federal tenía una mayor capacidad de solucionar los problemas de la segregación que la misma comunidad negra. Los grandes problemas de empleo, vivienda y educación debían ser abordados por el Gobierno. Una de sus peticiones al Gobierno en 1963 fue la redacción de una «Carta de Derechos» para los sectores sociales desfavorecidos; esta carta consistía en un programa amplio diseñado para mejorar de forma considerable las condiciones de vida de la comunidad negra. Otra herramienta que King solicitó al Gobierno para erradicar la desigualdad económica fue la creación de un «ingreso garantizado» para los pobres. A diferencia de Ghandi, no confiaba demasiado en la propia capacidad de los negros para desarrollarse por sí solos (Ansbro, pág. 151):

«Cuando él (el negro) busca una oportunidad, se le dice, de hecho, que debe elevarse mediante su propio esfuerzo, recomendación que no toma en consideración el hecho de que carece de medios para hacerlo.»

En 1968 Martin Luther King dedicó su esfuerzo a organizar la Campaña para Gente Pobre, un movimiento para obtener soluciones del Gobierno para los problemas de la comunidad negra y de los blancos, puertorriqueños, mexicanos e indios desfavorecidos económicamente. La campaña estaba organizada para persuadir al Gobierno a acceder a sus demandas por medio de manifestaciones masivas; lo que se pretendía era sobre todo una Ley de Derechos Económicos para los ciudadanos de escasos recursos que les garantizara un empleo, una vivienda digna y ayudas para las escuelas de los guetos. Una vez más se buscaba una solución por medio de la intervención del Gobierno.

De todas maneras, aunque confiase más en las soluciones del Gobierno, Martin Luther King en algunos escritos también pidió a la comunidad negra que mejorase sus condiciones de vida mediante hábitos adecuados, como el ahorro y la asociación económica con otras personas para fundar cooperativas. King era partidario de que los negros fundasen sus propios bancos cooperativos, empresas y sociedades de crédito. Organizaciones como la M.I.A. (Asociación para el Progreso de Montgomery), creadas para gestionar el movimiento por los derechos civiles, también destinaron fondos para cuestiones de mejora social y económica, como la construcción de un centro de la Y.M.C.A. (Asociación Cristiana de Jóvenes), o para el mantenimiento de la Empresa Granja y Ciudad, establecimiento de tipo cooperativo; a este respecto hay que mencionar que una de las metas de la M.I.A. era la mejora de la capacidad profesional de los individuos y de sus condiciones económicas. Por otra parte la S.C.L.C. (Conferencia del Líderazgo Cristiano del Sur) lanzó la campaña «Operación Cesta de Pan», en la que se negoció con empresarios y dueños de pequeños negocios con el fin de conseguir un número importante de empleos para los negros en ciudades como Atlanta y Chicago.

— En tercer lugar, Martin Luther King no concedía tanta importancia como Ghandi al ascetismo en la filosofía de la no violencia. Para Ghandi la vida ascética era un requisito para purificarse e identificarse plenamente con la no violencia. Si se practicaba el ascetismo se conseguía suprimir la dependencia de la carne y del mundo; de esta manera se eliminaba también el temor, germen de la violencia. Además, para consagrarse a la búsqueda del bienestar de los demás había que negarse a uno mismo; con ese fin recurrió a la disciplina de la tradición yoga de la sabiduría hindú Patanjali. Esta disciplina consistía en cinco mandamientos: decir la verdad, mantener la abstinencia y no hacer daño ni robar ni codiciar; mediante su práctica se podía conseguir controlar la mente, el espíritu y el cuerpo. Ghandi llegó a una práctica extrema del ascetismo, de ahí que practicara ayunos muy estrictos, que se vistiera sólo con un trapo, que hiciera voto de abstinencia sexual a los treinta y seis años y que viviera en un poblado mísero donde la mayoría de los habitantes eran de la casta de los intocables.

Martin Luther King no hizo del ascetismo uno de los pilares de la práctica de la no violencia. Consideraba que el sufrimiento no merecido era valioso en el movimiento, pero no fue partidario de las otras medidas de autonegación personal, como el ayuno o el vestir de una determinada forma. Sí que concedía gran importancia a llevar una vida ejemplar y puede decirse que su vida fue en cierta manera ascética. Martin Luther King se negó a poseer lujos y renunció a la cuantiosa cantidad incluida en el Premio Nobel de la Paz. No concedía ninguna importancia a los bienes materiales. Coretta Scott en sus memorias dice lo siguiente a este respecto (pág. 174):

«La creciente reputación nacional de Martin le proporcionó muchas ofertas jugosas de trabajos con salarios que ascendían a setenta y cinco mil dólares al año, pero no constituían ni siquiera una tentación para mi marido. Aumentó su certeza de que no quería poseer cosas, que el dinero y el éxito material significaban cada vez menos para él. Según pasaban los años, Martin deseaba hacer un voto personal de pobreza. Se veía forzado como padre de familia a moderar ese deseo, pero incluso así no quería las posesiones que le podían distanciar de las masas. Solía decir cosas como: "No entiendo por qué tenemos que poseer una casa". Cuando comenzó su labor de ministro se dio cuenta de que la ropa era importante cuando se presentaba ante una congregación. Al pasar los años cambió de opinión completamente y se jactaba de poder viajar por el mundo sin maleta, con un solo traje y un recambio de ropa interior. Martin siempre intentó eliminar de nuestras vidas todas las cosas que no hacían falta y esperaba persuadir a sus seguidores de que hicieran lo mismo.»

Además, casi nunca tenía tiempo libre y el escaso con el que contaba procuraba dedicarlo a su familia. Estaba dedicado plenamente a su labor. Insistió en recibir un sueldo meramente simbólico por su labor de presidente de la S.C.L.C. Cuando comenzó la campaña de los guetos se instaló con su familia en una vivienda muy pobre del gueto de Chicago. Aceptó plenamente el hecho de ser encarcelado en varias ocasiones como parte de su trabajo y en muchas ocasiones no quiso modificar su agenda o sus hábitos por el riesgo de sufrir un atentado, peligro al que siempre estaba expuesto.

III. LA ETAPA DE MONTGOMERY

La iglesia baptista de la avenida Dexter

La iglesia había sido fundada en 1877 y se preciaba de ser la segunda iglesia fundada para la comunidad negra de la ciudad. Al principio los miembros de la iglesia no disponían de ningún edificio donde reunirse y tenían que recurrir a un solar vallado que había sido utilizado antes como corral de un tratante de esclavos. Después, en 1885 ya se empezaron a reunir en un edificio, que pasó a ser considerado como iglesia en 1889. Ese año, el Día de Acción de Gracias, la iglesia recibió el nombre con el que se la conocía cuando Martin Luther King se estableció en ella. Se trataba de un edificcio victoriano de ladrillo situado en una plaza, muy cerca del edificio del Tribunal Supremo y del Capitolio del Estado de Alabama. La casa del párroco estaba situada en la calle Jackson, en un vecindario donde existía la segregación; se trataba de una casa agradable aunque necesitaba algunas reformas que la congregación se comprometió a realizar.

El talante reformista de la iglesia comenzó con la labor del pastor anterior a Martin Luther King, el reverendo Vernon Johns. Este pastor estaba concienciado contra la segregación y en los sermones que pronunciaba siempre incluía palabras audaces de denuncia y de llamamiento para la resistencia de los negros ante las injusticias.

Cuando Martin Luther King llegó a la iglesia encontró un clima apropiado para emprender reformas. Comenzó a estudiar innovaciones, a plantearse poner en marcha actividades que dieran cohesión y vida a la comunidad. En la comunidad baptista de la iglesia se incluían sobre todo los negros de las clases sociales más altas y al mismo tiempo con mayor nivel cultural. La mayoría de los miembros de la congregación poseían estudios superiores, entre ellos se contaban profesores, médicos y prósperos hombres de negocios. Para los negros más pobres de la ciudad la iglesia de la avenida Dexter era algo así como la «iglesia de la gente importante». La comunidad religiosa constaba con más de trescientos miembros. En seguida la comunidad se mostró encantada con las actividades reformistas del nuevo pastor. Como dato para corroborar este entusiasmo, baste decir que en los primeros seis meses de Martin Luther King como pastor la recaudación de la iglesia se triplicó.

Martin Luther King insistió en la participación activa de la gente en cuestiones sociales y se esforzó por convencer a toda la comunidad de que se registraran como votantes en el censo electoral. Además les instó a que se hicieran miembros de la N.A.A.C.P. El gran valor que King confería a la labor social de la iglesia se reveló en otras iniciativas que emprendió. Cuando King asumió el puesto de pastor encontró que en la parroquia ya existía una Escuela Dominical, una Unión de Entrenamiento Baptista encargada de desarrollar el liderazgo cristiano y la Sociedad Misionera para llevar el mensaje de la Iglesia a la comunidad. King aumentó las tareas de cada grupo y creó otros comités para fortalecer el servicio a los enfermos, crear y administrar un fondo de becas para estudiantes de Secundaria y ayudas para artistas prometedores.

Entre los comités que organizó destacaba el Comité de Acción Política y Social para que la comunidad pudiera mantenerse bien informada de todas las novedades en la situación política, económica y social. En cuanto a las recomendaciones para que toda la comunidad negra accediera al voto, se creó una especie de oficina de votación en la que se advertía a los miembros no registrados aún de los peligros que entrañaban los procedimientos discriminatorios de registro, y se organizaron foros y reuniones en épocas de elecciones para debatir los temas más importantes de las campañas. Además se creó una publicación quincenal para informar a los fieles de cuestiones políticas y sociales. La reacción de la congregación ante estas reformas fue de entusiasmo, todas las nuevas medidas se aprobaban por unanimidad.

La iglesia de la Avenida Dexter tuvo también especial importancia cuando se produjo el boicot de los autobuses, como veremos después, ya que allí se reunió la comunidad negra de Montgomery, ligada en gran parte a la iglesia, para tomar la decisión de lanzar el boicot. Y una vez iniciado, se dirigió precisamente desde allí, en la oficina que Martin Luther King tenía en la parte de abajo de la iglesia.

Martin Luther King desarrolló su labor de pastor en la iglesia hasta 1960, año en que dimitió para marcharse a Atlanta y dirigir allí la Conferencia del Liderazgo Cristiano del Sur. A partir de entonces ejerció como pastor, con su padre, en la iglesia baptista de Ebenezer. Tras el paso de Martin Luther King por la iglesia Dexter y tras su muerte, se le cambió el nombre y pasó a ser la Iglesia Memorial King de la Avenida Dexter, desde 1976.

La actividad incesante del nuevo pastor

Martin Luther King inició su vida profesional a un ritmo frenético, sobre todo durante los primeros meses, cuando aún no había terminado de elaborar su tesis. King dedicaba más de doce horas al día a su trabajo, desde las actividades religiosas hasta la formación de comités, pasando por las visitas a los enfermos o el oficio de los funerales; sin contar, por supuesto, la preparación de los sermones dominicales. Martin Luther King siempre era minucioso a la hora de preparar sus sermones del domingo y, según confesó él mismo, dedicaba más de quince horas a la semana a prepararlos, desde que pensaba, elegía los pasajes, meditaba las palabras y las vivencias que contendría, hasta que terminaba de escribirlos el sábado por la noche. Su jornada de trabajo comenzaba a las cinco y media de la mañana; primero dedicaba tres horas a la tesis doctoral, después se dedicaba a las tareas de la iglesia y al servicio de la congregación (cada semana asistía a más de diez reuniones de diferentes comités) y por último después de cenar dedicaba otras tres horas a su tesis.

No sólo Martin Luther King se dedicaba a las labores de la iglesia, a escribir sus sermones o a finalizar su tesis, durante aquellos primeros meses. Encontró tiempo también para integrarse activamente en el grupo local de la N.A.A.C.P., de tal forma que en menos de un año ya formaba parte de su comité ejecutivo. Se inscribió además en la organización local de Montgomery del Consejo de Relaciones Humanas de Alabama, grupo formado por negros y blancos que, a través sobre todo de las medidas educativas, se proponía llegar a la igualdad de oportunidades para todos los habitantes del Estado; Martin Luther King pronto fue nombrado vicepresidente de esta organización, muy útil para mantener el diálogo abierto entre blancos y negros. Cuando se produjo el boicot de los autobuses varios miembros de esta organización y del Comité de

Acción Política y Social se convirtieron en los integrantes más activos del movimiento.

Los King pronto hicieron amistades entre los fieles de la congregación y otras personas de Montgomery. Una de las personas que resultó ser de vital importancia para el movimiento de los derechos civiles fue Ralph Abernathy, a quien Martin Luther King conoció al llegar a Montgomery. Abernathy era el pastor de la Primera Iglesia Baptista de Montgomery y estaba tan sensibilizado como King hacia los problemas raciales, además fue uno de los que animó a King a que aceptara el puesto de Dexter cuando aún King no se había decidido. Otros amigos fueron los Brooks, él era el organista de la iglesia; en su casa pasaron los King su primera noche en Montgomery antes de trasladarse a la calle South Jackson y más adelante en plena campaña alguna que otra noche a causa de la violencia.

Durante la primavera de 1955 la familia King tuvo importantes novedades. Por una parte Martin Luther King obtuvo el grado de doctor en teología sistemática. Por otra parte, Coretta Scott estaba embarazada. En sus conversaciones con su esposa Martin Luther King siempre había afirmado que le gustaban mucho los niños y había manifestado su deseo de tener muchos hijos, hablaba incluso de ocho. King esperaba que su primer hijo fuera un niño y ya había decidido que le llamaría Martin Luther III. Sin embargo, como cualquier padre, se sintió muy feliz cuando el 17 de noviembre de 1954 nació su primera hija en el hospital católico de Mongomery, el único de la ciudad donde los negros podían ser bien atendidos. Le pusieron el nombre de Yolanda Denise y desde muy pequeña la llamaron Yoki. Coretta Scott en sus memorias cuenta lo gratificante que resultaba para su marido, una vez iniciado el boicot y en medio de tantas presiones, volver a casa y pasar al menos un poco de tiempo con su hija tan pequeña (pág. 121):

«Martin siempre decía que Yoki llegó en un momento de su vida en el que necesitaba algo que distrajera su mente de las tremendas presiones que se cernían sobre él. Cuando volvía a casa después del estrés y la confusión en la que de repente se había visto sumergido, la niña estaba allí mimosa y con arrullos, confiada y cariñosa. Siempre hay una sensación de renovación alrededor de un niño pequeño, algo que él necesitaba mucho, porque, menos de tres semanas después de que naciera Yoki, una costurera llamada Rosa

Parks se negó a ceder su asiento en un autobús de Montgomery y así nació el Movimiento.»

En noviembre también le ofrecieron la presidencia de la sede local de la N.A.A.C.P. Martin Luther King no sabía si aceptarla o no. Al final no lo hizo porque pensaba que era mejor, ya que había terminado la tesis, dedicarse al ambicioso programa que había lanzado en la iglesia. Después llegó a la conclusión de que su negativa había sido la elección correcta, pues así asumió el liderazgo del boicot de autobuses sin vincularlo con esta organización, vínculo que no habría sido aconsejable de cara a la población blanca.

La vida en Montgomery para los negros

Montgomery era en 1955 una típica ciudad pequeña del Sur. La ciudad poseía cierta prosperidad económica, ya que contaba con algodón, piña, madera y una considerable cantidad de ganado. En cuanto a industrias, no había gran variedad, tan sólo existían fábricas de abonos. Esto limitaba las posibilidades de trabajo de la población negra, que casi desempeñaba las mismas tareas que un siglo antes cuando existía la esclavitud. La población negra de la ciudad alcanzaba el 35 por 100, en una ciudad de 130.000 habitantes. Más del 60 por 100 de las mujeres negras trabajaban como criadas, y la mitad de los hombres eran jornaleros en el campo o, como las mujeres, criados domésticos. Lo que suponía un gran agravio para la población negra eran las diferencias en los sueldos con respecto a los blancos, ya que éstos ganaban el doble. Las condiciones de vida también eran mucho peores: tan sólo la tercera parte de las familias negras podía disfrutar de un cuarto de baño en la casa.

La vida diaria ofrecía múltiples circunstancias en las que la segregación se hacía visible. Los colegios se mantenían segregados, la población negra asistía a sus propias escuelas, cuando en teoría esta situación debía haber cambiado tras la decisión del Tribunal Supremo de los Estados Unidos en 1954, que había suprimido la segregación escolar. Un año después en Montgomery aún no se había aplicado. Si alguien negro deseaba tomar un taxi, no podía hacerlo con un taxista blanco, puesto que los negros debían contar con sus propios servicios, y por ley los conductores blancos sólo podían llevar en sus taxis a pasajeros blancos. Donde sí podían viajar juntos blancos y negros era en autobús, pero no mezclados, ya que existía una línea de separación que los negros no podían sobrepasar. Había otros espacios públicos en los que blancos y negros convivían, como el trabajo, donde los negros siempre eran empleados y los blancos eran los patronos; también convivían en las tiendas, donde los negros eran tratados en general con poco o nulo respeto y normalmente debían esperar a que se atendiese primero a los blancos o a ser atendidos en otra parte de la tienda.

Montgomery no era una ciudad especial en este sentido, ya que en cualquier ciudad sureña existía una serie de normas similares en colegios, hospitales, taxis o autobuses, acordes con la segregación imperante en la mayor parte de los Estados del Sur. La población negra las aceptaba con resignación, aunque existía un clima creciente de indignación. La pasividad de la población negra empezaba a quebrarse, quizá por tantos años de humillación. Sin embargo, tampoco se hacía nada importante contra el sistema establecido; el miedo o la impotencia pesaban más.

Para que se llegara a una protesta activa hacía falta en primer lugar que hubiera líderes para llevar con responsabilidad una lucha contra el sistema y al mismo tiempo un hecho concreto, lo suficientemente motivador para que la población negra en masa se alzase contra las normas injustas que imperaban en la ciudad. Martin Luther King, al analizar la situación de Montgomery, destacaba que entre la población negra no había unidad: a principios de 1955 se intentó crear un Comité Ciudadano de Coordinación, pero no llegó a cuajar; la comunidad negra se mostraba inactiva, quizá sobre todo por miedo. Todos sabían que el Ku Klux Klan siempre estaría dispuesto a responder con agresiones brutales cualquier intento de rebelión contra el orden establecido. Además algunos negros habían accedido a una posición social más desahogada y no querían exponerse al riesgo de perderla. Pero el grueso de la comunidad se había amoldado a las condiciones existentes, había claudicado, asumiendo su inferioridad como si fuera verdad que por ser negros eran inferiores. Para Martin Luther King esto era lo peor, lo que hacía que la comunidad negra se mostrara indiferente, la pérdida de la dignidad personal.

A pesar de la indiferencia, el miedo o la apatía que paralizaban a la comunidad negra, lo que era innegable era el descontento, la conciencia de que no era justo, la certeza de que renunciar a la propia dignidad causaba dolor. Unos meses después del boicot, un blanco de Montgomery reprochó a Martin Luther King que hubiera terminado con muchos años de paz en los que negros y blancos habían convivido en la misma ciudad sin conflictos. Martin Luther King le respondió lo siguiente:

«Señor, ustedes nunca han tenido paz en Montgomery. Ustedes han tenido una especie de paz negativa en la que los negros demasiado a menudo han aceptado su estado de subordinados. Pero esto no es paz en realidad. La verdadera paz no se caracteriza por la ausencia de tensión, sino por la presencia de la justicia. La tensión que hoy tenemos en Montgomery es la tensión necesaria, que surge cuando los oprimidos se levantan y empiezan a proponerse avanzar hacia una paz permenente y positiva.»

A finales de 1955 se produjo un incidente que funcionó como una chispa. Allí estaba Martin Luther King como catalizador y líder de la protesta que barrió el miedo y la indiferencia de la comunidad negra de Montgomery y sirvió de ejemplo para las comunidades negras del resto del país.

El principio del boicot de Montgomery

Hemos señalado antes que en los autobuses podían viajar los blancos y los negros, pero ateniéndose a ciertas normas los segundos. La segregación más rancia seguía vigente en este medio de transporte, no sólo por una línea separadora entre unos y otros, por la cual los negros debían dejar la parte anterior a los blancos y quedarse en la posterior. Además los negros no podían sentarse en la zona reservada a los blancos, pues aunque hubiera asientos libres debían permanecer de pie durante todo el trayecto. Existía una parte central en la que blancos y negros podían sentarse, pero los primeros tenían preferencia, de tal forma que si un negro estaba sentado y llegaba un blanco, el negro tenía que levantarse y cederle su asiento, no importaba si se trataba de una embarazada, un anciano o alguien con muletas, de todas formas tenía que levantarse para dejar que el blanco se sentara. Otro extremo de la segregación era que los negros tenían que subir al autobús por la parte de delante para pagar; después debían bajarse y caminar hasta la puerta de atrás para volver a entrar, dándose el caso en ocasiones de que el conductor no les esperaba y empezaba a circular aunque hubieran pagado; esto solía pasarles a los ancianos o a las mujeres embarazadas siendo para el conductor motivo de risa; por supuesto, también se insultaba a los negros, llamándoles «vacas negras», «monos negros» o «negrazos».

Las leyes segregacionistas en los autobuses ya habían hecho que la comunidad negra protestara; no todo era indiferencia o miedo en Montgomery. Un grupo de miembros de la comunidad negra, formado por profesionales, el W.P.C. o Consejo Político de la Mujer (Women Political Council), fundado en 1946, había formulado una serie de protestas contra la segregación en los autobuses de Montgomery en 1953. El Consejo se había reunido con el alcalde, W. A. Gayle, en marzo de 1954, y había formulado sus demandas:

— Una ley municipal que permitiera a los negros sentarse desde la parte de atrás del autobús hacia delante y a los blancos sentarse desde la parte de delante hacia detrás, hasta que se llenara el autobús.

— Un decreto que liberara a los negros de la obligación de pagar en la parte de delante para después tener que ir a la parte de atrás para subir.

— Una promesa de que los autobuses realizaran paradas en todas las esquinas de los barrios residenciales de los negros, como hacían en todas las de los blancos.

La reunión tuvo escaso éxito y como consecuencia la presidenta del W.P.C., Jo Ann Robinson, escribió una carta al alcalde en mayo de 1954, pidiéndole que tuviera en cuenta sus peticiones, ya que incluso estaban pensando en utilizar menos el autobús, o prescindir de él, si la situación se mantenía.

En marzo de 1955 se produjo un incidente cuando Claudette Colvin, una chica negra de quince años, se negó a ceder su asiento a un pasajero blanco; fue arrestada y llevada a la comisaría con las esposas puestas. Se organizó un comité, del que formaba parte Martin Luther King, para protestar ante las autoridades de la ciudad y de la compañía de autobuses, pero sólo recibieron buenas palabras.

El incidente de Rosa Parks

Así estaban las cosas en diciembre de 1955, cuando Martin Luther King llevaba ya más de un año establecido en Montgomery.

El día 1 de diciembre por la tarde, como todos los días de trabajo, Rosa Parks subió al autobús de la avenida Cleveland para regresar a casa después de una larga jornada de trabajo. Rosa Parks trabajaba en el Montgomery Fair, pasaba muchas horas de pie y cuando subió al autobús hizo algo que a todos nos parecería lo más normal del mundo, sentarse. El problema, si es que se le puede llamar así, es que se sentó en la parte central del autobús, en la primera fila inmediatamente posterior a las filas de los blancos. Cuando pasaron unos minutos, el empleado del autobús le pidió a ella y otros tres negros que se levantaran de sus asientos para que tres pasajeros blancos se pudieran sentar, pues no había más sitios disponibles en la sección correspondiente de los blancos. Les dijo: «Necesito esos sitios.» Ninguno se movió y el empleado tuvo que repetirlo: «Será mejor para vosotros que os levantéis y dejéis esos asientos libres.» Los tres negros se levantaron para ceder su sitio a los blancos, pero Rosa Parks se negó a levantarse. El empleado le dijo: «¿No vas a levantarte? Haré que te arresten si no lo haces.» Rosa Parks perdió la paciencia que tantos años le había durado y respondió: «Entonces, hágalo. ¡Arrésteme!» El empleado se bajó para buscar un policía. Ella, tranquila pero firme, permaneció sentada hasta que la detuvieron. El policía le preguntó por qué no se había levantado y ella respondió: «No sé por qué había de hacerlo. ¿Por qué nos tienen que tratar con ese desprecio?» El policía le ordenó que se callara y la arrestó. El hecho de que fuera detenida fue el detonante para que la comunidad negra se movilizara. Desde el juzgado llamó por teléfono a E. D. Nixon, quien acudió para pagar su fianza.

Por otra parte, podemos destacar que Rosa Parks, además de esa decisión de permanecer sentada en el autobús que tantas consecuencias tuvo, era una persona concienciada y activa en la lucha por los derechos civiles. Su decisión espontánea no fue por casualidad. Rosa Parks había nacido en 1913 y había vivido en Montgomery casi toda su vida. En Montgomery asistió al Alabama State College y se casó en 1932 con el barbero Raymond Parks, miembro activo de la N.A.A.C.P. Con esta organización Rosa Parks empezó a colaborar de forma estrecha en la sede local de Montgomery y a partir de 1943 fue contratada como secretaria de la asociación en la Conferencia Estatal de Alabama, de todas las secciones locales. Este trabajo le permitió conocer a líderes importantes en la lucha por los derechos civiles, como A. Philip Randolph, Ella Baker o Roy Wilkins. Rosa

Parks realizó otras tareas de la N.A.A.C.P., como reorganizar la parte juvenil de la asociación y supervisar sus actividades. Una de ellas, por ejemplo, consistió en desafiar las normas de segregación sacando libros de las bibliotecas para blancos o sentarse en la parte blanca de los autobuses. Durante el año 1955 Rosa Parks asistió a un taller en el que se informaba sobre estrategias para realizar protestas de manera no violenta.

Lo que hizo el día 1 de diciembre, al negarse a levantarse para ceder su asiento a un blanco, no fue algo planeado como acto de protesta. Simplemente, como ella contó más adelante, fue la gota que colmó el vaso. No se trataba sólo de que estuviera cansada físicamente, muchas otras tardes había estado igual de cansada o más. Tampoco se sentía mayor, entonces sólo tenía cuarenta y dos años. Rosa Parks explicaba lo ocurrido por estar cansada de algo más profundo, de ceder siempre, de tener que aceptar lo inaceptable. Reaccionó de manera serena ante el arresto y no tuvo miedo según se sucedieron los acontecimientos; supo mantener la calma y aceptó sin dudar cuando se le preguntó si admitía que a partir del incidente se iniciaran las protestas. El líder negro Nixon dijo de ella que era la persona perfecta para romper el orden establecido en las líneas de autobuses.

Rosa Parks colaboró con la organización del boicot durante todo el tiempo que duró. Después tuvo que sufrir el acoso constante de los partidarios de la segregación y al final decidió abandonar Montgomery y marcharse a Detroit en 1957. Allí continuó apoyando la lucha por los derechos civiles el resto de su vida.

La convocatoria del 5 de diciembre

Los primeros en reaccionar ante el incidente y la detención de Rosa Parks fueron E. D. Nixon, miembro del Comité de Demócratas Progresistas de la ciudad, y la asociación antes mencionada W.P.C. Nixon era un hombre valiente y un activista de los derechos civiles; había formado parte de la Hermandad de Porteros de Coches-Cama creada por A.Philip Randolph. Nixon podía ser considerado como uno de los pocos líderes negros de la comunidad y al mismo tiempo era también dirigente de la N.A.A.C.P. Fue él quien pagó la fianza de Rosa Parks y se puso en contacto con las personas destacadas de la comunidad negra de Montgomery, entre ellos, por supuesto, Martin Luther King, para contarles lo ocurrido.

Primero se puso en contacto con el Consejo Político de la Mujer o W.P.C., quien sugirió un día de boicot a los autobuses como protesta. A Nixon le pareció una idea acertada y la planteó en la reunión que se organizó el día 2 de diciembre a las siete de la tarde. Martin Luther King propuso la iglesia de la avenida Dexter como lugar para el encuentro. A esta primera reunión asistieron todos los líderes religiosos negros de la ciudad, como el mismo King, y todas las personalidades relevantes en la comunidad negra, entre ellos Ralph Abernathy y Jo Robinson, la presidenta del W.P.C.; en la reunión se hallaban más de cuarenta personas, entre las que había abogados, médicos, empleados federales, líderes sindicales y muchos ministros religiosos. En la reunión triunfó la idea del boicot a la empresa de autobuses planteada por el W.P.C. La sensación general era que se debía aprovechar aquella oportunidad, ya que habían permitido un tratamiento tan injusto demasiado tiempo. Los ministros religiosos se comprometieron a hacer llegar a sus congregaciones la propuesta, para que fuera aprobada. La propuesta consistía exactamente en un llamamiento a la población negra de la ciudad para que el 5 de diciembre no utilizara los autobuses como medida de protesta. Se elaboraron una especie de octavillas con los puntos importantes en el Alabama State College y se organizaron grupos para distribuirlas en toda la comunidad. Las octavillas decían lo siguiente:

«No utilicéis los autobuses para ir al trabajo, a la ciudad, a la escuela o a cualquier otro lugar el lunes 5 de diciembre.

Otra mujer negra ha sido arrestada y encarcelada porque se negó a ceder su asiento en el autobús.

No utilicéis los autobuses para ir al trabajo, a la ciudad o a la escuela o a donde os dirijáis el lunes. Si trabajas, toma un taxi, comparte un viaje o ve andando.

Asiste a la gran reunión, el lunes a las siete de la tarde, en la iglesia baptista de Holt Street, para más instrucciones.»

La organización de la jornada de protesta fue altamente eficaz. Se pensó en el transporte alternativo que utilizaría la gente para ir al trabajo y se constituyó un comité para hablar con las compañías de taxis para negros y pedirles colaboración. Casi todas se mostraron de acuerdo en llevar a los trabajadores, con lo cual se podía contar con más de doscientos automóviles. Uno de los problemas relacionados con la organización consistió en cómo hacer llegar la convocatoria a todos los negros de Montgomery, más de cincuenta mil personas, ya que las octavillas no eran suficientes. Sin embargo, se produjo un incidente que supuso la solución a este problema: una mujer blanca encontró una de las octavillas y llamó alarmada a los periódicos para denunciar lo que los negros estaban organizando. De esta manera la convocatoria de la jornada de boicot salió publicada en toda la prensa blanca y pudo ponerse en conocimiento de toda la comunidad negra.

Para Martin Luther King no fue nada fácil lanzarse a apoyar el boicot sin más. La incertidumbre era un motivo de preocupación, al pensar que quizá la población negra de Montgomery no iba a secundar la jornada de protesta. Existía la posibilidad de que el miedo o la indiferencia fueran más fuertes. Por otra parte, para Martin Luther King el factor ético tenía una gran importancia. Martin Luther King intentaba recordar todo lo que había leído antes, cuáles eran sus convicciones éticas. Se preguntaba si el boicot suponía un comportamiento moral aceptable para la ética cristiana. Pero al reflexionar sobre lo injusto de la situación, las dudas se disiparon. Recordó las palabras de Thoreau que insistían en que no debemos colaborar con un sistema injusto. Más tarde escribiría sobre aquellos momentos (*Los viajeros de la noche*, pág. 152):

«*Pensaba que la palabra boicot resultaba un nombre falso para nuestra acción. Un boicot sugiere una represión económica y tiene un sentido negativo. Pero nosotros estamos interesados en algo positivo. Nuestro interés no era causar la ruina a la compañía de autobuses, sino que ejercieran su negocio de manera justa.*

Dándole vueltas a la cabeza, llegué a comprender que lo que en realidad estabamos haciendo era retirar nuestra colaboración con un sistema injusto, más que retirar nuestro apoyo económico a la compañía de autobuses...

Sentí algo que me decía: "Quien acepta el mal pasivamente está tan mezclado con él como quien ayuda a ejercerlo. Quien acepta el mal sin protestar, realmente está cooperando con él." Cuando la gente oprimida acepta de buen grado su opresión, sólo sirve para dar al opresor la justificación necesaria de sus actos. Con frecuencia el opresor sigue adelante sin advertir su mal, envuelto en su opresión, tanto tiempo como los oprimidos la aceptan. De este modo, para ser sincero con nuestra conciencia y sincero ante Dios, un hombre recto no tenía otra alternativa que negarse a cooperar con un sistema injusto. Sentí que ésa era la naturaleza de nuestra acción. Desde ese momento concebí nuestro movimiento como un acto de no cooperación masiva. Desde entonces casi nunca utilicé la palabra boicot.»

El día 5 de diciembre, fecha de la movilización, Martin Luther King pudo comprobar desde primeras horas de la mañana que «el acto de no cooperación», como él lo denominaba, estaba siendo un completo éxito. Desde las seis de la mañana, hora en que gran parte de los ciudadanos salía para ir a trabajar, los autobuses iban vacíos u ocupados sólo por gente blanca. La mayoría de la gente acudió a su trabajo a pie, aunque tuviera que andar más de veinte kilómetros, en taxi e incluso en los viejos coches de caballos.

Martin Luther King, decidido a tomar parte activa y satisfecho del seguimiento de la jornada de protesta, se encaminó a la sala del tribunal donde Rosa Parks iba a ser juzgada aquella misma mañana a las nueve y media. El abogado encargado de la defensa era Fred Gray, un joven abogado negro con mucho talento que con el tiempo se convertiría en un líder activo para la causa de los derechos civiles. La defensa que hizo de Rosa Parks fue impecable pero no efectiva, ya que el juez la declaró culpable y la condenó a pagar una multa de diez dólares.

La creación de la M.I.A.

Los líderes más activos en la convocatoria del día 5, hombres como Ralph Abernathy, E. D. Nixon, o mujeres como Jo Robinson, eran partidarios de organizarse mejor para decidir el rumbo a seguir. Decidieron convocar una asamblea para evaluar el alcance y la posible continuación de la protesta.

En la asamblea estaban presentes también todos los ministros religiosos, entre ellos, por supuesto, Martin Luther King. Todos se mostraron de acuerdo en fundar una organización para planificar y decidir las acciones que se llevarían a cabo a partir de ese momento. En la organización se debía nombrar un presidente. Al principio no hubo acuerdo sobre a quién proponer para el puesto. Uno de los participantes en la asamblea, Rufus Lewis, un hombre de negocios de Montgomery, propuso el nombramiento de Martin Luther King como presidente de la asociación. En seguida todo el mundo manifestó su acuerdo con la propuesta. Quizá el motivo por el que aceptaron con tanta unanimidad a Martin Luther King fue porque llevaba poco tiempo en Montgomery y se trataba de alguien nuevo, sin grandes partidarios ni detractores, con ganas de luchar en el movimiento de los derechos civiles y que había parecido a todo el mundo un hombre justo y sensato en su labor como ministro religioso.

Martin Luther King, ante tanta unanimidad, aceptó el nombramiento y así nació la M.I.A. o Asociación para el Progreso de Montgomery (Montgomery Improvement Association), nombre propuesto por Ralph Abernathy. El vicepresidente de la organización fue el reverendo Roy Bennett y el tesorero E. D. Nixon. La primera actividad de la nueva asociación era definir su actitud sobre el boicot. Existían posturas diferenciadas; según algunos, convenía no proseguir la propuesta, ya que podía acabar en fracaso, pero otros afirmaban que el hecho de volver a montar en los autobuses como si nada hubiera sucedido equivalía a no haber hecho ninguna protesta y dejar que todo siguiera como antes. El comité estableció que fuera la asamblea quien decidiera y que de esta manera la comunidad negra en total expresara su parecer.

La M.I.A. se reunió en asamblea y por primera vez Martin Luther King, en calidad de presidente del comité, les habló. Había tenido sólo dos horas para preparar su pequeño discurso, que iba a resultar como una presentación, una primera manifestación de su capacidad de líder, ya que hasta ese momento sólo había hablado ante su congregación de la iglesia de la avenida Dexter. Más tarde confesó que había sentido miedo ante la responsabilidad de hablar ante los periodistas y las cámaras de televisión. Martin Luther King comenzó con un resumen de la lucha de la población negra por sus derechos a través de las sucesivas generaciones. Después habló del derecho a plantarse ante el maltrato, del final de la paciencia ante la segregación injusta:

«Durante muchos años hemos poseído una asombrosa paciencia. Algunas veces hemos hecho creer a nuestros hermanos que nos gustaba la forma en que éramos tratados. Pero hemos venido aquí esta noche para librarnos de esta paciencia que nos hace pacientes con todo, menos con la libertad y la justicia.»

Los asistentes a la asamblea aplaudieron muchas veces durante el discurso, sobre todo cuando Martin Luther King les habló del derecho democrático de protestar y el método que podían emplear, basado en la persuasión, no en la coacción, e inspirado en el amor, no en el odio. Algo en lo que insistió fue en la unidad que debían mostrar entre todos:

«Quiero deciros que en todas nuestras acciones debemos permanecer unidos. La unidad es la mayor necesidad en este momento, y si estamos unidos podemos conseguir muchas de las cosas que no sólo deseamos, sino que justamente nos merecemos.»

King destacó la gran diferencia entre la forma de actuar del Ku Klux Klan y del Consejo de Ciudadanos Blancos, grupo de personas influyentes de la ciudad partidarias de preservar la segregación, frente a la forma de actuar que ellos iban a desarrollar, sin violencia y con orden:

«Ellos protestan por la perpetuación de la injusticia en la comunidad; nosotros estamos protestando por el nacimiento de la justicia. (...) Sus métodos conducen a la violencia y la ausencia de ley. Pero en nuestra protesta no habrá cruces quemadas, y ninguna persona blanca será sacada de su casa por una multitud negra encapuchada ni será asesinada... Nosotros estaremos guiados por los más elevados principios de la ley y el orden.»

Las palabras finales de su discurso fueron:

«Si protestáis valientemente, pero con dignidad y amor cristiano, cuando los libros sean escritos en generaciones futuras, los historiadores harán una pausa y dirán: "Ahí vivió un pueblo grande —un pueblo negro— que inyectó un nuevo significado y dignidad en las venas de la civilización." Es una gran responsabilidad la que se nos ofrece, y nuestra responsabilidad es abrumadora.»

La comunidad asistente estaba entusiasmada, conmocionada por las palabras de Martin Luther King. Rosa Parks también intervino en la reunión. Llegaba el momento de establecer los puntos concretos de actuación y hubo varias propuestas. La de Ralph Abernathy, de talante moderado, fue la elegida para someterla a votación entre los asistentes. De acuerdo con ella, el boicot a los autobuses de Montgomery iba a continuar hasta que se concedieran una serie de demandas:

— Trato cortés a la comunidad negra por parte de los empleados de la compañía de autobuses.

— Que los pasajeros pudieran sentarse según llegaran, el primero en llegar podría elegir sitio. Que los negros empezaran a sentarse desde atrás hacia delante y los blancos desde delante hacia atrás.

— Que en las líneas donde la mayoría de pasajeros fueran negros, los conductores del autobús también fueran negros.

Todos los asistentes a la asamblea votaron a favor, de pie, llenos de entusiasmo. El boicot iba a continuar y la población negra de Montgomery, más de 50.000 personas, iba a protagonizar la puesta en marcha de una nueva conciencia de la dignidad negra, que pronto tendría alcance en todo el país.

La continuación de la campaña

La jornada de protesta del 5 de diciembre había tenido repercusiones locales, se había dejado sentir en los poderes municipales, sin llegar a hacerse un eco mayor en instancias superiores. Sin embargo, la decisión de la comunidad negra, concentrada en la recientemente creada M.I.A., de seguir sin utilizar los autobuses pronto empezó a conocerse en todo el Estado de Alabama, después en todos los Estados Unidos y por último llegó a los foros internacionales, donde recibió apoyo de múltiples organizaciones. Esto no sucedió de la noche a la mañana, sino tras días y días, semanas y semanas de movilización.

Hasta ahora se ha tratado cómo fue el principio de la participación de Martin Luther King en la lucha activa contra la segregación. Puede decirse que el primer capítulo de su intervención como líder del movimiento empezó con su nombramiento como presidente de la M.I.A. y con su primer discurso a favor de continuar el boicot por medio de la lucha no violenta. Después Martin Luther King tenía por delante una dura labor que hacer, pues era necesario organizarse y coordinar las fuerzas existentes para que las movilizaciones tuvieran éxito.

Así pues el año 1956 comenzó con la negativa de la comunidad negra a subirse a los autobuses si no se cumplían las peticiones presentadas. Uno de los grandes problemas con los que se encontró la M.I.A. fue la necesidad de garantizar el transporte alternativo para que la gente pudiera acudir al trabajo; cuando se realizó una estimación de cuántos trabajadores necesitaban un medio de transporte se vio que el número total era bastante elevado, ascendía a más de 17.000. Para solucionar esta cuestión se constituyó un comité de transportes, encargado de encontrar medios de transporte alternativos. Una de las soluciones propuestas consistió en que los taxistas negros admitieran una tarifa más baja, de unos diez centavos, parecida a la del autobús, y llevaran al mismo tiempo a varios trabajadores. Esta solución pronto encontró reacción por parte de las autoridades blancas de la ciudad, ya que en su intento de acabar con el boicot tomaron represalias contra los taxistas negros por esta bajada de precios; se les iba a poner una multa si cobraban menos de 45 centavos.

Como el número de taxis, de todas formas, era insuficiente para tantos trabajadores, mucha gente puso a disposición de la organización sus automóviles privados, de modo que eran varios cientos los disponibles. El comité se encargó de organizar los recursos y estableció numerosos puntos de salida y recogida de trabajadores. En muchos casos los puntos de reunión eran las iglesias. Además, como eran muchos trabajadores para pocos vehículos a pesar del esfuerzo en conseguir automóviles, muchos trabajadores se mostraron dispuestos a ir andando al trabajo, aunque tuvieran que recorrer varias millas.

Otro de los problemas radicaba en encontrar fondos para mantener la campaña, ya que mantener la nueva organización costaba mucho dinero, más de mil dólares a la semana, una suma cuantiosa para la época. Para ello se hizo la mayor publicidad posible de las movilizaciones con el fin de sensibilizar al resto de la población del país. Gracias a ello los donativos y las aportaciones que llegaban desde cualquier punto de Estados Unidos, e incluso desde el extranjero, fueron más que suficientes. Se habla de cifras muy elevadas, parece que se llegó a recaudar un cuarto de millón de dólares en los primeros meses del boicot.

Se había creado un sentimiento de solidaridad entre todos los negros y en ello había jugado un papel decisivo el liderazgo de Martin Luther King. Como señala Coretta Scott (pág. 134), quien vivió todo de cerca:

«Había una especie de entusiasmo contagioso. Se comprometían a participar grupos de todos los niveles. Esto no era nada corriente

en Montgomery, donde se había dividido a los negros en clanes y grupos que no habían sido capaces de unirse para algo con anterioridad. Creo de veras que esta hermosa manifestación de unidad se debía en gran parte al liderazgo de Martin. La gente creía en él y tenía un gran respeto por él como líder. Debido a su formación y procedencia, los intelectuales podían respetarlo y su amor genuino a la gente emanaba hasta los más pobres de forma que él era consciente de que se identificaba plenamente con ellos. Se convirtió en un símbolo de unidad negra, un enlace entre grupos divergentes.»

La reacción del poder blanco

El boicot duró más de un año, desde principios de diciembre de 1955 hasta diciembre de 1956. Esto supone que los segregacionistas no estaban dispuestos a ceder fácilmente y desde el principio del boicot empezaron a realizar acciones de todo tipo para hacerlo fracasar, aunque a la larga sin éxito. Una de ellas, ya mencionada, fue la prohibición a los taxistas negros de bajar sus tarifas por debajo de 45 centavos.

La compañía de autobuses se vio obligada a intentar negociar, debido al hecho de verse privada de gran parte de su clientela. La M.I.A. había nombrado un comité para negociar con la compañía y defender los puntos expuestos anteriormente (trato educado, sentarse de atrás hacia delante para negros y al revés para blancos, y empleados negros para autobuses con mayoría de viajeros negros). El 8 de diciembre se celebró la primera reunión con una delegación de la empresa en el ayuntamiento, en presencia del alcalde. Martin Luther King habló al frente del comité negociador y empezó a justificar la acción de protesta por la injusticia de las leyes segregacionistas y el final de la paciencia de la comunidad negra ante unas normas tan indignas. Recordó a la empresa que la comunidad negra representaba tres cuartas partes de su clientela, por lo cual la negociación les convenía desde el punto de vista económico. King les planteó los puntos que la M.I.A. había establecido como reivindicaciones.

Después de que hablara King tomó la palabra el director de la compañía de autobuses, Crenshaw, quien se opuso firmemente a las demandas presentadas. Crenshaw respondió con razones que defendían la pervivencia del orden establecido y las expuso de manera tan vehemente que el alcalde y los concejales se pusieron en seguida de su parte. Entonces Martin Luther King se dio cuenta de que la negociación iba a resultar imposible si la discusión continuaba en los mismos tonos. El alcalde pidió que se calmaran los ánimos y el diálogo entre el comité de la M.I.A. y el representante de la compañía de autobuses prosiguió. Uno de los concejales, Parks, se mostró partidario de aceptar las disposiciones que pedía la delegación negra, sobre todo el reparto de asientos, pero el director Crenshaw replicó que cambiar el reglamento de cómo sentarse en el autobús no era algo que se pudiera hacer así como así, ya que suponía quebrantar una ley existente. Sin embargo, Crenshaw fue más allá en sus justificaciones de por qué no se podía cambiar la ley y expresó lo que muchos blancos pensaban: una concesión como ésta a los negros iba a darles una victoria moral de la que presumirían ante los blancos; eso era inaceptable. Para Crenshaw resultaba inaceptable el hecho de quebrantar una ley que legitimaba la segregación, mientras que para Martin Luther King y el resto de su comité lo inaceptable era mantenerla y dejar que las cosas siguieran como estaban antes del 5 de diciembre, así que el diálogo quedó interrumpido. King y la comunidad negra pudieron cerciorarse de que la solución del conflicto no iba a ser nada rápida ni fácil.

Los integrantes de la M.I.A. en sucesivas reuniones continuaron definiendo el rumbo a seguir para llegar a una negociación, mientras el boicot a los autobuses continuaba. Intentaron ponerse en contacto con la sede central de la compañía de autobuses, situada en Chicago. Uno de los vicepresidentes acudiría a Montgomery para hablar con el comité y buscar la solución al problema. El vicepresidente Totten llegó a Montgomery, pero se dirigió primero al ayuntamiento para planear la estrategia a seguir con el alcalde y los ejecutivos de la compañía de autobuses. Cuando la reunión con Martin Luther King por fin se produjo, hacia mediados de diciembre, el vicepresidente Totten descubrió sus cartas, que claramente coincidían con la opinión expresada por Crenshaw en la reunión anterior, es decir, no pensaba ceder ni un ápice para cambiar el reglamento, pues así lo estipulaba la ley. Martin Luther King manifestó su opinión ante la negativa de la empresa:

«Hemos hablado mucho esta mañana sobre las costumbres. Se ha afirmado que cualquier cambio en las presentes condiciones significaría ir en contra de las queridas costumbres que imperan en nues-

tra comunidad. Pero si las costumbres son erróneas, tenemos toda la razón para cambiarlas. La decisión que debemos tomar ahora es si debemos prestar nuestra fidelidad a las injustas costumbres o a las exigencias morales del universo. Como cristianos debemos nuestra última lealtad a Dios y a su voluntad, más que a los hombres y a sus intrigas.»

Martin Luther King en estas palabras nos muestra cómo se hace eco de las ideas de Thoreau sobre la desobediencia civil y por supuesto de Ghandi en su defensa de la lucha no violenta contra la injusticia. Sin embargo, quienes detentaban el poder no querían ceder fácilmente. Unos cuantos ciudadanos blancos daban su opinión y proponían nuevas posibilidades, pero casi todos se mostraban partidarios de que las leyes continuaran como estaban. Como el acuerdo parecía inalcanzable, la negociación tuvo que reanudarse por tercera vez el 19 de diciembre, a petición del alcalde. A pesar de todo, las posturas continuaban siendo irreconciliables; para el poder blanco la defensa de la segregación como algo legal que no se podía alterar estaba tan arraigada, que la delegación negra decidió retirarse.

Del desacuerdo a la violencia

Los dirigentes blancos de Montgomery se vieron obligados a actuar, puesto que el boicot a los autobuses continuaba y ello constituía una amenaza para el sistema segregacionista. Sin duda resultaba molesto que la comunidad negra se hubiera movilizado contra el orden establecido y no cediera en el empeño. Además se daban cuenta de que actuaban en bloque y estaban perfectamente organizados.

La reacción de la comunidad blanca no se hizo esperar y en un primer momento consistió en la táctica del «divide y vencerás». Si conseguían desacreditar a los líderes del movimiento, la unión perdería su solidez y se resquebrajaría. Martin Luther King fue el primer objetivo y por ello empezaron a circular rumores por la ciudad que le acusaban de apropiarse de los fondos de la M.I.A. de manera indebida para comprarse coches. Pero el sentimiento de unión era muy firme en la comunidad negra; ya Martin Luther King les había advertido de lo importante que era la unidad. Confiaban tanto en él que la táctica de los rumores fracasó e incluso resultó contraproducente, pues fomentó la unidad entre la comunidad negra.

Las autoridades blancas empezaron a mostrar una actitud intransigente hacia los negros; en muchas ocasiones ya ni siquiera intransigente, sino puramente arbitraria. Les multaban por infracciones nimias o inexistentes y les llamaban la atención en la carretera por cualquier pretexto, sobre todo para dificultar la labor de los conductores particulares que llevaban a los ciudadanos a trabajar.

El propio Martin Luther King fue víctima de este celo injustificado, cuando fue detenido mientras conducía y llevaba otros tres pasajeros. King sabía que iba a ser detenido por cualquier cosa insignificante; es más, se había dado cuenta de que un arresto podía ser beneficioso al irritar más a la población negra y unirla más en su campaña, por ello había decidido no evitar un posible arresto. El motivo de su detención fue conducir a treinta millas por hora en una zona en la que la velocidad máxima era de veinticinco. Esto fue motivo de que decidieran que había que llevarlo a la cárcel, donde King se encontró con una gran cantidad de ciudadanos negros detenidos por motivos similares. Ésta fue la primera vez que King fue detenido. Ralph Abernathy fue el primero que acudió, al enterarse de lo ocurrido. Abernathy manifestó su intención de pagar la fianza y los funcionarios de la prisión le dijeron que tenía que esperar al día siguiente; tampoco le permitieron verlo. Entonces empezaron a llegar tantos miembros y partidarios de la M.I.A. que los funcionarios se pusieron nerviosos. Debido a la presión que la concentración de tantas personas allí presentes ejercía sobre ellos, los funcionarios de la prisión al final dejaron libre a King.

A partir de febrero de 1956 entró en acción el grupo más temible para la comunidad negra. Se trataba del Ku Klux Klan. Era de esperar, puesto que el miedo siempre había sido el mejor instrumento para mantener la segregación y en este caso, al darse cuenta de que otros métodos de disuasión estaban fallando, el Ku Klux Klan podía actuar como arma decisiva para desmontar el boicot. La primera maniobra del Ku Klux Klan consistió en el envío de postales a gran parte de la población negra, en las que aparecían sus iniciales y un mensaje en tono de amenaza para que se marcharan de la ciudad. Por si no bastaran las postales, las amenazas también se proferían por teléfono, en llamadas anónimas. Pronto el miedo hizo mella en la comunidad negra. Martin Luther King también recibió postales de ese tipo y llamadas telefónicas en tono amenazante, advirtiéndole que dejara la protesta o se arrepentiría de haber puesto los pies en Montgomery.

La campaña del miedo llegó a su clímax cuando estalló una bomba en la casa de Martin Luther King, el lunes 30 de enero de 1956. Por suerte Coretta oyó un ruido en el porche y se fue con el bebé a la parte posterior de la casa, alejándose del impacto. Martin Luther King estaba muy afectado y Coretta tuvo un papel importante al mostrarse serena y tratar de calmar a su esposo. Acudieron muchas personas a la casa, así como el alcalde, Gayle, y el jefe de policía, Clyde Sellers; poco a poco se convocó una multitud que se mostraba indignada, muchos llevaban armas. Se produjeron momentos de gran tensión y Martin Luther King salió al porche de la casa para tranquilizar a la gente. Les dijo que su familia estaba bien y les pidió que no utilizaran las armas. Además les recordó las palabras de Jesús: «Quien a hierro mata a hierro muere»; insistió en el deber que tenían de amar a los enemigos a pesar de lo que les hicieran. Entonces alguien preguntó: «¿Qué pasará contigo?», a lo que King respondió: «Me han prometido protección.» El jefe de policía iba a hablar en ese momento, pero la multitud se mostró enfurecida de nuevo. Otra vez King tuvo que intervenir y sus palabras obraron como un bálsamo. El jefe de policía habló para ofrecer protección policial a King y el alcalde también anunció una recompensa de 5.000 dólares a quien diera pistas sobre los autores del atentado. Al final la multitud, conmovida por las palabras de King, se disolvió pacíficamente. Ésta no fue la única bomba; unos días después estalló otra en la casa de E. D. Nixon, donde afortunadamente tampoco causó ninguna víctima.

La violencia mostrada por el poder blanco amenazaba con detener la protesta. Martin Luther King vivió momentos muy difíciles, sobre todo cuando parte de la comunidad negra exigía responder con violencia. Parecía que la no violencia era insuficiente, una acción débil frente al ensañamiento que demostraba el sector más conservador de la comunidad blanca.

El boicot en los tribunales

Las autoridades de la ciudad intentaron recurrir a la ley. Acudieron al Tribunal Supremo de Montgomery para que se pronunciara sobre el caso. Se escudaron en una ley que databa de 1921, según la cual no se podía poner obstáculos al trabajo de los autobuses y encontraron indicios de que esa ley se había quebrantado en alguna ocasión durante el boicot. Consiguieron que el boicot fuera considerado ilegal y las autoridades de la ciudad arrestaron a 156 personas, entre ellas a Martin Luther King. En aquel momento King no se encontraba en la ciudad, sino en Atlanta; allí su padre le había pedido que dejara Montgomery un tiempo, que se alejara del peligro que suponía seguir en el movimiento y estar expuesto a otra bomba o algo peor; sin embargo, King expresó su deber de volver a Montgomery y ser detenido como los demás: «Preferiría pasar diez años en la cárcel a abandonar a mi gente ahora. He empezado la lucha y no puedo retroceder. He llegado al punto donde no hay vuelta atrás.» Martin Luther King llegó a Montgomery y se dirigió directamente al juzgado para entregarse. Allí tomaron sus huellas dactilares y le hicieron las fotos de frente y perfil con un número que hacen a todos los que presuntamente han cometido un delito. En breve pudo salir bajo fianza.

La fecha para el juicio iba a ser el 19 de marzo. Se había alcanzado la mayor expectación nunca conocida en una ciudad como Montgomery, pues el desarrollo del juicio iba a ser seguido por todo el país y por la prensa internacional. La defensa llevó casi treinta ciudadanos, que declararon sobre la injusticia que suponía la existencia de la segregación en los autobuses y afirmaron que la protesta tenía desde su inicio un carácter pacífico. Cuatro días después de iniciado el juicio el juez Carter dictó sentencia, se había violado la ley antiboicot del Estado y por ello Martin Luther King fue condenado a pagar 1.000 dólares de multa o a permanecer 386 días en prisión.

Sin embargo, esta condena no fue el final del boicot. Al contrario, la resistencia de la comunidad negra se fortaleció y el sentimiento de unidad se hizo más vivo. Toda la comunidad negra era consciente de que se había iniciado un camino y no había vuelta atrás. Como más tarde escribió Martin Luther King:

«Llegamos a ver que, a largo plazo, es más honrado caminar con dignidad que ser llevado con humillación. Así que, de una forma que nos dignificaba, decidimos cambiar las almas cansadas por los pies cansados, y caminar por las calles de Montgomery.»

El asunto era ya una cuestión estatal e incluso nacional. La comunidad negra de todo el Estado de Alabama y de todo el país apoyaba las acciones de la M.I.A. de Montgomery. Se recurrió la sentencia y se iniciaron procedimientos legales para que las leyes de la segregación fueran examinadas en un Tribunal Federal. Este Tribunal declaró a finales de mayo de 1956 que las leyes segregacionistas en los servicios de transporte público eran anticonstitucionales. La decisión era algo de importancia histórica para Martin Luther King, todos los integrantes de la organización y toda la población negra de Montgomery. Se creaba un precedente para aplicar en todos los Estados. Pero no estaba todo conseguido, puesto que los abogados de las autoridades de Montgomery recurrieron la sentencia. El boicot pasó a ser un caso visto por el Tribunal Supremo de Estados Unidos y había que esperar su fallo, que no fue inmediato.

Mientras el boicot contra el uso del los autobuses continuaba, también se puede decir que el poder blanco de Montgomery no se quedó de brazos cruzados ante estas dificultades. De nuevo pretendieron utilizar las leyes para terminar el boicot; esta vez su objetivo fue el sistema privado de coches para llevar a los trabajadores, que a toda costa querían que fuera declarado ilegal. La alcaldía solicitó al Departamento Legal que pusiera en marcha acciones legales contra este sistema. De nuevo se celebró un juicio el 12 de noviembre y Martin Luther King fue el principal acusado. Sin embargo, ese mismo día el Tribunal Supremo hizo público su fallo, en el que declaró que las leyes locales sobre la segregación en el Estado de Alabama eran anticonstitucionales. Ya no importaba que el sistema privado de coches fuera declarado ilegal, resultaba incluso irónico hasta cierto punto, pues el sistema se había puesto en marcha para evitar lo que a partir de entonces ya no se iba a producir más por ser ilegal.

La comunidad negra había triunfado en el Tribunal Supremo. La lucha no violenta por los derechos civiles se había revelado eficaz. Martin Luther King desde la M.I.A. había establecido un modelo a seguir en posteriores movimientos. El modelo consistía en una combinación de protestas de carácter no violento, unida a un tono cristiano. Dos años más tarde, en 1958, Martin Luther King describió la estrategia seguida y analizó el desarrollo del boicot en su obra *Stride Towards Freedom,* que en español se publicó como *Los viajeros de la noche.*

La vuelta a la normalidad

Una vez que el Tribunal Supremo hubo decretado el fin de la segregación en el transporte y en cualquier otro servicio público, la comunidad negra debía volver a la normalidad. El Ku Klux Klan había intentado de nuevo amedrentar a la población, pero se había encontrado con las gentes en los barrios negros fuera de sus casas, ya no estaban atemorizados como antes, sabían que tenían fuerza y capacidad para actuar. El paso que había que dar era la vuelta a la normalidad. Había que acostumbrarse de nuevo a viajar en autobús, pero ahora, eso sí, en autobuses para blancos y negros por igual. El boicot se dio por finalizado el 21 de diciembre de 1956.

La M.I.A. preparó una serie de sugerencias para que la vuelta a la normalidad se produjera sin incidentes, al ser conscientes de que el cambio no iba a ser fácil, sobre todo para los blancos. Se puede apreciar el celo exquisito de King para instruir a la comunidad negra con el fin de evitar cualquier incidente:

«*SUGERENCIAS*

Ésta es una semana histórica porque la segregación en los autobuses se ha declarado inconstitucional. Dentro de pocos días la orden del Tribunal Supremo llegará a Montgomery y volveréis a subir en los autobuses integrados. Esto coloca sobre vosotros la tremenda responsabilidad de mantener, ante cualquier incidente que surja, una tranquilidad y una dignidad propias de buenos ciudadanos y miembros de nuestra raza. Si se producen incidentes violentos de palabra u obra, no deben ser nuestras personas quienes los cometan. Las siguientes sugerencias están hechas para vuestra ayuda y conveniencia. Leedlas, estudiadlas y recordadlas de modo que nuestra determinación de permanecer en la no violencia no se vea comprometida. Primeramente, algunas sugerencias generales:

1. *No todas las personas blancas se oponen a la integración de los autobuses. Suponed la buena voluntad de parte de la mayoría .*
2. *El autobús "completo" es ahora para uso de "todas" las personas. Toma un sitio vacante.*
3. *Antes de subir al autobús haz oración para que puedas observar una conducta no violenta de palabra y de obra.*
4. *Observa en tus actos la tranquila dignidad de nuestro pueblo en Montgomery.*
5. *En todos los casos observa las ordinarias reglas de cortesía y buena educación.*
6. *Recuerda que esto no es una victoria para los negros únicamente, sino para todo Montgomery y el Sur. ¡No seas orgulloso! ¡No fanfarronees!*

7. Sé serio, pero amistoso; seguro de ti mismo, pero no arrogante; alegre, pero no impetuoso.
8. Sé lo suficientemente caritativo para absolver la ira y la incomprensión hasta el punto de considerar a un enemigo como tu amigo.

Ahora, algunas sugerencias específicas:

1. El conductor tiene el autobús a su cargo y ha sido instruido para obedecer la ley. Admite que él te ayudará a ocupar cualquier sitio libre.
2. No te sientes deliberadamente junto a una persona blanca, excepto cuando no haya ningún otro sitio libre.
3. Al sentarte junto a una persona, blanca o negra, di "¿me permite?" o "perdón". Esto es una regla de cortesía corriente.
4. Si te maldicen, no contestes con otra maldición. Si te golpean, no devuelvas el golpe; muestra buena voluntad en todas las ocasiones.
5. En caso de ocurrir algún incidente, habla lo menos posible y siempre en un tono tranquilo. ¡No te levantes de tu asiento! ¡Comunica cualquier incidente grave al conductor del autobús!
6. Durante los primeros días intenta ir en el autobús con un amigo en cuya no violencia tengas confianza. Os podéis ayudar mutuamente con una mirada o con una plegaria.
7. Si otra persona es molestada, no te levantes para ir en su defensa; ruega por el opresor y haz uso de fuerza espiritual y moral para perseverar en la lucha por la justicia.
8. Según tu propia habilidad y personalidad, no tengas miedo de experimentar nuevas técnicas creativas para alcanzar la reconciliación y un cambio social.
9. Si crees que no lo podrás soportar, ve a pie durante una o dos semanas más. Tenemos confianza en nuestra gente.

El Ayuntamiento aprovechó los días previos a la llegada de la orden de integración para dirigirse a los ciudadanos de Montgomery y recordar a los negros que por mucho que las leyes cambiaran el poder blanco seguiría en contra de la integración. La nota que se hizo pública contenía duras palabras y resulta curioso cómo también pretendía utilizar conceptos religiosos, como si Dios hubiera planeado que las razas humanas se mantuvieran aparte unas de otras:

«La decisión de la causa de los autobuses ha supuesto un tremendo impacto en las costumbres de los habitantes de Montgomery. No es cosa fácil vivir durante tantos años bajo una ley reconocida como constitucional, y que de repente sea cambiada radicalmente por cuestiones psicológicas... La corporación de la ciudad, y sabemos que los habitantes están de nuestra parte en esta determinación, no cederá ni un ápice, y utilizaremos toda nuestra fuerza para oponernos a la integración de la raza negra con la blanca en Montgomery; permaneceremos firmes como una roca contra la igualdad social, matrimonios mixtos y mezcla de razas de acuerdo con el plan de Dios.»

Las autoridades municipales, más allá de hacer pública la nota, poco más pudieron hacer cuando llegó la orden que obligaba a los medios de transporte municipales a acoger a los viajeros de ambas razas sin discriminaciones ni trato preferencial.

La noche anterior a la entrada en vigor de la nueva ley, la comunidad negra se reunió en una asamblea. Todo el mundo se encontraba satisfecho ante los acontecimientos y Martin Luther King dirigió un discurso a los asistentes, un discurso en el que hizo balance de los 358 días de boicot. Para Martin Luther King se abría una nueva época en la que los negros habían empezado a recuperar la dignidad y la esperanza; he aquí parte de su discurso:

«Durante unos doce meses nosotros, los ciudadanos negros de Montgomery, hemos estado comprometidos en una protesta no violenta contra las injusticias e indignidades experimentadas en los autobuses de la ciudad. Hemos llegado a comprender, a la larga, que es más honorable ir a pie dignamente que ir en autobús humillado. De esta forma tranquila y digna dejamos sustituir por los pies cansados las almas cansadas y andar por las calles de Montgomery hasta que los humillantes muros de la justicia fueran desmenuzados...

Estos doce meses no han sido fáciles. Nuestros pies se han cansado con mucha frecuencia. Hemos luchado contra tremendos inconvenientes para mantener los medios de transporte. Podemos recordar días cuando las decisiones de los tribunales nos eran desfavorables y llegaban a nosotros como las olas de las mareas, dejándonos arrastrados en la orilla de la desesperación. Pero, en me-

dio de todo, seguimos adelante con la fe de que cuando nosotros luchábamos, Dios luchaba con nosotros y de que el arco de la moral universal, aunque largo, se inclina hacia la justicia. Hemos vivido bajo la agonía y la oscuridad del Viernes Santo, con la convicción de que un día la sublime brillantez de Pascua emergería en el horizonte. Hemos visto la verdad crucificada y la verdad sepultada, pero hemos seguido adelante con la convicción de que la verdad echada por tierra volvería a resurgir.

Ahora, nuestra fe parece tener justificación. Esta mañana, la tan esperada orden del Tribunal Supremo de los Estados Unidos, referente a la segregación, ha llegado a Montgomery. Esta orden expresa, en términos que son del todo claros, que la segregación en los transportes públicos es ilegal y socialmente inválida. Teniendo en cuenta esta orden y el unánime voto de la Asociación para el Progreso de Montgomery un mes atrás, el año de protesta contra la compañía de autobuses de la ciudad se da oficialmente por terminado y los ciudadanos negros de Montgomery son invitados a tomar de nuevo los autobuses mañana, sobre la base de la integración.

No puedo acabar sin daros un aviso de prudencia. Nuestra experiencia y nuestro progreso durante este año pasado de protesta no violenta han sido tales, que no podemos estar satisfechos con una "victoria" en los tribunales sobre nuestros hermanos blancos. Debemos responder a la decisión con un deseo de comprensión hacia aquellos que nos han oprimido, y con una apreciación de lo que los nuevos ajustes de la orden del tribunal significan para ellos. Debemos estar preparados para enfrentarnos honradamente a nuestras propias inteligencias. Debemos actuar de un modo que sea posible un acercamiento entre las personas blancas y las de color, en una base de armonía real de intereses y entendimiento. Buscamos una integración basada en el respeto mutuo.

Éste es el momento en que debemos demostrar calma, dignidad y prudente moderación. Las emociones no se deben desenfrenar. La violencia no debe provenir de ninguno de nosotros, porque si nos hacemos acreedores de intentos de violencia, habremos caminado en vano y nuestros doce meses de gloriosa dignidad se transformarían en una vigilia de triste catástrofe. Cuando volvamos a los autobuses, seamos lo suficientemente amables para cambiar un enemigo en amigo. Debemos transformar la protesta en una reconciliación. Tengo la firme convicción de que Dios ha tendido su mano a Montgomery. Que todos los hombres de buena voluntad, tanto negros como blancos, continúen trabajando con Él. Con este espíritu estamos preparados para emerger de la fría y desolada medianoche de la inhumanidad del hombre, en el brillante y resplandeciente amanecer de la libertad y la justicia.»

En el discurso destaca el llamamiento que Martin Luther King hace a la comunidad negra de que no responda con violencia, en el mismo tono de cuidado y respeto que las sugerencias antes mencionadas.

A la mañana siguiente, el 21 de diciembre de 1956, esperaban al primer autobús de una de las líneas un gran número de fotógrafos, periodistas y cámaras de televisión. Todos se habían congregado allí para ver cómo subían juntos al autobús Ralph Abernathy, Nixon, Martin Luther King y Glenn Smiley, un ministro blanco. Martin Luther King subió el primero y el conductor le saludó con amabilidad. En el interior se sentaron juntos Smiley y él. De esta manera comenzaron a circular por Montgomery los autobuses en los que blancos y negros eran atendidos por igual.

La reacción blanca de terror

La integración en los autobuses era un hecho, estaba dentro de la legalidad y la comunidad blanca debía aceptarla. Sin embargo, un sector de la comunidad reaccionó con abierta hostilidad. Eran los blancos intransigentes, que no podían tolerar que de la noche a la mañana se terminara la segregación vigente durante tantas décadas.

El Ku Klux Klan hizo acto de presencia de nuevo. Comenzó a haber tiroteos, palizas y linchamientos en la ciudad. El miedo hizo mella en muchos negros, que dejaron o no volvieron a utilizar los autobuses. Algunos blancos abofetearon a una mujer cuando bajó del autobús y alcanzaron de un disparo en la pierna a otra mujer embarazada. La comunidad siguió las instrucciones de no responder con violencia, y aguantó estoicamente la ola de terror, aunque el miedo iba paralizando a muchos. Martin Luther King era el blanco principal y durante estos días recibió todo tipo de amenazas, no sólo en su casa, sino por toda la ciudad se podían encontrar mensajes difamatorios contra él, aconsejando a la gente que le abandonara.

La violencia se recrudeció cuando estallaron varias bombas en la ciudad. Una de ellas cayó en la casa de Ralph Abernathy, otra en la de Bob Graetz y varias más en tres iglesias baptistas. Ralph Abernathy y Martin Luther King estaban en Atlanta, dedicados al movimiento, pero al enterarse de las explosiones volvieron a Montgomery. La ciudad estaba envuelta en el terror. Martin Luther King estaba visiblemente afectado al ver sufrir tanto a su comunidad. En una asamblea llegó a decir a los asistentes:

«Señor, espero que nadie muera como resultado de nuestra lucha por la libertad de Montgomery. Ciertamente, no quisiera morir. Pero si alguien tiene que morir, que sea yo.»

Martin Luther King era consciente de que la victoria de Montgomery constituía sólo un principio y de que quedaba aún por recorrer casi todo el camino hacia la igualdad. A partir de este momento, a pesar del terror que hostigaba a la comunidad de Montgomery, él sabía que la primera piedra ya estaba puesta y que iba a dedicar todos sus esfuerzos, toda su vida, al movimiento por los derechos civiles.

IV. ENTRE MONTGOMERY Y ALBANY

El periodo que va desde 1956, fecha del fin del boicot de Montgomery, hasta 1961, año en el que Martin Luther King acude a la campaña de Albany, es uno de los más activos en su trayectoria de lucha social. Martin Luther King escribe dos libros en estos años, *Los viajeros de la noche* y *La fuerza de amar*, en los que recoge la experiencia de Montgomery, las propuestas de la resistencia no violenta y sus ideas sobre el potencial del amor como motor del cambio en la sociedad y como eje del movimiento de la no violencia. Martin Luther King difunde sus ideas por todo el país y realiza viajes con los que alcanza fama mundial. Los sucesos de Montgomery ya le habían hecho conocido y digno de admiración en todo el mundo, por ello en sus viajes es recibido por las personalidades más influyentes del mundo. Por supuesto también acude a la Casa Blanca para reunirse con el presidente de Estados Unidos en varias ocasiones. Sin embargo, la lucha por los derechos humanos es también una fuente de sinsabores que él acepta con resignación, como una parte inevitable de su labor. Martin Luther King fue detenido varias veces y se vio obligado a ingresar en prisión por motivos absurdos y lo peor sin duda es que llegó a ser víctima de un grave atentado en 1958, que casi le costó la vida. Su labor durante estos años fue incesante.

La creación de la S.C.L.C.

A raíz de la campaña de Montgomery, en enero de 1957 nació una nueva organización, la S.C.L.C. o Conferencia del Liderazgo Cristiano del Sur (Southern Christian Leadership Conference), como instrumento para encauzar el movimiento por los derechos civiles de la comunidad negra. Por supuesto la organización basaba sus principios en los postulados de la no violencia, acordes con su primer presidente, Martin Luther King. La labor de la S.C.L.C. no se limitó a los años de actividad de King, sino que se ha mantenido activa hasta hoy; sin embargo, en aquellos primeros años tuvo un papel clave para dirigir y planificar las actividades del movimiento de la no violencia. La organización se apoyaba en la independencia y el poder que disfrutaban las iglesias negras en los Estados sureños. En ellos la vida de la comunidad negra estaba orientada hacia la congregación religiosa; cualquier asociación o grupo social podía surgir si estaba vinculado a alguna iglesia, de ahí la importancia de los ministros religiosos en el movimiento por los derechos civiles.

Después de la victoria conseguida en Montgomery se estaban iniciando otros movimientos de protesta en ciudades como Tallahassee en Florida, Birmingham y Mobile en Alabama y también en Atlanta. Los líderes de estos movimientos fueron también ministros religiosos que siguieron el ejemplo de Martin Luther King. En Tallahassee el movimiento fue coordinado por el reverendo C. K. Steele, que trabajó estrechamente con King; en Mobile su coordinador fue el reverendo Joseph E. Lowery. Otra persona destacada fue el reverendo Fred Lee Shuttlesworth, presidente del Movimiento Cristiano de Alabama en Montgomery, donde iba a tener lugar una lucha ejemplar contra la segregación. En Atlanta el líder que luchó contra la segregación en los autobuses fue el ministro religioso William Holmes. De ahí la necesidad de constituir una nueva organización que coordinara todas estas acciones. Además Bayard Rustin había elaborado una serie de propuestas que pretendían extender la experiencia de Montgomery a otras ciudades en los Estados del Sur. En sus escritos Rustin planteaba si era conveniente coordinar y gestionar todas las acciones de protesta locales a través de una organización. Los líderes principales de la comunidad negra mantuvieron múltiples reuniones y debates; en ellos destacaban personas como Martin Luther King, Ralph Abernathy, A. Philip Randolph, Ella Baker, C. K. Steele, Coretta Scott King, Rustin o Stanley Levinson.

A partir de conversaciones entre Martin Luther King y los demás líderes, en diciembre de 1956 se decidió convocar una reunión a principios de enero. Steele y Shuttlesworth ayudaron a King a enviar las invitaciones. Hubo más de cien líderes que aceptaron la invitación a la reunión desde muchas ciudades de los Estados sureños. La reunión se había convocado para los días 10 y 11 de enero de 1957. A ella asistieron los líderes negros más destacados, como Steele, Fred Shuttlesworth o Bayard Rustin, la mayoría eran ministros religiosos. El primer día de la reunión Martin Luther King no pudo asistir ni tampoco Ralph Abernathy, pues tuvieron que acudir a Montgomery por la violencia y el terror que causaron los blancos en la ciudad; Coretta Scott tomó la palabra para representar a su marido. Al día siguiente Martin Luther King ya pudo incorporarse a la reunión y de ella surgió una organización provisional a la que llamaron Conferencia de Líderes Negros sobre Transporte e Integración No violenta. En ella elaboraron un manifiesto con sus principiales líneas de acción.

Una de sus primeras intervenciones consistió en redactar una serie de telegramas para enviárselos a las autoridades federales y a la población blanca del Sur. En estos telegramas querían darles a conocer el movimiento no violento por la lucha de los derechos civiles y concienciarles de que el tratamiento que se había dado a los negros durante muchos años era una cuestión del espíritu y de la religión que muchos habían tolerado sin reflexionar. Los telegramas iban dirigidos a todas las clases sociales. También enviaron dos telegramas al presidente Eisenhower; en uno de ellos le pedían que viajase al Sur para conocer de primera mano cómo eran los juicios de los negros; en el siguiente le pidieron que celebrara una conferencia en la Casa Blanca sobre derechos civiles, si no lo hacía iban a iniciar una Peregrinación de Oración hasta Washington. Al mismo tiempo, en su manifiesto animaban a la comunidad negra a que siempre buscara la justicia y rechazara la injusticia; se insistía además en que, por muy graves que fueran las provocaciones de los blancos, no debían responderles de manera violenta, pues lo más aconsejable era seguir el principio de la no violencia.

Se decidió dar un nuevo nombre a la organización, que pronto se llamó S.C.L.C. (Conferencia Cristiana del Liderazgo del Sur). En las reuniones siempre destacaba como organizador y buen dialogante Martin Luther King; por ello, cuando se fundó la organización todos los líderes se mostraron de acuerdo en que Martin Luther King fuera nombrado su presidente y Ralph Abernathy su tesorero. King desempeñó el cargo hasta su muerte, en 1968. En su nacimiento había sido simplemente una reunión de pastores negros, pero pronto empezó a aglutinar otras fuerzas. Martin Luther King aportó a la organización sus conocimientos sobre las posibilidades de la no violencia para luchar contra las leyes injustas; de esta manera el concepto de no violencia se convirtió en un postulado clave de la organización. Todos los ministros religiosos aceptaron la no violencia, pues se ajustaba a las enseñanzas de Jesucristo y al mismo tiempo se revelaba como el único método práctico para acabar con la segregación.

La Conferencia Cristiana del Liderazgo del Sur existía de forma paralela a otras organizaciones de la comunidad negra, como el Comité de Coordinación de Estudiantes No violentos, o la organización establecida desde hacía mucho tiempo llamada N.A.A.C.P. Su estructura y manera de funcionar era diferente de estas dos, ya que la S.C.L.C. no pretendía que los individuos se integrasen en ella, sino más bien las asociaciones, los grupos pequeños u otras organizaciones locales, como la M.I.A. o el Consejo de Liderazgo Cristiano de Nashville.

Las principales actividades de la S.C.L.C. consistían en formar a las pequeñas comunidades sobre la filosofía cristiana de la no violencia, fundar escuelas ciudadanas, registrar votantes en el censo y coordinar actividades de la Iglesia negra. Se trataba de una organización de base cristiana y marcada por su defensa de la filosofía de la no violencia. En cuanto a las medidas activas de la no violencia, la S.C.L.C. organizaba manifestaciones, campañas para realizar el registro de votantes negros, marchas y programas contra la pobreza. Los registros de votantes tenían una gran importancia para Martin Luther King y la S.C.L.C., ya que los negros, de acuerdo con la ley, podían ejercer su derecho a votar como los ciudadanos blancos, pero en la realidad la mayoría de los negros en edad de votar en los Estados del Sur no estaban registrados en el censo electoral; en algunas zonas de Estados como el de Alabama sólo el 5 por 100 estaba registrado y en otras ni siquiera se llegaba a este porcentaje.

Podemos mencionar dos campañas importantes entre las realizadas por la S.C.L.C. a favor de los derechos civiles, con resultado desigual, como ya se verá en detalle. Una de ellas fracasó al no conseguir ningún objetivo, mientras que la otra sí que tuvo importantes repercusiones:

— La primera tuvo lugar en Albany, en el Estado de Georgia, en noviembre de 1961. El Comité de Coordinación de Estudiantes No Violentos (S.C.N.N.) había iniciado una serie de acciones de protesta contra la segregación. La S.C.L.C. decidió unirse y realizar una gran campaña, comocida como el «Movimiento de Albany». Sin embargo, la campaña fracasó; no se logró cambiar básicamente nada sobre las leyes de segregación a pesar de las manifestaciones y los arrestos. Tampoco se logró atraer lo suficiente la atención del país. Martin Luther King analizó las causas del fracaso y llegó a la conclusión de que el error principal había sido dirigir la campaña contra la segregación como un todo, en lugar de haber dirigido las protestas contra algunos puntos concretos, más fáciles de conseguir.

— La segunda surgió desde la colaboración de la S.C.L.C. con el Movimiento Cristriano de Alabama por los Derechos Humanos (A.C.M.H.R.), liderado por Fred Shuttlesworth, en 1963. Las dos organizaciones trabajaron codo con codo para movilizar a la población negra de Birmingham, en el Estado de Alabama también, contra las leyes segregacionistas. Se produjo toda una campaña de protestas en masa, pero centradas en la segregación de la zona del centro de la ciudad. La reacción brutal y desmesurada de la policía al mando de Bull Connor favoreció la campaña, ya que un mayor número de personas se movilizaron como protesta ante la represión y convocaron manifestaciones masivas en todos los Estados del Sur. Se consiguió la erradicación de varias medidas segregacionistas.

Otra de las acciones llevadas a cabo por la S.C.L.C., con Martin Luther King al frente, fue la organización de la Marcha sobre Washington por el Trabajo y la Libertad, celebrada el 28 de agosto de 1963, que será tratada con detalle más adelante. En este caso la marcha fue organizada por la S.C.L.C. en colaboración con otras organizaciones que luchaban por los derechos civiles. Más de 250.000 personas, entre ellas muchas blancas, se reunieron para caminar de forma pacífica hasta el Lincoln Memorial y pedir igualdad ante la ley y la justicia para todos los ciudadanos sin distinción de raza o color. En esta ocasión Martin Luther King pronunció su famoso discurso «Tengo un Sueño», que conmovió a todos los asistentes.

En cuanto a las campañas para que la población negra adulta se registrara en el censo de votantes, destaca la campaña de Selma, en el Estado de Alabama, en 1965. La S.C.L.C. reunió en el juzgado de Selma a más de 400 negros que no estaban registrados, con el propósito de inscribirse. La policía les arrestó y Martin Luther King llegó a escribir en el *New York Times* que en Selma había más negros en prisión que registrados para votar. El hecho tuvo gran relevancia en la opinión pública del país y el Congreso aprobó una ley sobre el derecho de voto que favorecía la inscripción de los negros en el censo electoral.

En Selma también se produjo otra acción de la lucha no violenta en marzo del mismo año que la campaña anterior, organizada por la S.C.L.C. y el S.N.C.C. Consistió en una marcha pacífica de 50 millas desde Selma hasta Montgomery. En esta ocasión el gobernador del Estado de Alabama, George Wallace, ordenó a las fuerzas armadas del Estado que atacaran y detuvieran la marcha, utilizando gases lacrimógenos y porras. La represión fue tan dura que al día se le llamó «Domingo Sangriento» («Bloody Sunday»). Pese a todo, la marcha prosiguió, aunque empezaron a producirse discrepancias entre las dos organizaciones, ya que el S.N.C.C. reprochaba a Martin Luther King ser demasiado moderado y haber intentado negociar con el gobernador Wallace y buscar el apoyo de los liberales blancos. La lucha por los derechos civiles se radicalizaba y la S.C.L.C. era criticada por otros líderes negros, como Stokely Carmichael y su movimiento del «Poder Negro» («Black Power»).

Al avanzar la década, los dirigentes de la S.C.L.C. concentraron sus esfuerzos en la lucha contra la pobreza, ya que la desigualdad económica era lo que impulsaba a muchos a hacer uso de la violencia en las ciudades. Se lanzó la campaña por la Gente Pobre, mediante la cual se querían lograr nuevas leyes que favoreciesen el empleo y la vivienda para los sectores negros marginados por la pobreza. La campaña sufrió un serio revés con el asesinato de Martin Luther King. Ralph Abernathy fue nombrado nuevo presidente, pero la organización se resintió por el protagonismo que en ella había tenido siempre King. La S.C.L.C. organizó una nueva marcha sobre Washington en honor a King que consiguió reunir a casi 200.000 personas.

Después la S.C.L.C. ha continuado su labor en torno a áreas como la brutalidad policial contra la comunidad negra o la discriminación racial. Martin Luther King III ha sido su presidente.

El viaje a África y Europa

Durante estos años de actividad febril Martin Luther King tuvo la oportunidad de realizar grandes viajes. Muy pronto se había convertido en un personaje de fama internacional, por ello la revista *Time* en 1957 publicó su foto en la portada y un amplio reportaje sobre él; este reportaje destacaba sobre todo su liderazgo en el movimiento de protesta de Montgomery; se referían a Martin Luther King como el «ministro negro baptista intelectual que en menos de un año había salido de la nada para convertirse en uno de los líderes de la nación más destacados». No era de extrañar que, debido a su labor y a la fama que había conseguido, recibiera invitaciones desde muchos países de otros líderes e instituciones interesados en conocerle. Estos viajes a los que fue invitado no fueron viajes de vacaciones o de placer, sino formativos; además King los realizó porque podían aportarle experiencias y nuevos conocimientos útiles para reflexionar sobre su programa de acción y para observar el estado de la justicia social en otras partes del mundo.

Así pues Martin Luther King recibía invitaciones desde países muy diversos. Una de ellas fue la realizada por Kwame Nkrumah, el primer presidente elegido de Ghana, para presenciar la ceremonia que iba a conmemorar el día de la independencia del país. La ceremonia iba a tener lugar en la capital, Acra. La invitación cubría los gastos de manutención, que iban a correr a cargo del Gobierno de Ghana, pero no el viaje, así que en principio el matrimonio King decidió declinar la invitación, por considerar que se trataba de un gasto muy elevado. Sin embargo, la parroquia de Dexter y la asociación creada en Montgomery, la M.I.A., contribuyeron con una ayuda que fue suficiente para poder cubrir los billetes de avión. Para Martin Luther King se trataba de su primera salida al extranjero; sin duda los fieles de la parroquia habían pensado que podía ser una experiencia enriquecedora para su pastor. Además King advertía una conexión entre la lucha de la comunidad negra en Estados Unidos por la igualdad de derechos y la lucha de los pueblos africanos por la independencia de las potencias coloniales.

Martin Luther King y su esposa emprendieron el viaje el 3 de marzo de 1957, acompañados por otros líderes invitados, como A. Philip Randolph, Roy Wilkins o Ralph Bunche. Una de las primeras cosas que sorprendió al matrimonio King fue el hecho de que todo el mundo que conocieron allí tuviera sirvientes, todos negros por supuesto. A Martin Luther King la actitud servil de aquellas personas le pareció que les restaba dignidad y el hecho de que vieran tan natural el inclinarse para servir lo atribuía a la herencia negativa del colonialismo. El 6 de marzo comenzaron las ceremonias en Acra, a las que el Gobierno de Ghana había invitado a representantes de casi senteta países. Entre estos representantes también se hallaba el vicepresidente Nixon. En su libro de memorias Coretta Scott cuenta que el vicepresidente se acercó a King y le dijo (pág. 169):

«Usted es el doctor King. Le reconocí por la foto de la portada de la revista Time. *¡Qué historia tan admirable la suya!»*

Además le pidió que se reuniera con él cuando volvieran a Washington.

El matrimonio King, junto a los otros líderes, presenciaron cómo se arrió la bandera británica para izar a continuación la nueva bandera del país. El presidente Nkrumah anunció que se acababa de proclamar la independencia de Ghana. Tras un minuto de silencio, la multitud que asistió a la ceremonia gritó: «¡Ghana es libre!» King se emocionó al escuchar el grito de libertad y pensar en la libertad que él también ansiaba para la comunidad negra en Estados Unidos.

El día siguiente Martin Luther King se puso enfermo y tuvo que permanecer en el hotel varios días. La última parte de la visita a Ghana fue una entrevista personal con el presidente Nkrumah en su residencia oficial, donde hablaron de la no violencia y de la situación en Estados Unidos, país que el presidente conocía muy bien por haber estudiado allí.

Desde Ghana volaron a Lagos, en Nigeria. Pasaron una noche en Kano, en el centro del país, donde les sobrecogió la extrema pobreza en la que vivía la mayoría de la población, mucho peor que la de los negros más desfavorecidos en cualquier Estado americano. Para Martin Luther King esta pobreza se debía sin duda a la explotación colonial.

Abandonaron el continente africano para dirigirse a Roma, Ginebra, París y Londres. A los King les agradó especialmente la acogida de los italianos y las visitas artísticas en aquel país; además fueron recibidos por el Papa. Martin Luther King quedó tan impresionado ante la belleza de la basílica de San Pedro que se arrodilló para rezar.

El avance de la resistencia no violenta

Después del movimiento de Montgomery y a raíz de la creación de la S.C.L.C., Martin Luther King se dedicó a desarrollar los postulados de la resistencia no violenta. En su primer libro, *Los viajeros de la noche,* Martin Luther King realizó una crónica de la larga lucha de Montgomery tal como él la vivió y además en esta obra expuso las ideas principales de la resistencia no violenta como método para lograr un cambio social. Martin Luther King resumió así las bases de la no violencia y su aplicación en el movimiento de los derechos civiles:

1) Éste no es un método para cobardes: se resiste. El que resiste con arreglo a la no violencia se opone al mal contra el que protesta con tanta fuerza como la persona que utiliza la violencia. Su método es pasivo o no agresivo en el sentido de que no es agresivo físicamente frente a su oponente. Pero su mente y sus emociones están siempre en activo y buscando constantemente convencer al oponente de que está equivocado. Este método es pasivo físicamente pero fuertemente activo espiritualmente; es no agresivo en el plano físico, pero agresivo de manera dinámica en el plano espiritual.

2) La resistencia no violenta no busca derrotar o humillar al oponente, sino ganar su amistad y comprensión. El que resiste conforme a la no violencia debe expresar a menudo su protesta a través de la no cooperación o de los boicots, pero se da cuenta de que la no cooperación o los boicots no son fines en sí mismos; son simplemente medios para despertar un sentido de vergüenza moral en el oponente. El final es la redención y la reconciliación. Los resultados de la no violencia consisten en la creación de la comunidad deseada, mientras que los resultados de la violencia consisten en la amargura trágica.

3) En este método el ataque se dirige contra las fuerzas del mal, más que contra las personas que están atrapadas en esas fuerzas. Es el mal lo que queremos derrotar, no las personas víctimas del mismo mal. Los que luchamos contra la injusticia racial debemos convencernos de que la tensión básica no radica entre las razas. Como me gusta decir a la gente de Montgomery, Alabama: La tensión en esta ciudad no está situada entre la gente blanca y la gente negra. La tensión en el fondo está entre la justicia y la injusticia, entre las fuerzas de la luz y las fuerzas de la oscuridad. Y si hay una victoria será una victoria no sólo para 50.000 negros, sino una victoria para la justicia y las fuerzas de la luz. Estamos ahí para derrotar a la injusticia y no a personas blancas que puede que sean injustas.

4) La resistencia no violenta evita no sólo la violencia física externa sino también la violencia interior del espíritu. En el centro de la no violencia se alza el principio del amor. Al luchar por la dignidad humana los oprimidos del mundo no deben permitirse a sí mismos volverse amargos o caer en campañas de odio. Vengarse con odio y amargura no haría nada más que intensificar el odio en el mundo. A lo largo de la vida, alguien debe tener el suficiente sentido y la suficiente ética para cortar la cadena del odio. Esto se puede hacer sólo si se proyecta la ética del amor sobre el centro de nuestras vidas.

Aparte de continuar la lucha activa a través de las protestas, Martin Luther King consideró que debía ejercer presión en el Gobierno para que se ocupara de los temas raciales y de erradicar la segregación. La Administración del presidente Eisenhower parecía estar interesada en ocuparse de la cuestión del derecho al voto de los ciudadanos negros. King consideró que se debía intervenir con el fin de acelerar los trámites para que el derecho al voto se pudiera ejercer. Para ello decidió organizar la Peregrinación de Oración por la Libertad (Prayer Pilgrimage of Freedom) que tendría lugar en Washington durante el mes de mayo de aquel año.

Todas las organizaciones coordinadas por la S.C.L.C. se pusieron en marcha y el 17 de mayo de 1957 a las doce de la mañana se podía contar a más de 37.000 personas negras, junto con 3.000 simpatizantes blancos, delante del edificio del Lincoln Memorial. Allí hablaron los líderes negros más importantes y Martin Luther King lo hizo en último lugar. El discurso que hizo en aquella ocasión fue el primero de tipo político en el que se dirigía a todo el país. En primer lugar criticó la ineficacia y la pasividad del Gobierno federal y de los partidos políticos para hacer valer los derechos constitucionales de los negros, en particular el derecho al voto. A continuación indicó la necesidad de ejercer un liderazgo fuerte por parte del Gobierno, de los blancos moderados, de blancos liberales y, por supuesto, por parte de la comunidad negra. Después hizo un fuerte llamamiento a las autoridades; todo el mundo escuchaba su voz poderosa con la máxima atención (Coretta Scott, pág. 173):

«Dadnos el voto y ya no reclamaremos, escribiremos las leyes justas en los libros.

Dadnos el voto y llenaremos las legislaturas con hombres de buena voluntad.

Dadnos el voto y conseguiremos para la gente jueces que tengan piedad.

Dadnos el voto y, de forma pacífica y de acuerdo con la ley, haremos efectiva la decisión del 17 de mayo de 1954 del Tribunal Supremo.

Dadnos el voto y transformaremos los delitos escandalosos de las multitudes sedientas de sangre en las obras bienintencionadas de los ciudadanos obedientes.»

Durante el año 1958 la S.C.L.C. insistió en las acciones para que la comunidad negra se registrara en los censos electorales y pudiera ejercer su derecho al voto. La campaña se llamó Cruzada por la Ciudadanía y consistió también en manifestaciones y reuniones multitudinarias en las ciudades del Sur, a veces simultáneamente, para reclamar la efectividad del derecho al voto. Todas estas acciones culminaron con la reunión que tuvo lugar entre el presidente Eisenhower y los líderes de la S.C.L.C., encabezados por Martin Luther King. La reunión tuvo lugar en la Casa Blanca y en ella presentaron una serie de propuestas de corte moderado, en las que se pedía al presidente lo siguiente:

— Una nueva carta de derechos civiles en la que se hicieran efectivos los derechos de los ciudadanos negros amparados por la Constitución.
— La protección de los negros que quisieran registrarse como votantes; dicha protección estaría garantizada por el Departamento de Justicia de acuerdo con las leyes ya existentes.
— El cese de las bombas en iglesias y domicilios de negros.

Se les trató con amabilidad y atención exquisitas, pero no se tomó ninguna medida efectiva. Martin Luther King salió de aquel encuentro con el presidente Eisenhower con una sensación ambivalente. Por un lado, le pareció que el presidente hablaba con gran sinceridad; sin embargo, revelaba su gran conservadurismo, no parecía comprometerse con nada que implicase un cambio en las estructuras existentes en la sociedad norteamericana.

Detenciones y atentados

Durante el verano de 1958 Martin Luther King y Coretta realizaron un viaje a México; en esta ocasión se trató de un viaje de vacaciones, sin recepciones oficiales ni discursos ni visitas programadas. El viaje duró dos semanas y el país les pareció muy hermoso. Sin embargo, de acuerdo con su sensibilidad social, Martin Luther King no pudo observar con indiferencia la pobreza en la que vivía gran parte de la población mexicana en contraste con la opulencia de unos pocos.

De vuelta a Montgomery se produjo un desagradable incidente. El 3 de septiembre un policía detuvo sin motivo alguno y con pésimos modales a Martin Luther King en el Palacio de Justicia. Le metieron en una celda y le pegaron. Después, al enterarse de quién era, le acusaron de desobediencia a un policía y le dejaron salir bajo fianza. A partir de aquel momento King tomó la decisión de no volver a pagar ninguna fianza si volvía a ser detenido. Si le detenían por estar realizando una acción en nombre de los derechos humanos, iría a la cárcel el periodo que se hubiera dispuesto. De esta manera King iba a actuar en consonancia con la doctrina de Ghandi. Había que estar dispuesto a tolerar el sufrimiento, pues se debía a una causa justa. Además, el hecho de estar encarcelado por defender los derechos civiles podría dar mayor popularidad al movimiento.

Por aquella detención de septiembre se celebró el correspondiente juicio dos días después, el 5 de septiembre. King fue declarado culpable y condenado a pagar una multa de diez dólares o a pasar catorce días en la cárcel. King sorprendió al juez y a las autoridades de Montgomery cuando manifestó su deseo de ingresar en prisión y de renunciar a pagar la multa. Al terminar el juicio King siguió a los demás prisioneros al furgón policial que les llevaría a prisión, pero cuando le llegó su turno de subir al vehículo los empleados de la prisión le negaron el paso. Alguien había pagado su fianza. No podía ser nadie del movimiento, pues King había dado instrucciones claras de que no pagaran la multa. Había sido el jefe de policía, Clyde Sellers, al darse cuenta de la publicidad negativa en todo el país que se habrían ganado las autoridades de Montgomery si King hubiera entrado en prisión. Con ironía, Sellers justificó su acción con la excusa de ahorrar el dinero de los contribuyentes que se habría gastado en dar de comer a King durante catorce días.

El 17 de septiembre se había publicado el libro *Los viajeros de la noche*. Martin Luther King había iniciado una gira por varias ciudades a lo largo del país para dar a conocer el libro. Cuando estaba en unos grandes almacenes de Harlem firmando ejemplares para los lectores una señora negra se acercó a él y le clavó un abrecartas muy afilado en el pecho. La señora estaba desequilibrada, se había acercado a él y le había dicho que llevaba cinco años persiguiéndole.

King permaneció consciente y se sentó, no sangraba mucho. Sin embargo, se había dado cuenta de que la herida era muy grave; el abrecartas estaba clavado de tal forma que era muy peligroso para la vida de King intentar sacarlo. Él mismo lo advirtió y pidió a quienes le socorrieron que no lo sacaran. Lo llevaron al hospital de Harlem, donde empezaron a congregarse cientos de personas. Pudo haber sido peor, pues la mujer llevaba también una pistola en el bolso, pero de todas maneras la herida era de extrema gravedad. Coretta Scott y Ralph Abernathy volaron rápidamente a Nueva York. King fue operado y a partir de la operación se encontró fuera de peligro. El cirujano contó a Coretta Scott que la punta del abrecartas casi rozaba la arteria aorta, por lo cual si King se hubiera movido bruscamente, o incluso si hubiera estornudado, habría muerto de forma instantánea.

Todos los periódicos y los medios de comunicación publicaron la noticia del atentado y la operación de Martin Luther King. Muchas personas desde todos los puntos del país le escribieron para mostrarle su afecto y solidaridad. A Martin Luther King y su esposa les conmovió especialmente una carta de una chica de quince años, que le escribió lo siguiente (extraído de Schloredt y Brown, pág. 38):

«Querido doctor King:
Soy una estudiante de noveno grado en la Escuela Secundaria de White Plains. Aunque no venga al caso, me gustaría decirle que soy blanca. Me enteré por los periódicos de lo que le había ocurrido y de su sufrimiento y leí que, si hubiera estornudado, podría haber muerto.
Le escribo simplemente para decirle que estoy muy contenta de que no haya estornudado.»

El atentado hizo aún más firme la unión entre todos los sectores negros y atrajo el apoyo al movimiento de muchos blancos conmovidos por la entrega de Martin Luther King. Para él supuso un tiempo para reflexionar sobre su dedicación al movimiento por los derechos civiles a través de la lucha no violenta. King se daba cuenta de todo lo que quedaba por hacer y de que se sentía preparado para afrontar lo que viniera. En octubre regresó a Montgomery y siguió las recomendaciones de los médicos de llevar una vida tranquila durante algún tiempo. Fue entonces cuando los King decidieron viajar a la India, en marzo de 1959.

El viaje a la India

Tras recuperarse del atentado, Martin Luther King realizó otro viaje que tuvo gran trascendencia en su pensamiento; en esta ocasión King pudo viajar a la India y permanecer allí más de un mes, entre el 9 de febrero y el 10 de marzo de 1959. La India siempre le había interesado por su admiración hacia la figura de Ghandi, tan importante para él en la formación del movimiento de la no violencia. La propuesta de viajar a la India venía ya del año 1957, cuando el primer ministro hindú, Pandit Jawaharlal Nehru, realizó una breve visita a los Estados Unidos y mostró interés en conocer a Martin Luther King. En aquella ocasión el primer ministro no tuvo tiempo para reunirse con King, pero dejó instrucciones a los diplomáticos de su país para que le invitaran a viajar a la India. La Fundación para la Paz de Ghandi deseaba que King realizara una gira por el país dando conferencias. Por varias circunstancias no pudo realizar el viaje hasta dos años después de la invitación hecha por los hindúes. El mes de marzo de 1959 era un buen momento.

Viajó acompañado por Coretta Scott y Lawrence Reddick. El viaje fue difícil, pues perdieron una conexión de vuelo en Suiza y tuvieron que realizar una parada en París. Llegaron a Bombay y al día siguiente a Nueva Delhi. Según bajaba del avión les dijo a los periodistas: «A otros países puede que vaya como turista, pero a la India vengo como peregrino.» A Martin Luther King le sorprendió gratamente que los periodistas en seguida le hicieran preguntas sobre el boicot de Montgomery, lo cual demostraba el alcance internacional de lo que había ocurrido en la pequeña ciudad de Alabama. Fueron tratados con la mayor amabilidad, les abrieron todas las puertas. Martin Luther King pudo contemplar de primera mano todas las nuevas experiencias sociales que se estaban llevando a cabo. Se reunió con los políticos y los líderes no gubernamentales más importantes del país. Además pudo hablar con humildes alcaldes de pueblo, o incluso con líderes considerados como santos, como Vinoba Bhave.

Para Martin Luther King estar en la India era casi como estar en casa, por los parecidos que veía en la sociedad de ambos países en cuanto a la discriminación y a la necesidad de cambios sociales. Hablaba así de su viaje (*Autobiobrafía,* cap. 13).

«Nos trataron como hermanos, con el color de nuestra piel como si fuera un valor. Pero el lazo de fraternidad más fuerte era la

causa común de los pueblos coloniales y las minorías de América, Asia y África luchando para acabar con el racismo y el imperialismo.»

Algunas de las experiencias más memorables del viaje fueron las conversaciones que Martin Luther King mantuvo con diversos grupos, acerca de sus opiniones sobre las razas y los grupos étnicos. Martin Luther King tenía un gran poder de convocatoria, por ello en las charlas que dio a grupos universitarios o a comunidades siempre había mucha gente. En las reuniones Martin Luther King y Coretta acababan cantando canciones de *gospel*, para deleite de la audiencia.

Uno de los temas sobre los que habló en múltiples ocasiones fue sobre el boicot de Montgomery. Por supuesto, al hablar de ello King se refería a la doctrina de la no violencia que tanto había admirado en Ghandi. Durante su visita a la India, Martin Luther King tuvo algún encuentro con grupos de bandanas, como son denominados los seguidores de Ghandi, quienes alabaron su esfuerzo en Montgomery y se mostraron agradecidos de que la resistencia no violenta también triunfara lejos de la India. King y un grupo de bandanas mantuvieron una conversación con un grupo de africanos que estaban estudiando en la India; en ella surgieron cuestiones interesantes, como la distinción entre resistencia pasiva y no resistencia. King aseguró que la resistencia no violenta no consiste en la mera sumisión al poder del mal, sino que es más bien la confrontación valiente del mal por la fuerza del amor. También King manifestó en aquella ocasión, ante los estudiantes africanos, que es mejor recibir la violencia que infligirla, puesto que infligirla provoca la multiplicación de la violencia y la amargura, mientras que, en el caso opuesto, padecer la violencia puede provocar una sensación de vergüenza en el oponente y esta vergüenza puede llevar a una transformación en el corazón del agresor.

Martin Luther King observó la conexión que existía entre el futuro de la India y el de Estados Unidos, a pesar de las diferencias obvias entre los dos países. En ambos países coexistían múltiples grupos sociales diferentes que no gozaban de las mismas condiciones y, sobre todo, había existido un grupo dominador, como habían sido los británicos en la India y eran los blancos en Estados Unidos. Si en la India había sido tan determinante la doctrina de Ghandi de la resistencia no violenta, hasta el punto de conseguir la independencia del grupo dominador, en Estados Unidos podía serlo también, así como en cualquier otro país del mundo.

El viaje a la India afectó a Martin Luther King de manera profunda, pues fortaleció su determinación y su creencia en la resistencia activa. En la no violencia Martin Luther King hallaba un camino hacia la redención y la creación de una sociedad más justa, un camino que podía ser explorado en todo el mundo. Al mismo tiempo, se daba cuenta de lo importante que era tener paciencia. En la India había hecho falta casi medio siglo para conseguir la independencia y por eso en Estados Unidos no podía esperarse una victoria rápida de la noche a la mañana. Hacía falta paciencia, pero Martin Luther King estaba plenamente concienciado y decidido a conseguir la plena libertad para la comunidad afroamericana. Para ello se había comprometido hasta las últimas consecuencias con la doctrina de la no violencia, hasta el punto de estar dispuesto a morir, como Ghandi, si era necesario.

Podemos citar sus palabras, escritas después, sobre el modo en que le afectó la experiencia de viajar a la India:

«Me marché de la India más convencido que nunca antes de que la resistencia no violenta era el arma más poderosa disponible para los pueblos oprimidos en su lucha por la libertad. Era algo maravilloso ver los resultados sorprendentes de una campaña no violenta. La India ganó su independencia, pero sin violencia por parte de los hindúes. En ninguna parte de la India se podían encontrar los efectos de odio y violencia que siempre siguen a una campaña violenta. (...) Regresé a América con una mayor determinación de alcanzar la libertad para mi gente por medios no violentos. Como resultado de mi viaje a la India, mi comprensión de la no violencia se hizo más grande y mi compromiso más profundo.»

Martin Luther King recordó el viaje a la India a lo largo de su vida, y ello no sólo porque contribuyera a su determinación de luchar de manera no violenta. También conservó el recuerdo de un país con problemas sociales muy graves, con situaciones de pobreza terribles. Cuando Martin Luther King pensaba en lo que había conocido en la India, reafirmaba su convicción de nuestro deber de ser solidarios con todo el mundo y contribuir a la lucha contra la pobreza de todos los pueblos. Se trata de una obligación de los países ricos para con los países desfavorecidos. En su libro *La fuerza de amar* Martin

Luther King dedica unas palabras a la necesidad de ser solidarios con países pobres como la India (pág. 108):

«Mi mujer y yo tuvimos el privilegio de realizar una memorable visita a la India. A pesar de haber momentos sublimes y valiosos, también hubo en nuestro viaje momentos depresivos. ¿Cómo podemos dejar de sentirnos deprimidos cuando vemos con nuestros ojos a millones de personas que se van a dormir hambrientos? ¿Cómo podemos no sentirnos deprimidos al ver con nuestros propios ojos que millones de personas duermen en las cunetas? ¿Cómo no hemos de sentirnos oprimidos sabiendo que, de los 435.000.000 de habitantes de la India, 350.000.000 ganan menos de 70 dólares al año y la mayoría de ellos no han visto en su vida a un médico o a un dentista?

¿Podemos, aquí en América, seguir despreocupándonos ante esta situación? La respuesta es un no rotundo. Nuestro destino como nación está vinculado al destino de la India. Mientras la India, o cualquier otra nación, esté insegura, nosotros no estaremos seguros. Tenemos que utilizar nuestros amplios recursos para ayudar a los países subdesarrollados del mundo.

De Montgomery a Atlanta

La labor de presidir la S.C.L.C., cuya sede estaba en Atlanta, cada vez exigía a Martin Luther King mayor dedicación, pues la organización estaba en plena expansión. Además King sentía que su deber era consagrarse por completo a la lucha por los derechos civiles. Se veía obligado a estar continuamente viajando de Montgomery a Atlanta y a otras ciudades donde daba conferencias sobre los derechos civiles y la no violencia. Por otra parte no quería defraudar a su congregación de la avenida Dexter por faltar a sus múltiples tareas como pastor. Por todas estas cuestiones, a finales de 1959 King tomó la decisión de dejar la iglesia de Montgomery; desde hacía algún tiempo en muchas ocasiones King no había podido asistir a la celebración dominical, por lo que la iglesia tenía que contratar a otros ministros. Esta decisión no fue tomada porque la congregación estuviese descontenta; al contrario, siempre comprendieron que King tenía otras ocupaciones importantes como líder del movimiento de los derechos civiles. La congregación reaccionó con la misma comprensión cuando King les anunció su dimisión el 29 de noviembre. Martin Luther King no abandonó completamente las labores de ministro religioso, porque su padre le propuso trabajar con él en la iglesia de Ebenezer de Atlanta como pastor ayudante. Los King se trasladaron a Atlanta y alquilaron una casa.

A poco de instalarse en la ciudad Martin Luther King fue acusado por el Gran Jurado de Montgomery de haber falsificado datos en su declaración de impuestos de los años 1956 y 1958 y de haberse quedado con dinero de la M.I.A. Se trataba de un intento de acabar con su reputación y poner en entredicho su honradez. Martin Luther King se sintió profundamente herido porque siempre se había esforzado en mostrar su honradez y su transparencia en todos los asuntos económicos. El asunto fue difundido a escala nacional y King, a pesar de proclamar su inocencia, comenzaba a sentirse culpable de defraudar a la gente y de la posibilidad de perder su confianza. King se sentía desmoralizado por la posibilidad de que el movimiento por los derechos civiles tuviera que paralizarse por esta acusación. El problema era que se necesitaba mucho dinero para su defensa en el juicio y King se oponía a recibirlo de los fondos del Movimiento.

El entorno más cercano a Martin Luther King, encabezado por su esposa Coretta y los demás líderes de la S.C.L.C., intentó tranquilizarle. Estaban seguros de que todo el país estaba de su parte. Además los mejores abogados de Montgomery se ofrecieron para defenderle, entre ellos Fred Gray, que ya le había defendido en un juicio anterior; otros como Orzell Billingsley o Peter Hall y también algunos abogados muy prestigiosos de Chicago y Nueva York. El juicio se celebró durante el mes de mayo en Montgomery y duró cinco días. El 28 de mayo el juicio estaba visto para sentencia. El jurado estaba compuesto por doce hombres blancos del Sur, con todas las consecuencias que ello implicaba; sin embargo, el veredicto fue de «no culpable». La integridad de Martin Luther King había prevalecido por encima de las acusaciones, por otra parte sin fundamento, ya que durante el juicio se había visto que no existían pruebas de que King hubiera cometido ese delito.

Las sentadas o *sit-ins*

La semilla que Martin Luther King había plantado en Montgomery empezaba a dar frutos por todo el país. El movimiento por los derechos civiles se extendía y encontraba eco sobre todo en la gente joven. Durante 1960 tuvieron lugar las llamadas «sentadas» de los estudiantes *(«sit-ins»)*. Estas acciones estaban dirigidas contra la segregación que existía en establecimientos públicos, como los restaurantes y cafeterías. En estos lugares había secciones separadas para blancos y negros, tanto en los asientos de la barra como en las mesas. Martin Luther King, como cualquier negro en una ciudad del Sur, tuvo que sufrir alguna vez lo que significaba la segregación, incluso cuando ya se había convertido en un personaje público de fama y prestigio mundiales. En una ocasión volvía de Atlanta en avión y se puso a hablar con un hombre blanco que ocupaba el asiento de al lado. Los dos disfrutaron tanto de la conversación que el hombre blanco invitó a Martin Luther King a comer con él en el aeropuerto cuando aterrizaran y King aceptó; se dirigieron a un restaurante y entraron los dos juntos, pero al solicitar una mesa para dos la camarera miró a King y le dijo: «Tendré que ponerle en una mesa aparte.» La camarera le pidió que le siguiera hasta una zona del restaurante separada del resto por una cortina y le dijo: «Todo es igual: la comida, la mesa y las sillas son iguales.» Entonces King, sin sentarse, le respondió con amabilidad pero al mismo tiempo con firmeza: «No, no es lo mismo. Cuando usted me pone en un sitio aparte, me priva de la amistad con este hermano, cuando yo quiero seguir hablando con él.» King señaló la decoración de las paredes y prosiguió: «Si estoy detras de esta cortina, usted me arrebata el placer estético de esas pinturas. No es lo mismo en absoluto.» Dicho esto, se fue.

La primera acción contra este tipo de segregación ocurrió en Greensboro, en el Estado de Carolina del Norte, cuando a un estudiante universitario de ingeniería agrícola llamado Joseph McNeill le negaron el derecho a ser atendido en la cantina de la estación de autobuses de la ciudad por ser negro. Todo habría quedado ahí si su compañero de habitación, Ezell Blair, no le hubiera enseñado un libro que trataba sobre Martin Luther King y el boicot de autobuses de Montgomery. Al leer este libro McNeill se convenció de que había que actuar, de manera pacífica como proponía King, pero actuar contra la segregación. McNeill, Blair y otros estudiantes fueron a la tienda Woolworth el 1 de febrero de 1960. Compraron varias cosas y se sentaron en el mostrador reservado para los blancos, esperando e insistiendo en ser atendidos. Cuando la camarera les dijo que se marcharan ellos respondieron que habían comprado en la tienda y tenían derecho a sentarse allí como clientes que eran. El personal de la tienda seguía sin atenderles, pero de todas formas ellos continuaron allí negándose a marcharse. Se quedaron allí casi una hora hasta que la tienda cerró. Al día siguiente volvieron por la mañana, ya eran dos docenas. Pronto se hizo eco de ello la prensa local. A otro día de nuevo estaban allí con la misma actitud y aparecieron en un programa de televisión nacional como la historia de los estudiantes negros «bien vestidos» que terminaban su sentada con una oración. Todos los días acudían a la tienda a la misma hora y hacían lo mismo, la única diferencia era que cada vez eran más, pues otros estudiantes se les unían, tanto negros como blancos, procedentes de las otras facultades y centros universitarios de Carolina del Norte. Desde el tercer día de la sentada organizaron un Comité Ejecutivo de Estudiantes por la Justicia para coordinar las protestas y celebrar una marcha de varios miles de estudiantes.

Las acciones de Greensboro empezaron a ser conocidas en otras ciudades, donde los estudiantes imitaron su ejemplo. En dos semanas existían «sentadas» organizadas por estudiantes universitarios en Virginia, Louisiana Florida y los demás Estados del Sur. La policía empezó a arrestar a los estudiantes; en Raleigh encarcelaron a 41 participantes y en Nashville a más de 100. Antes de que finalizase el mes de febrero ya se habían organizado sentadas en más de treinta ciudades de siete Estados.

En todas las acciones se tenían presentes las consignas de Martin Luther King y de Ghandi. Una de las ciudades donde las sentadas tuvieron mayor éxito fue en Nashville, por medio del activista James Lawson. Este joven estudiaba en el centro Vanderbilt Divinity School; allí organizó talleres sobre la filosofía de la no violencia de Ghandi; a estos talleres acudieron numerosos estudiantes negros de los centros universitarios de Nashville, entre los cuales surgirían líderes de la lucha por los derechos civiles, como Diane Nash, Marion Barry o John Lewis. Las sentadas de Nashville estaban muy bien organizadas y consiguieron su propósito, ya que todos los establecimientos de Nashville dejaron de separar a sus clientes por su color de piel.

Como las protestas cada vez se extendían más, la S.C.L.C., por medio de su administradora Ella Baker, decidió organizar un encuentro de líderes estudiantiles de tres días en la Universidad Shaw de Raleigh, en Carolina del Norte. El encuentro se celebró entre los días 15 y 18 de abril de 1960. Allí se reunieron con Martin Luther King 145 líderes como James Lawson, Marian Wright o Lonnie King.

Asistieron representantes de trece organizaciones de reforma social y de varios centros universitarios. En el transcurso de la reunión se creó una nueva organización, el Comité de Coordinación de Estudiantes No violentos (S.N.C.C., Student Nonviolent Coordinating Committee). Marion Barry fue elegido el primer presidente. La S.C.L.C. se comprometió a proporcionar ayuda económica al nuevo comité hasta que se consolidara. Todos los líderes se mostraron de acuerdo en actuar de acuerdo con los principios de la no violencia y en luchar de esta manera contra la segregación racial. Martin Luther King se mostró orgulloso de que este nuevo movimiento hubiera sido puesto en marcha y dirigido por estudiantes.

En otoño de 1960 llegó a Atlanta el movimiento de las sentadas. En la ciudad ya se había conseguido acabar con la segregación en los autobuses, gracias a un boicot organizado por el ministro religioso William Holmes a través de una asociación creada a tal efecto llamada Movimiento de la Liberación, la Ley y el Amor. En esta asociación participó activamente el padre de Martin Luther King. Sin embargo, los restaurantes y cantinas continuaban discriminando a los clientes según su color. El mismo Martin Luther King lo sabía por experiencia, como se mencionó anteriormente. Los estudiantes habían decidido centrarse en un establecimiento, los grandes almacenes Rich's. Cuando organizaron su acción de protesta invitaron a Martin Luther King a que participara y él aceptó. Fueron a sentarse al restaurante de los almacenes Rich's y la policía se presentó allí para detenerlos a todos, más de setenta y cinco; entre ellos, por supuesto, King. Previamente habían decidido que si eran detenidos no iban a aceptar salir bajo fianza, sino que permanecerían en la cárcel. Entre los detenidos se contaban varios ministros religiosos y líderes estudiantiles, como Lonnie King o Marian Wright. Cuando la noticia de la detención se extendió la comunidad de Atlanta organizó un comité para negociar con las autoridades de la ciudad y los empresarios. Tardaron una semana en llegar a un acuerdo, tras lo cual los detenidos fueron puestos en libertad.

Durante estos encuentros de estudiantes se cantó por primera vez la canción que se iba a convertir en cierta manera en el himno del movimiento de la no violencia. Se trataba de «We shall overcome» o «Venceremos», una canción de *gospel* que procedía de los trabajadores negros del algodón. La canción llegó a Tennessee en los años 40 y después a los estudiantes. Durante las sentadas se cantó y a partir de ese momento en cada acción de la no violencia los participantes la cantaban, tanto en las iglesias como en las manifestaciones, las marchas o las cárceles. La canción dice así:

We shall overcome («Venceremos»),
We shall overcome,
We shall overcome some day (Venceremos algún día),
Oh, deep in my heart (I know that) (Profundamente en mi corazón —sé que—)
I do believe that we shall overcome some day (Creo que venceremos algún día).

We'll walk hand in hand («Caminaremos de la mano»),
We'll walk hand in hand,
We'll walk hand in hand some day («Caminaremos de la mano algún día»),
Oh, deep in my heart (I know that)
I do believe that we shall overcome some day.

We are not afraid («No tenemos miedo»),
We are not afraid,
We are not afraid today («No tenemos miedo hoy»),
Oh, deep in my heart (I know that)
I do believe that we shall overcome some day .

We shall live in peace («Viviremos en paz»),
We shall live in peace,
We shall live in peace some day («Viviremos en paz algún día»),
Oh, deep in my heart (I know that)
I do believe that we shall overcome some day.

Truth will make us free («La verdad nos hará libres»),
Truth will make us free,
Truth will make us free some day («La verdad nos hará libres algún día»),
Oh, deep in my heart (I know that)
I do believe that we shall overcome some day.

We shall brothers be («Seremos hermanos»),
We shall brothers be,
We shall brothers be some day («Seremos hermanos algún día»),

Oh, deep in my heart (I know that)
I do believe that we shall overcome some day.

Black and white together («Negros y blancos juntos»),
Black and white together,
Black and white together today («Negros y blancos juntos hoy»),
Oh, deep in my heart (I know that)
I do believe that we shall overcome some day.

La primera intervención de Kennedy

En otra ocasión Martin Luther King fue arrestado por llevar a una mujer blanca en su coche. Se trataba de la escritora Lillian Smith, con quien el matrimonio King había cenado. Al finalizar la velada King se disponía a llevarla a un hospital donde se le estaba realizando un tratamiento. Fue entonces cuando el policía, simplemente por ver a una mujer blanca en un automóvil con un negro, los detuvo. En ese momento estaban atravesando un distrito de Atlanta llamado De Kalb, en el que había un gran apoyo al Ku Klux Klan. Al darse cuenta de que se trataba de King, le entregó una citación judicial.

Anteriormente, con motivo de las sentadas, había sido condenado a pagar una multa de 25 dólares y le habían dejado en libertad condicional. King se encontró con que podía estar libre tras esta sentencia por participar en las sentadas; sin embargo, aquella noche en que llevó a la señora Smith los funcionarios del distrito le mantuvieron detenido de nuevo por haber violado la libertad condicional. Esto sucedió un sábado por la noche y se prolongó hasta el martes. King pasó en la cárcel los tres días. El martes King fue conducido hasta el juzgado con las esposas puestas, seguido por el sheriff del condado. La foto de King esposado apareció en todos los periódicos nacionales. El juez dictó sentencia: «Encuentro al acusado culpable y le condeno a seis meses de trabajos forzados en la penitenciaría del Estado de Reidsville.» El veredicto era tremendamente injusto y toda la familia y los amigos de King estaban consternados. Coretta Scott estaba embarazada de cinco meses y no pudo evitar llorar en público, algo que siempre había intentado evitar, al pensar que King no iba a estar presente cuando naciera su tercera hija.

Martin Luther King tampoco pudo evitar sentirse desmoralizado por una sentencia tan dura. A pesar de hallarse deprimido aún tuvo palabras de ánimo para su esposa cuando ella le visitó después del juicio. Además había decidido permanecer en prisión todo el tiempo que ordenaba la sentencia. Pidió a Coretta que le facilitaran materiales para escribir así como periódicos y revistas para mantenerse informado. Aquella misma madrugada, a las cinco menos cuarto, varios hombres entraron en la celda donde estaba con otros presos y le enfocaron en la cara con una linterna: «¡King! ¡King! ¡Despierta!», le gritaron. King se alarmó, pues se acordó de muchos negros que habían sido sacados de sus celdas en medio de la noche y habían desaparecido. Le pusieron esposas y grilletes en los pies y le llevaron de esta manera a la penitenciaría de Reidsville, que estaba situada a más de 500 kilómetros de Atlanta. Allí tuvo que ponerse el uniforme de presidiario como los demás y le metieron en la única zona de celdas de la prisión que estaba integrada. Los otros prisioneros le enviaron notas para hacerle saber que le respetaban y admiraban.

Mientras King seguía en la prisión su padre y Coretta Scott estaban haciendo todo lo posible para sacarle de allí. Los dos se disponían a visitar a Morris Abram, un abogado prestigioso y simpatizante con la lucha por los derechos civiles, cuando recibieron la llamada de John Fitzgerald Kennedy para interesarse por el estado de Martin Luther King. Kennedy por entonces era senador y aquellos días eran los últimos de su campaña electoral para acceder a la presidencia del país. Kennedy ofreció su ayuda y Coretta Scott se lo agradeció. Después la prensa preguntó a Coretta Scott qué le había dicho el senador Kennedy. Debido a sus principios ella no quería dar muchas explicaciones, ya que el movimiento por los derechos civiles siempre había intentado mostrarse imparcial frente a los partidos políticos. Desde luego esa misma noche, a partir de la llamada telefónica, Coretta empezó a recibir buenas noticias sobre una inminente puesta en libertad de su marido. Coretta Scott se enteró de que Kennedy había llamado al juez Mitchell y le había sugerido que liberara a King bajo fianza, ya que la sentencia estaba apelada. La prensa se hizo eco de esta llamada. Al día siguiente Martin Luther King fue puesto en libertad bajo fianza y volvió a casa en avión.

Unos días después el senador John Fitzgerald Kennedy fue elegido presidente. La diferencia de votos con su oponente fue tan sólo de 100.000, aproximadamente. Muchos historiadores se inclinan a pensar que el apoyo de Kennedy a Martin Luther King fue lo que le hizo ganar las elecciones, quizá entre aquellos 100.000 votantes hubo muchos negros que admiraban a King o que incluso habían ejercido su derecho al voto por primera vez gracias a las campañas de voto de la S.C.L.C. o el S.N.C.C.

Los Viajes de la Libertad

Las sentadas resultaron ser un éxito en muchas ciudades del Sur, donde dejó de existir la segregación en establecimientos públicos como cafeterías y tiendas. Este éxito estimuló la puesta en marcha de nuevas iniciativas para conseguir la integración. Una de estas nuevas iniciativas consistió en los «Freedom Rides» o «Viajes de la Libertad». Consistían en que un grupo de blancos y negros realizara un viaje en autobús sin acatar las normas segregacionistas en los autobuses de largo recorrido entre Estados y en las estaciones de autobuses del Sur. Los Viajes de la Libertad partieron de Washington D.C. y su destino era llegar a Montgomery. Por el camino encontraron una fuerte oposición por parte de los blancos. Martin Luther King apoyó públicamente los viajes, aunque no llegó a participar plenamente en ellos por considerar que se trataba de una campaña demasiado peligrosa para sus participantes.

En realidad los Viajes de la Libertad no surgieron sólo en los años 60. La primera vez que alguien habló de realizarlos fue en 1947, cuando el Congreso de la Igualdad Racial (C.O.R.E.) en colaboración con la Hermandad para la Reconciliación (Fellowship of Reconciliation o F.O.R.) organizó un viaje para blancos y negros que iba a recorrer varios Estados con el fin de comprobar si se estaba ejecutando la decisión del Tribunal Supremo sobre la inconstitucionalidad de la segregación en los viajes de autobús interestatales. El viaje se llamó Viaje de la Reconciliación y tenía como objetivo exclusivo denunciar la segregación de los autobuses; a diferencia de los Viajes de la Libertad posteriores, el Viaje de la Reconciliación sólo llegó hasta los Estados del Sur situados más hacia el Norte, sin atravesar los del llamado «Sur Profundo», más conflictivos y peligrosos para los participantes del viaje. En aquella ocasión el viaje interestatal no tuvo gran trascendencia ni repercusión en los medios de comunicación nacionales, tampoco cumplió los objetivos marcados por el C.O.R.E. En 1961 el momento era más propicio para alcanzar la repercusión deseada y conseguir un cambio en las leyes, debido a varios factores, como las acciones de la comunidad negra en los boicots, las sentadas de los estudiantes y la fuerza de organizaciones como la S.C.L.C. o el S.N.C.C.

Para comprender por qué se retomó la iniciativa de los Viajes de la Libertad hay que tener en cuenta además que en 1960 la ley de 1947 que decretaba la inconstitucionalidad de la segregación en viajes interestatales fue ratificada y extendida gracias al caso Boynton contra Virginia. En el juicio de este caso el Tribunal Supremo volvió a ratificar que la segregación en estos viajes era ilegal, no sólo en los autobuses sino en las instalaciones propias de estos viajes, como estaciones, salas de espera o lavabos. A poco de hacerse público el fallo del Tribunal Supremo dos estudiantes de Nashville, Bernard Lafayette y John Lewis, probaron la efectividad de las nuevas normas tomando un autobús interestatal y sentándose en la parte de delante; el personal de la compañía les pidió que se levantaran y ellos se negaron. Tras este primer ensayo de 1960 los dos estudiantes recibieron una carta del C.O.R.E. en la que eran invitados a participar en un Viaje de la Libertad, en el que recorrerían varios Estados para comprobar si la decisión del Tribunal Supremo en el caso Boynton era acatada en realidad. Bernard Lafayette les contestó que no podía participar porque sus padres, conscientes del peligro que entrañaba, no se lo permitieron. John Lewis sí aceptó la invitación y se unió a otros doce activistas. A partir de aquel momento los trece recibieron amplia formación sobre la no violencia y los métodos de acción directa no violentos.

James Farmer, desde el C.O.R.E., escribió una carta al presidente Kennedy el 28 de abril para informarle del itinerario. El primer Viaje de la Libertad salió de Washigton D.C. el 4 de mayo de 1961 en dos autobuses, rumbo al Sur. Su intención era detenerse en todas las estaciones para ver si la segregación había sido abolida en la práctica. Habían organizado el viaje para que durara trece días, en los que atravesarían más de 10.000 millas hasta llegar a su destino, Nueva Orleans, en el Estado de Louisiana. Iban a pasar por Virginia, Carolina del Norte, Carolina del Sur, Georgia, Alabama, Mississipi y finalmente por Louisiana. Los participantes eran un grupo mixto, había tres hombres y tres mujeres blancas junto a siete hombres negros. Por supuesto advirtieron que la ley promulgada por el Tribunal Supremo no se cumplía, pues encontraron carteles con las palabras «Blancos» o «Gente de color» cuando sólo se habían alejado de Washington cincuenta millas. Llegaron a Virginia y encontraron los primeros

El reverendo Dr. Martin Luther King, Jr.

Casa natal de Martin Luther King.

Fotografía de la infancia, junto a su hermana Christine.

Sus padres.

Paseando junto a sus padres, esposa e hijos.

Su esposa, Coretta Scott King.

Con uno de sus hijos.

Fotografía familiar.

Las demostraciones públicas de cariño y reconocimiento eran algo habitual allá por donde pasaba.

Encabezando una de sus muchas marchas de protesta.

Pronunciando su famoso discurso que comenzaba: Yo tengo un sueño...

Dirigiéndose a la multitud, en Memphis.

Con Hosea Williams, Jesse Jackson y el reverendo Ralph David Aber, en el balcón del hotel Lorraine, un día antes de su asesinato.

Imagen del cortejo fúnebre de Martin Luther King.

Segundos después de ser herido mortalmente en el hotel Lorraine.

Millares de personas desfilaron ante el cuerpo del hombre que dio su vida en pro de los Derechos Civiles.

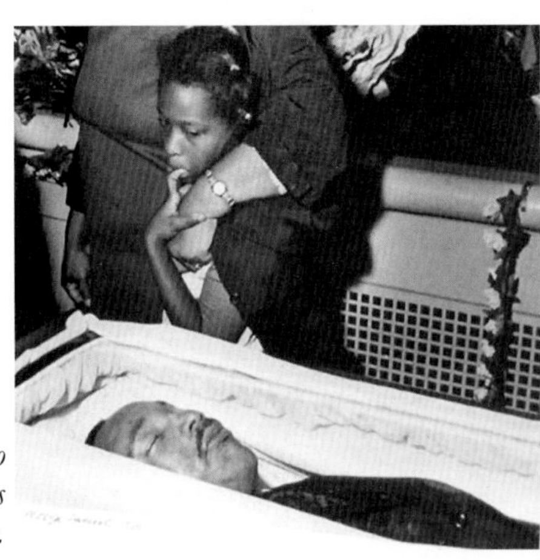

problemas; comenzaron los primeros arrestos; sin embargo, aún no habían encontrado oposición violenta. Los incidentes violentos con la población blanca comenzaron en la localidad de Rock Hill, en el Estado de Carolina del Sur. Allí los participantes no pudieron saltarse las indicaciones de los carteles. Cuando John Lewis intentaba entrar por una puerta en la que había un cartel que decía «blancos», la gente que estaba en la estación se lo impidió. Lewis dijo:

«Tengo derecho a entrar aquí por la decisión de la Suprema Corte en el caso Boyton.»

A lo que respondieron:

«Esa ley no nos importa en absoluto.»

Dicho esto, empujaron a Lewis y le golpearon en la boca. Los demás participantes intentaron ayudarle y también fueron golpeados; otro fue arrestado por utilizar un aseo para blancos. Fue el primer acto de violencia en el primer Viaje de la Libertad y recibió amplio eco en los medios de comunicación. A pesar del incidente, el autobús continuó y el 13 de mayo llegó a Atlanta, donde fueron recibidos por Martin Luther King, Wyatt Walker y otros dirigentes de la S.C.L.C. Habían conseguido ya recorrer 700 millas y King les felicitó en un discurso que pronunció después de la cena:

«Quiero felicitar a las trece personas que están hoy aquí con nosotros, por su valor y coraje a la hora de enfrentarse con esta empresa. Quiero que sepan que tienen mi apoyo, sobre todo ahora que empieza la parte más difícil del trayecto: cruzar los Estados más racistas del profundo Sur.»

King sabía muy bien de qué estaba hablando, por ello les confesó después a Wyatt Walker y al periodista Simeon Booker: «No conseguirán atravesar Alabama.» Sus palabras resultaron ciertas. El 14 de mayo llegaron a Anniston, localidad de Alabama. Por supuesto, la estación estaba llena de carteles segregacionistas. Allí les esperaba un grupo de más de cien personas armadas con palos, cuchillos y hasta ladrillos. Antes de su llegada las autoridades locales de Anniston habían dado permiso al Ku-Klux-Klan para que actuara contra los participantes del viaje sin miedo a que sus miembros fueran arrestados. El conductor del primer autobús al llegar a Anniston gritó a la multitud: «¡Bien, muchachos, aquí los tenéis!. Os he traído unos negros (el término ofensivo *niggers*) y amiguitos blancos suyos.» Todos los pasajeros se quedaron en los asientos y la multitud gritaba: «¡Bajad de una vez, malditos negros!» Como nadie se atrevía a bajar del autobús los de abajo comenzaron a golpearlo con palos. Los pasajeros pidieron al conductor que pusiera el autobús en marcha para huir de allí de inmediato. Entonces se inició una persecución de más de cincuenta coches tras el autobús. El conductor, tras perder el control, frenó y salió corriendo. Allí quedaban los pasajeros indefensos, en el campo, en medio de la noche. Los coches llegaron y sus ocupantes empezaron a tirarles ladrillos y piedras para obligarles a salir. Alguien arrojó una bomba incendiaria y el autobús se prendió en llamas. Los pasajeros tuvieron que salir y sufrir las agresiones de los que les esperaban fuera, que se abalanzaron sobre ellos sin piedad. Casi todos los ocupantes del autobús tuvieron que ser llevados al hospital. Un periodista pudo hacer una foto del autobús envuelto en llamas, la imagen se difundió por todo el país y dio la vuelta al mundo.

Mientras, el otro autobús estaba en la estación de Anniston, dispuesto a reanudar el viaje. Al enterarse de lo ocurrido, los pasajeros comenzaron a increpar a los participantes en el Viaje de la Libertad, culpándoles de lo que había pasado y por lo que les podía pasar a ellos también por su culpa. De los insultos pasaron a los golpes y las patadas, recibidas sobre todo por los líderes del viaje, Jim Peck y Walter Bergman. A los dos se les obligó a sentarse en la parte de atrás. El autobús llegó a Birmingham, donde les esperaba también el Ku Klux Klan. El jefe de policía de Birmingham, Bull Connor, había dejado a los pasajeros del autobús a merced de los integrantes del Klan. Los «viajeros de la libertad» intentaron llegar hasta la sala de espera de los blancos, como habían previsto hacer, pero los hombres del K.K.K. se lo impidieron a golpes. Al final los miembros del K.K.K. se pusieron a golpear a todos los negros que había en la estación. La policía llegó, era de esperar, cuando los hombres del Klan ya habían huido. Todos los «viajeros» estaban heridos, pero no fueron admitidos en el hospital, así que pidieron ayuda al pastor baptista Shuttlesworth. Ante los ataques y la violencia que se había generado, James Farmer, desde el C.O.R.E., decidió suspender el Viaje de la Libertad. Los «viajeros» se marcharon en avión hasta Nueva Orleáns.

Sin embargo, el Viaje de la Libertad no acabó ahí. En Nashville los dirigentes del C.O.R.E. discutían. Diane Nash estaba en desacuerdo con James Farmer y abogaba por la continuación del viaje, relevando a los primeros viajeros con otro grupo. Diane Nash decía a Farmer: «No podemos dejar que nos detengan con la violencia. Si lo hacemos, el movimiento está muerto.» Nash sugirió que eligieran voluntarios entre los estudiantes para que fueran a Birmingham y continuaran el viaje. Diane Nash y Rodney Powell se pusieron en contacto con Martin Luther King y le pidieron que se uniera a ellos, pero King declinó la invitación. El S.N.C.C. decidió apoyar la continuación de los Viajes de la Libertad, aunque algunos de sus dirigentes eran reacios a ello; James Farmer pensaba que se trataba de un viaje «suicida» y los demás pronto se arrepintieron. Ocho estudiantes negros y dos blancos salieron de Nashville decididos a continuar desde Birmingham el Viaje de la Libertad. Cuando llegaron se dirigieron a la sala de espera para blancos; la policía estaba allí en la estación y les dijo que no entraran en aquella sala, pero los estudiantes lo hicieron y la policía les detuvo como medio de evitar que los blancos les agredieran. El pretexto para la detención era que estaban desafiando las leyes de la segregación. En la cárcel los detenidos se negaban a comer y exigían su libertad. Los «viajeros» fueron retenidos en Birmingham durante unos días.

El fiscal general, Robert Kennedy, se vio obligado a intervenir para garantizar la salida de los «viajeros» de Birmingham sin incidentes y el F.B.I. también tuvo que convencer a Bull Connor de que les dejara partir. Sin embargo, no era suficiente; también necesitaban protección al salir de la ciudad, para que no se repitieran los sucesos de Anniston. Por otra parte las compañías de autobuses tampoco querían llevarlos por miedo a perder otro autobús. Robert Kennedy pidió al gobernador de Alabama, Patterson, que escoltara a los viajeros hasta el límite del Estado, pero Patterson se negaba alegando que era competencia del Gobierno federal. Robert Kennedy pidió a su hermano, el presidente, que interviniera. El presidente consiguió que Bull Connor garantizase la seguridad de los jóvenes hasta la ciudad fronteriza de Ardmore, en Tennessee. Los siete estudiantes fueron dejados allí, solos. No sabían qué hacer, por miedo a encontrarse con miembros del K.K.K.; al final decidieron volver a Birmingham de nuevo, con lo que se volvía a la situación de partida. Mientras, otros once estudiantes habían llegado a Birmingham desde Nashville para continuar el viaje. Todos acudieron a la casa del pastor Shuttlesworth. Su intención era ir a la estación y viajar en autobús hasta Montgomery.

Robert Kennedy de nuevo tenía que resolver la situación de manera que no se produjeran incidentes violentos; había que evitar un escándalo nacional y una mala imagen del país en el exterior. Robert Kennedy propuso que el autobús fuera escoltado por los federales y tuvo que convencer al director de la empresa Greyhound para que facilitara un autobús. John Seigenthaler, representante del Departamento de Justicia, se reunió con John Patterson para que facilitara la solución de una situación tan peligrosa. El Viaje de la Libertad se reanudó el 20 de mayo de 1961 rumbo a Montgomery; el autobús fue protegido por tropas del Estado hasta la entrada en la ciudad, de acuerdo con lo pactado. Esto provocó que se reanudaran los problemas; esta vez a la llegada a la ciudad, donde no había ni un solo policía para proteger a los «viajeros». John Lewis bajó de los primeros del autobús y se encontró con un grupo de periodistas y una muchedumbre armada con bates de béisbol, palos y cuchillos. James Zwerg, otro estudiante blanco, bajó también y fue el primero en ser golpeado mientras escuchaba voces que coreaban: «¡Matadlo!» Por efecto de la paliza que recibió se quedó en el suelo inconsciente hasta que llegó una ambulancia una hora después. En seguida empezaron a golpear salvajemente a todos los «viajeros». Un abogado blanco contrario a la segregación, John Doar, llamó por teléfono a Robert Kennedy para contarle lo que estaba pasando y que la policía no acudía. Se produjeron situaciones patéticas, como la de unas mujeres blancas golpeando a una mujer negra en el suelo. Algunos tuvieron más suerte al ser recogidos por automóviles enviados por la M.I.A. La policía llegó finalmente, pero su actuación consistió en arrestar a los «viajeros» y comunicarles que un mandato judicial les prohibía continuar con el Viaje de la Libertad.

En ese momento los «viajeros de la libertad» solicitaron la intervención de Martin Luther King. Estaba en Chicago dando conferencias sobre el movimiento de los derechos civiles, pero no dudó en acudir y tomó un avión para llegar de inmediato. Los federales le recibieron en el aeropuerto y le escoltaron hasta la iglesia baptista de su amigo Ralph Abernathy, donde se reunió con los «viajeros» y los feligreses. Mientras tanto, varios miles de blancos rodearon la iglesia armados con ladrillos. Era una multitud enfurecida que amenazaba con destrozar la iglesia y entrar para agredir a los negros. Los blancos arrojaban los ladrillos contra las vidrieras y los cristales rotos caían sobre la gente. Algunos blancos gritaban que iban a prender fuego a la iglesia. King intentó tranquilizar a los presentes y se ofreció a entregarse a los blancos para que calmaran su ira, la congregación le dijo que eso era una locura. Tras unos minutos se dispuso a salir de la iglesia. Justo en ese momento la guardia nacional comenzó a lanzar gases lacrimógenos contra la multitud de blancos para que se dispersaran; los blancos retrocedieron, pero de nuevo intentaron atacar la iglesia. Dentro del edificio Wyatt Walker pidió a King que llamara a Robert Kennedy. King le describió la situación en la que estaban (Roig, 129):

«*Estamos rodeados por una masa de hombres dispuestos a matarnos. Han incendiado un coche, tiran ladrillos y cócteles molotov...*».

Kennedy le rogó que tuvieran paciencia, pues iban a llegar más relevos de soldados federales. Se produjeron fueres disturbios entre la muchedumbre blanca y los federales. La Guardia Nacional de Alabama tuvo que intervenir. Logró dispersar a las masas blancas, pero obligó a los negros a permanecer en la iglesia toda la noche a pesar de las protestas de King. En el interior de la iglesia intentaron calmarse cantando himnos y, por supuesto, «We shall Overcome». El gobernador, Patterson, declaró la ley marcial. King presionó a Kennedy para que les dejara marchar a casa. Kennedy presionó a Patterson. En principio Patterson se comprometió a garantizar la seguridad de todos, excepto la de King, pero al final cedió. Los primeros grupos de negros empezaron a salir de la iglesia a las cuatro y media de la mañana. Coretta Scott resumió así el horror que vivieron aquella noche los congregados en la iglesia (pág. 214):

«*Fue una noche de terror y fue bastante descorazonadora porque reveló la irracionalidad y la crueldad del racismo.*»

Al día siguiente los «viajeros de la libertad» pidieron a King que siguiera con ellos y les acompañara en su viaje. King respondió a la líder, Diane Nash, que no iba a hacerlo. Ella insistió: «¿No ve que su ejemplo de liderazgo es capaz de mover a la gente hacia la no violencia?» (Roig, pág.132). Él respondió: «Estoy de acuerdo y me gustaría ir con vosotros, pero seré yo el que elija el momento de mi crucifixión.» Los estudiantes se sintieron decepcionados, le consideraban su inspirador y ahora se quedaba atrás. Los primeros viajeros de la libertad fueron escoltados por la guardia federal, pero los demás no. Los viajeros de la libertad decidieron continuar hasta Nueva Orleáns.

La negativa de Martin Luther King a participar en los Viajes de la Libertad le costó un aluvión de críticas desde varios sectores del movimiento por los derechos civiles. Por ejemplo Robert F. Williams, presidente de la sección de la N.A.A.C.P. en Carolina del Norte, envió un telegrama a King en el que le exigía que diera ejemplo y afirmaba que «si carecía del coraje para viajar, que se retirara de la primera línea». Diane Nash también le exigió una explicación y King respondió que estaba en libertad condicional y no podía exponerse a otro arresto. Muchos estudiantes, sobre todo los vinculados al S.N.C.C., dejaron de admirar a King como lo habían hecho hasta entonces y comenzaron a verlo «como un hombre, un hombre que no tenía todas las cualidades divinas que le habían atribuido», en palabras de Ella Baker, consejera del S.N.C.C.

El presidente Kennedy intentó acabar con los Viajes de la Libertad anunciando el 28 de mayo de 1961 que desde la Comisión de Comercio Interestatal se había prohibido la segregación en todas las instalaciones. Sin embargo, cada vez más estudiantes desde todos los puntos del país se adherían a la causa y viajaban en autobús al Sur, para acabar llenando las cárceles de Mississipi. Cada vez la campaña tenía mayor repercusión en la prensa; esto mostraba a King que las acciones no violentas a gran escala provocaban la violencia de los blancos del Sur, pero al alcanzar difusión nacional conseguían que se tomaran medidas federales. Sin embargo, King continuó manteniéndose al margen de los Viajes de la Libertad, aunque pidió a algunos de sus líderes que desempeñaran algún cargo en la S.C.L.C. De esta manera entraron a formar parte del personal de la S.C.L.C. Andrew J. Young, Diane Nash o James Bevel.

La campaña de Albany

La siguiente campaña en la que Martin Luther King intervino fue en Albany, localidad del Estado de Georgia. Albany tenía por entonces 50.000 habitantes. La localidad está situada a 400 kilómetros al sudoeste de Atlanta. Albany pertenecía a la zona más racista del país, por ello en todos los lugares y establecimientos públicos se mantenía la segregación. Martin Luther King no intervino desde el principio. El movimiento fue iniciado por un médico negro llamado

William G. Anderson y respaldado por dos trabajadores del campo del S.N.C.C. llamados Charles Sherrod y Cordell Reagan. Los dos miembros del S.N.C.C. habían abierto un centro para llevar a cabo el registro de los votantes negros y la intención del S.N.C.C. a largo plazo era establecer en Albany una organización similar a la M.I.A. Este centro había sido financiado por varias instituciones, entre las que se hallaban la Federación de Clubes de Mujeres de Color, la sede local de la N.A.A.C.P., la Liga de Votantes Negros, la Alianza de Ministros de Albany y por supuesto el S.N.C.C. En diciembre se unieron al movimiento Martin Luther King y la S.C.L.C.

El movimiento comenzó el 25 de noviembre de 1961, pero antes se habían producido numerosos hechos que mostraban la injusticia de la segregación y la discriminación que imperaba en la ciudad. El hecho más grave del que los ciudadanos negros de Albany tenían memoria reciente había ocurrido el 10 de julio de 1961, cuando un trabajador negro del campo, llamado Charlie Ware, fue disparado tres veces por un sheriff del condado de Baker; el F.B.I. investigó el caso y elaboró un informe en el que apoyaba la versión de Ware, a pesar de ello el trabajador fue encarcelado acusado de haber atacado al sheriff. La comunidad negra, encabezada por el S.N.C.C., había intentado liberarlo sin resultado. Poco después comenzaron las acciones del movimiento, encaminadas a terminar con la segregación en todos los locales públicos. Tres jóvenes negros y dos adultos se sentaron en el comedor de la estación de autobuses y pidieron que les atendieran. Al tratarse de un local segregado, como todos en Albany, los empleados se negaron a atenderlos y tuvo que intervenir la policía, que les detuvo. El siguiente paso se produjo cuando un grupo de voluntarios intentaba acabar con la segregación en la estación del ferrocarril. En ese momento, 10 de diciembre, llegó a Albany otro grupo de participantes en los Viajes de la Libertad con el fin de ayudar en las acciones de integración de los voluntarios de la estación del ferrocarril. Todos fueron detenidos y llevados a la cárcel. La situación se recrudeció cuando el alcalde de la ciudad, Asa Kelly, pidió que interviniera la Guardia Nacional de Georgia.

En ese momento William Anderson llamó por teléfono a Martin Luther King para que les ayudara. King por entonces había concentrado sus esfuerzos en lograr un movimiento a escala nacional y no era partidario de perder fuerza en campañas locales. Sin embargo, su sentido del deber y del liderazgo le hizo acudir a Albany para prestar todo su apoyo a la campaña. El mismo día de la llamada llegó a la ciudad acompañado por Ralph Abernathy. Al día siguiente se organizó una marcha hasta el ayuntamiento, a la que asistieron 250 personas. Las autoridades locales respondieron deteniendo a todos los integrantes de la marcha. Quizá por miedo a verse desbordadas por los posibles efectos de las acciones de protesta, a partir de este momento las autoridades se mostraron dispuestas a negociar y se estableció un primer acuerdo para terminar con la segregación en las estaciones de autobuses y ferrocarriles a cambio de que cesaran las manifestaciones masivas. Los 250 detenidos fueron puestos en libertad.

La campaña prosiguió y se consiguió también la integración en la compañía de autobuses de la ciudad a finales de diciembre. La siguiente acción tuvo como objetivo lograr el final de la segregación en las tiendas; para ello se realizó un boicot en algunos establecimientos de la ciudad. Sin embargo, el boicot no resultó efectivo, quizá porque no se había organizado bien. Mientras tanto llegó la fecha prevista para el juicio de Martin Luther King, Ralph Abernathy y otros por haber liderado la marcha de diciembre. El juicio se celebró el 27 de febrero de 1962 y todos fueron condenados. La sentencia, sin embargo, no fue dictada hasta el 10 de julio; para King y Abernathy consistió en pagar una multa de 178 dólares o 45 días de trabajos forzados. De acuerdo con la decisión tomada ya anteriormente, los dos eligieron entrar en prisión. King explicó esta decisión:

«Elegimos cumplir el tiempo en prisión porque nos dábamos plenamente cuenta de la situación en la que se hallaban los otros setecientos que todavía tenían que ser juzgados... Hemos experimentado la táctica racista de intentar arruinar el movimiento del Sur por medio de fianzas excesivas y litigios legales prolongados. Ha llegado el momento en el que debemos practicar la desobediencia civil en su verdadero sentido o retrasar nuestro impulso hacia la libertad durante años.»

Con Martin Luther King en la cárcel las manifestaciones y las detenciones aumentaron, así que las autoridades locales hicieron lo mismo que Clyde Sellers en Montgomery; el 13 de julio Pritchett comunicó a King y Abernathy que alguien había pagado las multas y por tanto podían ser puestos en libertad.

En Albany las acciones directas para conseguir la integración prosiguieron. La comunidad negra de la ciudad recibió el apoyo de muchas personas que acudían desde otros Estados, tanto blancos como negros; entre ellos se contaban numerosos ministros religiosos, sacerdotes católicos, rabinos, judíos, católicos o protestantes. El liderazgo de las acciones fue compartido por la S.C.L.C. y el S.N.C.C. Se contrató a personal experto en acciones no violentas, registro de votantes y luchas legales. Sin embargo, las acciones no obtuvieron los resultados deseados; las autoridades locales se negaron a ceder. Con tal de impedir la entrada de los negros a los parques públicos, llegaron a cerrarlos, al igual que la biblioteca pública. Lo que sí fue distinto de otras campañas fue la actitud respetuosa del jefe de policía de Albany, Laurie Pritchett, aunque algunos de sus oficiales mostraban la misma brutalidad que los policías de Montgomery o después los de Birmingham. Pritchett, consciente de que la brutalidad policial atraía una publicidad negativa para la ciudad, dejaba que las manifestaciones y las acciones de protesta se iniciaran, después advertía que iba a detener a los participantes si no se dispersaban y por último, por supuesto, realizaba las detenciones.

En julio se produjeron episodios violentos. Unos 2.000 jóvenes en una manifestación empezaron a arrojar piedras y botellas a la policía. Martin Luther King condenó este tipo de reacción y organizó un Día de Penitencia. Después King puso en marcha unas veladas de oración; la primera se celebró el 27 de julio, liderada por King, Abernathy y William Anderson. Las autoridades ordenaron su detención. Los tres fueron llevados a la cárcel y permanecieron allí dos semanas hasta la celebración del juicio el 10 de agosto. Coretta Scott pudo visitar a su marido varias veces, una de ellas acompañada por sus dos hijos mayores, Yoki y Marty. Era la primera vez que veían a su padre encarcelado; por lo menos se permitió a King ver a sus hijos en el pasillo, para evitar que los niños le vieran a través de los barrotes. Las esposas de los líderes se pusieron de acuerdo para organizar una manifestación de mujeres en la ciudad si los detenidos eran condenados a permanecer en la cárcel, con el fin de ser detenidas y atraer la atención de todo el país en los medios de comunicación. La manifestación iba a estar encabezada por Coretta Scott, Juanita Abernathy, Diane Nash Bevel y las esposas de Anderson, Andrew Young y Wyatt Walker, entre otras. Sin embargo, no se dictó sentencia y los tres líderes fueron puestos en libertad, con lo cual la manifestación de las mujeres fue desconvocada.

La campaña continuó sus acciones. Tras la liberación de los líderes se convocó una manifestación masiva para el lunes siguiente. Llegó un momento en que no se sabía si la manifestación iba a celebrarse porque se filtró la información y las autoridades de la ciudad consiguieron una orden federal que la prohibía. Los organizadores del movimiento de Albany debatieron si debían hacer caso de la orden o ignorarla. Martin Luther King señaló que siempre habían desobedecido leyes locales para que se cumplieran las leyes federales. Hasta entonces eran las leyes federales las que les habían dado la razón, pero ahora la ley federal iba en contra del movimiento por los derechos civiles.

Se trataba de un momento delicado para Martin Luther King, que debía tomar la decisión de acatar la prohibición o ignorarla. Los líderes estudiantiles eran firmes partidarios de seguir adelante a pesar de la prohibición, puesto que suspender la manifestación iba a afectar negativamente a la moral de todos los participantes en la lucha por los derechos civiles. Por otra parte, King sentía que el único aliado que habían tenido en la lucha había sido el Gobierno federal y por eso no podían ir contra él. King intentó apelar la decisión y llamó por teléfono a Robert Kennedy, fiscal general, y a Burke Marshall, del Departamento de Justicia, pero la prohibición se mantuvo. La noche anterior al día de la manifestación King quiso celebrar una reunión de urgencia para decidir qué estrategia se iba a adoptar al día siguiente, pero al final la reunión no se celebró y el peso de la decisión cayó sobre King. Podemos suponer que King pasó toda la noche pensando qué se debía hacer. La manifestación no se celebró. Sin embargo, el tiempo demostró que no había sido la decisión acertada. El mismo King más adelante dijo estas palabras (Coretta Scott, pág. 220) sobre las autoridades del Sur y su nueva estrategia:

«Ahora que han tenido éxito al conseguir la prohibición federal lo van a hacer una y otra vez; eso significa que nos paralizarán.»

Muchos sectores del movimiento por los derechos civiles criticaron la decisión de Martin Luther King. A partir de ahí la campaña de Albany perdió fuerza; desde luego no alcanzó el éxito que había tenido en Montgomery. Años más tarde King explicaba el fracaso de Albany porque los esfuerzos no se habían focalizado en la segregación de un sector concreto, por ejemplo, los parques o las bibliotecas, sino en la segregación general como tal. Lo que sí fue positivo es que se consiguió registrar a miles de votantes negros. Además resultó ser una lección que daría sus frutos en la campaña de Birmingham y fue un ejemplo a seguir para otras localidades de Georgia, al demostrar que la comunidad negra tenía que comprometerse en su propia lucha contra la segregación para conseguir resultados.

V. LA CAMPAÑA DE BIRMINGHAM

La campaña de Birmingham supone el punto culminante de la lucha de Martin Luther King contra la segregación. El movimiento de Albany había sido un ensayo de cómo se debía desarrollar una campaña, pero en ella habían cometido errores; por ello King desde la S.C.L.C. se dedicó a analizar con detenimiento en qué habían fallado, para realizar la siguiente campaña con mayor éxito. En mayo de 1962 Fred Shuttlesworth propuso a la S.C.L.C. unirse a su organización, el Movimiento Cristiano de Alabama por los Derechos Humanos, para realizar una campaña a gran escala contra la segregación en la ciudad de Birmingham. Los líderes de las dos organizaciones se hallaban en una reunión en Nashville. Los dirigentes de la S.C.L.C. aceptaron la proposición y las dos organizaciones iniciaron los preparativos de la campaña, que no comenzaría hasta principios del año siguiente, 1963. Martin Luther King, años después de la campaña, analizó todo lo que ocurrió en su libro *Por qué no podemos esperar*.

La ciudad de Birmingham

Para comprender los acontecimientos que se sucedieron durante la campaña de Birmingham es conveniente saber cómo era la ciudad en 1963. King en su libro *Por qué no podemos esperar* nos detalla el alcance de la segregación en todas las actividades de la ciudad. Birmingham se halla en el Estado de Alabama, al igual que Montgomery, su capital. En 1963 Birmingham era la ciudad industrial más importante del Estado y constituía uno de los centros de producción de hierro y acero de la nación. Durante los años 30 habían tenido lugar muchos conflictos en las fábricas, pues los sindicatos intentaron organizarse para mejorar las condiciones laborales de los trabajadores. La lucha sindical había sido ahogada por la fuerza y la ciudad se había convertido en un centro industrial donde los trabajadores no protestaban por miedo a las represalias. Las masas trabajadoras de las fábricas estaban constituidas en gran parte por los blancos, ya que los peores trabajos son los que ocupaban los negros, que sumaban el 40 por 100 de la población. A pesar de este porcentaje del 40 por 100 de población negra en una ciudad de 80.000 habitantes, sólo estaban registrados como votantes 10.000. Martin Luther King señaló en el libro antes mencionado, *Por qué no podemos esperar,* que «no se podía haber formulado en terreno más apropiado el reto a una acción no violenta y directa» (pág. 58).

La ciudad había seguido su historia ajena a los cambios de la sociedad de los Estados Unidos en cuanto al avance de la integración. Los negros y los blancos no podían recibir los mismos servicios. A pesar de la sentencia de 1954 del Tribunal Supremo de los Estados Unidos, en la que se declaraba que la segregación en la enseñanza pública era ilegal, en Birmingham los negros asistían a escuelas diferentes y no podían asistir a las mismas que los blancos. Ya desde que nacían se marcaba la diferencia, pues seguían existiendo hospitales segregados donde las madres negras daban a luz. En la ciudad casi no se construían parques, para no tener que seguir el dictamen del Tribunal Federal, que había condenado la segregación en los parques públicos.

La vida diaria estaba marcada por la segregación para la comunidad negra. Tenían que comprar en el apartado de las tiendas donde les estuviera permitido hacerlo, así como entrar en los restaurantes en los que sí se les podía servir la comida, siempre que su zona fuera diferente de la de los blancos. Por supuesto, la asistencia a una iglesia a la que asistieran los blancos les estaba vedada. Los negros tampoco podían asistir a los espectáculos, restringidos así a los blancos; se daba el caso incluso de que alguna compañía teatral, partidaria de la integración, había dejado de acudir a Birmingham en sus giras porque el público continuaba segregado.

Hasta tal extremo llegaba la intransigencia de las autoridades blancas que la población negra no podía contar con una delegación local de la N.A.A.C.P., pues había sido declarada ilegal por las autoridades. En el mundo laboral si un negro accedía al trabajo de la fábrica, lo cual no era fácil, sólo lograba un puesto en la escala más baja y nunca conseguía un ascenso, sin contar con que su salario no aumentaba a pesar de su capacidad o rendimiento. Lo más corriente era que un negro desempeñara los trabajos peor pagados, como portaequipajes o peón. En los centros de trabajo aún existían lugares distintos para comer y los cuartos de baño también estaban separados según el color de la piel.

La segregación se hacía patente además en la posibilidad de que los negros pudieran votar en las elecciones. A pesar de que por ley tuvieran ese derecho, como en cualquier otro punto a lo largo y ancho de los Estados Unidos, en la práctica les resultaba muy difícil ejercerlo. Las autoridades se encargaban de ponerles las suficientes trabas como para que desistieran de intentar registrarse en el censo electoral. Por ello sólo había 10.000 votantes negros, aunque la población negra en la ciudad tenía una proporción mucho más elevada.

De entre todos los ciudadanos blancos de Birmingham y de entre todos los que ostentaban un cargo municipal, sobresalía el concejal Eugene Connor como el defensor acérrimo de la segregación. Como su cargo era el de concejal de Orden Público, era el encargado de tener a la comunidad negra bajo control y no dudaba en emplear la violencia o la brutalidad para mantener el orden y evitar todo intento de ir contra las reglas segregacionistas; por su talante violento todo el mundo le llamaba Bull, que en inglés significa «toro». El Ku Klux Klan actuaba con total libertad. Los negros eran intimidados con impunidad y se llegaba a casos espeluznantes, como el de un negro castrado y abandonado a su suerte en una carretera, sin que se detuviera a nadie; en el transcurso de cinco años, desde 1957 a 1962, se habían contado diecisiete bombas arrojadas contra iglesias y domicilios de negros. El gobernador del Estado, George Wallace, era el primer defensor a ultranza de la segregación, por lo cual estaba en total acuerdo con las prácticas de las autoridades municipales de Birmingham y en especial con la brutalidad de Bull Connor. George Wallace había sido elegido gobernador en las elecciones de 1962 y el lema de su campaña había sido «Segregación para siempre».

El concejal de Orden Público no sólo ejercía este control sobre los negros; en 1961 Connor, aprovechándose de su cargo municipal, detuvo al director de la compañía de autobuses local porque pretendía acatar la ley que obligaba a los medios de transporte a evitar la segregación. Las autoridades federales dieron la razón al director detenido y lo pusieron en libertad, mientras que la acción de Connor fue recriminada. Los medios de transporte eran el único reducto en el que la integración se había hecho posible, muy a pesar de Connor y de los que pensaban como él.

Para Martin Luther King lo peor en un lugar como Birmingham no era la actitud de personas como Bull Connor, sino el silencio de muchos otros blancos que quizá no aprobaban lo ocurrido, pero no hacían nada para evitarlo, sobre todo por miedo (*Por qué no podemos esperar*, pág. 67):

«No cabe duda de que Birmingham contaba con hombres blancos moderados que se hallaban en desacuerdo con las tácticas de Bull Connor. No cabe duda de que Birmingham contaba con ciudadanos cabales que deploraban en su fuero interno los malos tratos deparados a los negros. Pero en público guardaban silencio. Era un silencio hijo del miedo: miedo de represalias sociales, políticas o económicas. La mayor tragedia de Birmingham no era la brutalidad de sus hombres malos, sino el silencio de sus hombres buenos.»

El resultado era un lugar donde las autoridades no querían ni siquiera oír hablar de justicia social, sino que pretendían mantener la segregación hasta donde la ley se lo permitiera.

La A.C.H.R. de Fred Shuttlesworth

El boicot de Montgomery había despertado las conciencias de muchos ciudadanos negros. En muchas ciudades comenzaban a tener lugar protestas contra las prácticas de segregación. En Birmingham, a pesar del ambiente extremadamente hostil hacia las protestas de los negros, hubo alguien lo suficientemente valiente para plantar cara a las acciones de Bull Connor. Fue el ministro Fred Shuttlesworth, quien fundó la asociación A.C.H.R. (Alabama Christian Movement for Human Rights), Movimiento Cristiano de Alabama por los Derechos Humanos, cuando se estaba produciendo el boicot de Montgomery, en 1956. Fred Shuttlesworth era un hombre que destacaba por su gran valentía; había enviado a sus hijos a escuelas públicas para intentar que se respetara la integración dictada por el Tribunal Supremo, además había sido atacado y en su casa había estallado una bomba, al igual que en su iglesia; su esposa también había sido golpeada y encarcelada.

La asociación creció rápidamente, hasta convertirse en un movimiento de masas. Al igual que otras asociaciones en favor de los derechos humanos creadas por entonces, estaba vinculada a las iglesias y en ellas se celebraban sus reuniones semanales. Las acciones seguían las consignas del movimiento no violento. Una de las primeras consistió en recurrir a los tribunales para lograr una medida concreta, como la apertura de todos los lugares públicos de ocio de la ciudad a los negros, por ejemplo, de los parques. La justicia les dio la razón y la reacción de las autoridades de Birmingham fue sintomática: cerrar los parques para que los jóvenes negros no se mezclaran con los blancos.

La A.C.H.R. continuaba sus acciones a pesar del clima de violencia creado por los blancos, que se recrudeció con las acciones a favor de la integración, desde 1957 hasta 1963, como señalábamos antes; se habían contado diecisiete casos de explosiones de bombas e incendios en iglesias y domicilios de negros, por los cuales no se había detenido a nadie. Shuttlesworth y los socios de la A.C.H.R. encontraron nuevos aliados en los estudiantes del Mike College, que en enero de 1962 habían iniciado una campaña de boicots a una serie de comercios del centro de la ciudad seleccionados cuidadosamente; en concreto, su boicot se dirigió contra los establecimientos donde contratataban a negros únicamente para puestos de pura explotación y nunca los ascendían y contra los establecimientos donde sólo atendían a blancos en determinadas secciones, inaccesibles para negros. El boicot consistía en hacer el vacío a estos establecimientos, con lo cual los comercios comenzaban a sufrir pérdidas significativas. La alianza de Shuttlesworth con los estudiantes hizo que gran parte de la comunidad negra se sumara a la campaña, de esta manera los establecimientos implicados vieron bajar sus ventas de manera considerable, en algunos se llegó a una bajada del 40 por 100.

En este marco la S.C.L.C., con base en Atlanta, decidió intervenir; además la organización había designado a Birmingham como sede del congreso anual para septiembre de 1962. Recordemos su función de coordinación de otras organizaciones; además la labor de Shuttlesworth les parecía admirable. Por ello Martin Luther King y la dirección de la S.C.L.C. celebraron una reunión en Chattanooga. En aquella reunión se trató de la posibilidad de aunar esfuerzos de las dos organizaciones para llevar a cabo una campaña más amplia contra la segregación en la ciudad. No se había llegado a un acuerdo en firme, cuando la prensa local se hizo eco de la campaña. La comunidad blanca de la ciudad se sentía amenazada en su poder y veía la necesidad de reaccionar ante la inminencia de las protestas.

Los comerciantes y las autoridades de Birmingham se reunieron con Shuttlesworth como presidente de la A.C.H.R. y el vicepresidente de la asociación. Por parte de los blancos estaba una nutrida presencia del Comité de Ciudadanos Mayores, formada por un hombre de negocios, un comerciante, un abogado y un agente de seguros. En aquella reunión se llegó a varios acuerdos, como la supresión de los símbolos segregacionistas en los establecimientos. Además se logró que los blancos se mostraran dispuestos a colaborar con la A.C.H.R. para solicitar legalmente la anulación de las leyes municipales que impedían la integración en los restaurantes.

Shuttlesworth y los miembros de la A.C.H.R. estaban satisfechos de estos acuerdos, aunque no confiaban del todo en que se llevaran a cabo en firme. En correspondencia Shuttlesworth anunció que la propuesta de boicot se desconvocaba por el momento, pero comunicó que el congreso de la S.C.L.C. se celebraría en Birmingham tal como estaba previsto. De todas maneras la desconfianza de Shuttlesworth le llevó a afirmar ante la prensa que si los acuerdos de la reunión con el comité blanco no se respetaban, llamarían a la S.C.L.C. para lanzar de nuevo la campaña que habían planeado.

En septiembre se celebró el congreso de la S.C.L.C. y no se registraron incidentes significativos. Sin embargo, Bull Connor no estaba inactivo y había intentado impedir que la prensa nacional siguiera el curso del congreso. Poco después de que la S.C.L.C se hubiera marchado de Birmingham, Shuttlesworth se dio cuenta de que su desconfianza realmente tenía fundamento. En los establecimientos comerciales comenzaron a poner de nuevo los símbolos de la segregación. Puede que fuera resultado de las presiones de Bull Connor, pero Shuttlesworth y la A.C.H.R. se mostraron dispuestos a cumplir lo que habían anunciado. Tras unas cuantas llamadas de Shuttlesworth a Martin Luther King, la S.C.L.C. decidió lanzar la campaña contra la segregación junto con la A.C.H.R.

La preparación de la campaña

Martin Luther King y Fred Shuttlesworth eran conscientes de que la campaña se iba a llevar a cabo en uno de los peores lugares de

Estados Unidos en cuanto a nivel de segregación y de injusticia. La campaña iba a ser difícil y la respuesta muy dura, dado el talante de Bull Connor y sus seguidores. Por otra parte, si lograban la victoria iba a ser un fuerte golpe contra la intolerancia que imperaba en los Estados del Sur. En palabras de Martin Luther King (*Por qué no podemos esperar,* pág. 72):

«Una victoria allí, probablemente, pondría en funcionamiento las fuerzas existentes hasta cambiar el curso total de la marcha hacia la Libertad y la Justicia.»

Un hecho que sin duda reafirmó en Martin Luther King el impulso de lanzar una amplia campaña en Birmingham para que alcanzara repercusión en los demás Estados sureños fue la reunión que Ralph Abernathy, Fred Shuttlesworth y él mantuvieron con el presidente Kennedy y el fiscal general, Robert Kennedy, en la Casa Blanca. La reunión había tenido lugar en enero de 1963 y en ella los tres líderes negros habían comunicado al presidente la necesidad de que se iniciara una nueva legislación sobre los derechos civiles. Tanto John Fitzgerald Kennedy como su hermano se mostraron de acuerdo con los líderes, pero señalaron que no tenían intención de iniciar los trámites de estas leyes durante el año 1963, debido a que iban a concentrarse en otras necesidades legales; el Gobierno sostenía que iniciar los debates para la reforma de las leyes de los derechos civiles podía dividir al Congreso y restar apoyo a las otras leyes que había que promulgar. Como era de esperar, Martin Luther King sufrió una gran decepción ante esta negativa y se convenció de que no podía dar marcha atrás a la campaña de Birmingham, único medio al alcance de la comunidad negra para conseguir un cambio favorable en las leyes federales. King comunicó al presidente sus intenciones para recordarle que en caso de disturbios graves la comunidad negra precisaría la intervención del Gobierno federal.

Los preparativos de la campaña prosiguieron con mucha dedicación, todavía quedaba tiempo y todo debía estar organizado de la manera más efectiva para evitar errores como los de Albany. Decidieron elaborar una especie de plan, al que llamaron «Proyecto C», donde la «C» significaba confrontación. Un momento especialmente importante en la preparación de la campaña fue la reunión de tres días que la dirección de la S.C.L.C. mantuvo cerca de Savannah, en el Estado de Georgia. Allí reflexionaron sobre los objetivos de la campaña y analizaron los problemas de las campañas anteriores, como la de Albany. Una de las conclusiones de esta reunión fue que la campaña debía centrarse en un sector concreto para poder ser efectiva, en este caso contra los establecimientos comerciales con una sección de alimentación. La segregación en estos establecimientos se reflejaba en el hecho de que en ellos los negros no podían comprar comida ni bebidas y sí el resto de los productos de las otras secciones.

Después de la reunión Martin Luther King y otros dos ministros religiosos, Wyatt T. Walker, ayudante de King, y Ralph Abernathy, acudieron a un motel de Birmingham para celebrar una reunión con la dirección de la A.C.H.R. y ultimar los detalles de la campaña; aquella habitación del Gaston Motel, la número 30, se convirtió en el cuartel general de la campaña. Se decidió una fecha para lanzar el «Proyecto C». La primavera era lo más adecuado, por ser una época propicia para las compras. Un factor que debían tener en cuenta eran las elecciones municipales que se iban a celebrar el 5 de marzo; al final se optó por comenzar las movilizaciones dos semanas después de la consulta electoral.

El pastor Wyatt Walker, ayudante de la presidencia de la S.C.LC., empezó a realizar visitas periódicas a Birmingham para dejar todo planificado. Una parte de su labor se centraba en la formación acerca de la no violencia, a través de seminarios dedicados a la difusión de los métodos de acción directa no violenta con el fin de que llegaran al mayor número de ciudadanos. La otra parte no menos importante de su labor consistió en organizar el funcionamiento del boicot en materia de transportes, manifestaciones, y también instruyéndose bien acerca de las leyes de la ciudad, ya que las autoridades recurrirían a artimañas legales para bloquear el boicot. En previsión de lo que pudiera ocurrir, también se aseguró de las condiciones que existían en la ciudad para, una vez detenido alguien, salir bajo fianza. Se realizó así mismo un estudio meticuloso de la ciudad en cuanto al espacio físico, con el fin de saber exactamente cuántos manifestantes podían acudir a un determinado punto y cómo podrían acceder y salir de él.

El 1 de marzo ya estaba todo preparado de manera minuciosa y, según escribió después Martin Luther King, contaban con 250 personas como voluntarias para participar y, si era preciso, pasar varios días en la cárcel. La fecha hubo de ser modificada de nuevo porque se iba a celebrar una segunda vuelta en las urnas; los organizadores de la S.C.L.C. y la A.C.H.R. no querían influir en un resultado electoral a favor de Bull Connor, por lo que ello supondría de cara a la segregación. La fecha definitiva quedó fijada para el día siguiente a la consulta electoral. Los dirigentes de la S.C.L.C., entre ellos Martin Luther King, abandonaron Birmingham una vez que fijaron la nueva fecha y se propusieron no volver a la ciudad hasta ese día. Puesto que la fecha para la consulta electoral era el 2 de abril, la fecha definitiva para el inicio de la campaña sería el 3 de abril.

La campaña no sólo se organizaba en Birmingham, puesto que se estaba planeando una protesta a mayor escala, con repercusión nacional. Hay que mencionar el apoyo del artista Harry Belafonte, miembro activo de la S.C.L.C. Martin Luther King destacó su participación en la organización de la protesta. Cedió su propia casa para organizar una reunión en Nueva York con personas influyentes de la ciudad de todos los ámbitos, incluso algún representante del alcalde. Asistieron varios periodistas, comprometiéndose a no publicar nada hasta el inicio de las acciones. Martin Luther King y Fred Shuttlesworth asistieron a la reunión y les contaron lo que estaban organizando; sobre todo les hablaron de la importancia de recabar fondos para poder pagar las fianzas, en la previsión de que serían muchos los encarcelados. Allí mismo se aportó dinero y Harry Belafonte se dedicó a obtener más durante varias semanas.

Los organizadores se daban cuenta de que la mayor parte de los apoyos vendría desde fuera. Para ello Martin Luther King escribió desde Atlanta cartas a varias organizaciones en busca de colaboración. Se pedía ayuda en nombre de la S.C.L.C. Una de las organizaciones que decidió colaborar por supuesto fue la N.A.A.C.P.; otras fueron el Congreso de Igualdad Racial y el S.N.C.C. Además se pidió la colaboración de ministros religiosos de varias iglesias diferentes, que ya habían apoyado las acciones de Albany. La Conferencia de Liderazgo Cristiano del Oeste, con sede en Los Ángeles, consiguió una suma importante, más de 75.000 dólares, y también destacó por su ayuda financiera la Conferencia de Liderazgo Cristiano de Virginia.

Poco antes de que se iniciara de manera activa la campaña directa, Coretta Scott King dio a luz el tercer hijo de la pareja, Bernice Albertine, nacida exactamente el 28 de marzo. Martin Luther King no pudo permanecer mucho tiempo al lado de su esposa en Atlanta, pues tenía que estar presente en el inicio de la campaña. Por ello

Coretta tampoco pudo estar en Birmingham al lado de su marido y desempeñando un papel activo en el movimiento, como había hecho en Montgomery y sobre todo en Albany.

El inicio de la acción directa

La jornada electoral del 2 de abril se desarrolló con normalidad y el vencedor en las urnas fue Albert Boutwell, frente a Bull Connor. Sin embargo, la población negra no tenía motivos para el optimismo, pues Albert Boutwell tenía opiniones racistas semejantes a las de Bull Connor, aunque pareciera más moderado. Por otra parte, Bull Connor tenía al conjunto de concejales de su parte y todos ellos habían decidido no acatar el resultado de las urnas hasta 1965, al argüir que tenían derecho a permanecer en sus cargos hasta esa fecha. Como las leyes en Birmingham eran tan poco imparciales, recurrir a los tribunales no era la mejor solución para Boutwell. La ciudad se encontraba dividida entre los dos gobiernos.

Al pensar en las acciones, hay que tener en cuenta que Martin Luther King también encontró sectores en la comunidad negra que no le apoyaron y no estaban dispuestos a colaborar. Esto se debía a varias razones, como veremos después con mayor detalle. Por un lado, la persistencia de la segregación durante tantos años había convencido a algunos de que era imposible luchar contra el sistema; por otro lado, había algunos líderes negros locales que tenían la esperanza de que Boutwell iba a ser más tolerante hacia la comunidad negra y pensaban que había que darle una oportunidad; además, a estos líderes locales quizá les costaba aceptar que el liderazgo de la campaña hubiera recaído en líderes venidos de fuera, a pesar del papel preponderante de Fred Shuttlesworth, quien sí era un líder local.

Martin Luther King intentó suavizar estas reticencias y con este panorama se iniciaron las acciones directas. El principio fue tranquilo, tuvo lugar el jueves 3 de abril y consistió en manifestaciones silenciosas de pequeños grupos en las secciones de alimentación de los grandes almacenes. Las manifestaciones comenzaban a la misma hora, de acuerdo con el horario establecido por la organización. Los empleados de seguridad les pedían que salieran de los establecimientos. Cuando los participantes se negaban los empleados los rodeaban y los obligaban a salir; entonces los participantes salían, para volver poco tiempo después y repetir la manifestación silenciosa.

El viernes 4 de abril por la noche se celebró la primera asamblea en una iglesia. Puesto que al principio se contaba sólo con unos 250 voluntarios, las asambleas en las iglesias eran especialmente relevantes para captar nuevos voluntarios para las acciones. En esta primera asamblea, según sería la tónica habitual de las asambleas posteriores, se intentaba hacer llegar a la comunidad la fuerza y la inspiración para que se unieran a la lucha activa no violenta o, si ya lo habían hecho, para que siguieran adelante. Las asambleas tenían además un carácter formativo y los líderes hablaban de cuestiones como los métodos de la no violencia, las pautas a seguir para conseguir respuestas o los fundamentos del movimiento. Martin Luther King era uno de los principales oradores y habló en todas las asambleas junto con Ralph Abernathy, Fred Shuttlesworth o Wyatt Walker. En las asambleas, además de escuchar a los líderes, todos los participantes cantaban y coreaban canciones de *gospel*, que se convertían en himnos a la libertad; por supuesto, entre las canciones que se cantaban siempre figuraba «We shall overcome». Martin Luther King valoraba la importancia de la música durante todo el movimiento por los derechos civiles, no sólo durante la campaña de Birmingham. King llegaba a comparar el valor de la música y las canciones durante las campañas con el que tuvieron antes en la época de lucha contra la esclavitud (*Por qué no podemos esperar*, pág. 85):

«Cantamos las canciones de los negros en la actualidad por la misma razón por la que las cantaban los esclavos; a saber, porque también nosotros estamos encadenados y porque las canciones añaden esperanza a nuestra decisión de "Venceremos, negros y blancos juntos; llegará el día en que venceremos".»

Las frases de las canciones se convertían en consignas para lograr la libertad y la igualdad. El simple hecho de entonarlas daba fuerza a los asistentes a la asamblea para proseguir las acciones al día siguiente. En muchas ocasiones, durante las acciones de protesta, en los momentos difíciles, alguien lanzaba una frase cantando, y los demás coreaban, renovaban su resolución de seguir adelante. En las asambleas se insistía en la importancia de mantener la no violencia, a pesar de que la respuesta de las autoridades fuera violenta. Se pedía también a todos los que se sumasen a la causa que no llevaran ningún arma. Martin Luther King comparaba a los participantes en el movimiento con un «ejército», pero las armas de este ejército eran únicamente la razón y la certeza de que defendían una causa justa.

Los asistentes a la asamblea, si habían decidido unirse a la causa, se inscribían en una especie de cursillo de entrenamiento para convertirse en voluntarios. En este entrenamiento lo fundamental era hacer saber al voluntario los peligros a los que se exponía si tomaba la decisión de continuar; además se presentaba lo que suponía el movimiento de la no violencia en el momento concreto de unirse a una manifestación. El voluntario debía saber que iba a ser insultado o incluso agredido y no por ello debía reaccionar devolviendo el insulto o el golpe. No fueron aceptados todos los que querían ser voluntarios en las manifestaciones, pero como había otras muchas tareas que hacer siempre se encontraba la actividad más apropiada para cada persona que quería sumarse al movimiento.

Se elaboró una tarjeta de adhesión al movimiento, que todos los voluntarios debían firmar y que podemos ver en la página siguiente.

La oposición a la campaña

Como adelantábamos antes, Martin Luther King era plenamente consciente de que la oposición a la campaña no procedía únicamente de las autoridades o la población blanca. No sólo ocurría en Birmingham, sino en cualquier población sureña donde la segregación llevaba tanto tiempo instaurada. Entre la comunidad negra también existían sectores que no eran partidarios de cambiar las cosas por el método de la acción directa contra la segregación, sobre todo en ese momento.

Algunas organizaciones locales se ofendieron porque no se les había tenido en cuenta o no se les había informado sobre el inicio de la campaña, y por ello se sentían ajenos. Hasta más adelante no comprendieron que todo se había organizado con el mayor secreto para evitar un boicot o la intervención de las autoridades.

Durante el tiempo transcurrido entre la decisión de la fecha definitiva y el comienzo real de las acciones se había formado una co-

TARJETA DE ADHESIÓN

DESDE AHORA ME SUMO —DE ALMA Y CUERPO— AL MOVIMIENTO DE LA NO VIOLENCIA; POR TANTO, OBSERVARÉ LOS SIGUIENTES MANDAMIENTOS:

1. MEDITAR a diario acerca de las enseñanzas y la vida de Jesucristo.
2. RECORDAR siempre que el movimiento de la no violencia en Birmingham se propone alcanzar la justicia y la reconciliación, mas no la violencia.
3. ANDAR Y HABLAR con mansedumbre y amor, porque Dios es amor.
4. REZAR a diario para que Dios se valga de mí, para que todos los hombres sean libres.
5. SACRIFICAR mis deseos personales para que todos los hombres sean libres.
6. CUMPLIR tanto con el amigo como con el enemigo las normas de la cortesía.
7. TRATAR de servir con regularidad a los demás y al mundo.
8. ABSTENERME de la violencia de palabra, física y también de corazón.
9. HACER CUANTO PUEDA por conservarme espiritual y físicamente sano.
10. SEGUIR las órdenes del movimiento y del capitán en una manifestación.

Firmo este compromiso, tras haber pensado seriamente en lo que hago y con el deseo y el empeño de perseverar en él.
Nombre: ....
Dirección: ....
Teléfono: ....
Familiar más próximo: ....
Dirección: ....
Además de asistir a las manifestaciones, puedo ayudar al movimiento (subrayar las respuestas positivas):
Hacer recados.—Conducir mi coche.—Preparar comida para los voluntarios.—Trabajo de oficina.—Llamadas telefónicas.—Contestar al teléfono.—Manejar una multicopista.—Escribir a máquina.—Imprimir carteles.—Distribuir pasquines.

ALABAMA CHRISTIAN MOVEMENT FOR HUMAN RIGHTS
(Movimiento Cristiano por los Derechos Civiles de Alabama)
BIRMINGHAM. Filial de la S.C.L.C.
501 1/2 North 17th Street
F.L. Shuttlesworth, presidente.

rriente de opinión desfavorable al movimiento de la no violencia y a su puesta en marcha mediante acciones directas. Por un lado se debía al desconcierto ante una nueva situación, ya que los negros estaban acostumbrados a un orden de cosas al que habían terminado por resignarse, y no sabían cómo oponerse al punto de vista de los blancos sobre su superioridad frente a los negros.

Además entre las personas más influyentes de la comunidad negra, entre las que se contaban hombres de negocios, ministros religiosos, abogados o médicos, circulaba la opinión de que el momento de iniciar las acciones no era el adecuado, ya que, al haber ganado las elecciones Boutwell frente a Bull Connor, la situación podía cambiar a mejor. La prensa se sumó a esta opinión y desde el primer día de las acciones periódicos como el *Washington Post* criticaron la fecha de la campaña por juzgarla un momento poco favorable y por pensar que el gobierno de Boutwell se merecía una oportunidad. Esta actitud negativa de la prensa marcó una diferencia frente a las campañas de Montgomery y de Albany. King atribuyó esta actitud de los periódicos a la ignorancia de cómo se había organizado la campaña y cómo se había decidido la fecha, teniendo en cuenta la situación política de la ciudad.

Ante este panorama de escisión, el comité organizador de la campaña comenzó a iniciar acciones para lograr el apoyo de los grupos en desacuerdo. En paralelo a las asambleas para captar voluntarios, Martin Luther King y los demás líderes pronunciaron numerosas conferencias y convocaron reuniones para superar el clima de oposición. Martin Luther King, al rememorar el clima que se vivía aquellos días, afirmaba, en *Por qué no podemos esperar,* que en aquellas reuniones el ambiente era tenso y que en muchas de ellas tenía que rebatir la opinión frecuente de que él era un extraño (pág. 91):

«Me extendí sobre el cargo manido cuanto desgastado de ser un extraño, un forastero, acusación con la que nos hemos encontrado en todas las comunidades a las que fuimos en son de ayuda. Ningún negro, ningún norteamericano, de hecho, es un extraño cuando va a una comunidad, cualquiera que sea ella, a auxiliar la causa de la Libertad y de la Justicia. En ninguna parte ningún negro, sea cual fuere su situación social, su capacidad económica, su prestigio o su posición, es un extraño, ni lo será, mientras le sean negados la dignidad y el decoro al más humilde de los muchachos negros en Mississipi, Alabama o Georgia.»

Martin Luther King pudo convencer a los sectores en desacuerdo. Les habló de la importancia de la campaña, de la trascendencia de las acciones y de la necesidad de rebelarse contra una situación tan injusta que ya había durado demasiado tiempo. Poco a poco se recuperó la unidad perdida, gracias al esfuerzo de Martin Luther King y a sus palabras sinceras y convincentes sobre la necesidad de llegar a un nuevo orden más justo para la comunidad negra.

La fase más activa de la campaña

Las manifestaciones silenciosas en los establecimientos comerciales continuaban y estaban siendo muy eficaces, debido a que casi ningún negro compraba nada en un momento en el que las compras para Pascua estaban en su apogeo. A los tres días ya habían detenido a treinta y cinco personas. El siguiente paso fue una marcha hacia el ayuntamiento, desde varios puntos de la ciudad. La gente iba organizada en grupos y caminaba en una doble fila, sin cantar ni decir nada. Cuando se estaban aproximando al ayuntamiento, se detuvieron y se quedaron en silencio. Mientras, la policía les ordenaba que se disolvieran, pues la manifestación no contaba con el permiso necesario. Los líderes de cada grupo de manifestantes contestaban educadamente a la policía que iban a quedarse allí. La policía pasó a la acción y arrestó a cuarenta y dos manifestantes. Sin ningún incidente, los detenidos subieron a los coches de la policía, mientras los demás manifestantes comenzaban a entonar canciones sobre la libertad.

La policía en estos primeros días se comportaba de manera tranquila, sin presionar ni ejercer la violencia. Esto resultaba extraño, pues Bull Connor seguía al frente del orden público en la ciudad. Esta fase pacífica se debía a una nueva estrategia de Connor, que tomaba como ejemplo la consigna utilizada por el jefe de policía de Albany, Laurie Pritchett. Éste había considerado que la utilización de la violencia por parte de la policía no era la manera más adecuada para acabar con las manifestaciones no violentas; además era perjudicial por atraer a los medios de comuncación, que iban a difundir una imagen negativa de las autoridades.

Mientras, las acciones de protesta continuaban, siempre de manera pacífica y muy bien organizada en grupos cada vez más numerosos, pues los voluntarios aumentaban. Las acciones eran muy sencillas y existían muchas posibilidades. Sin duda Martin Luther

King al organizar la campaña había tenido en cuenta las acciones de Ghandi. Estas acciones podían consistir en permanecer sentados en la biblioteca o arrodillados en la iglesia o de pie en algún edificio administrativo. El resultado hasta el momento era que el número de los detenidos se incrementaba; había llegado a los 400. De ellos muchos consiguieron ser puestos en libertad bajo fianza, mientras que en la cárcel permanecían aún 300 detenidos a los diez días de iniciar la campaña.

La suavidad con la que actuaba la policía se debía a otro motivo. Bull Connor había recurrido a los artificios legales y confiaba en el poder judicial para neutralizar las acciones, pues las autoridades municipales consiguieron una orden judicial el 10 de junio. Esta orden instaba a los manifestantes a detener sus acciones hasta que el tribunal decidiera si tenían derecho a continuarlas. En este punto Martin Luther King y los demás líderes se encontraron en un momento delicado. Si acataban la ley debían detener las acciones. Si optaban por la desobediencia civil a una orden judicial, la protesta iba a entrar en una dinámica mucho más desafiante para el poder. Sin embargo, los líderes ya habían previsto que esta situación se iba a producir, pues la utilización de los tribunales a favor del poder se había convertido en una artimaña habitual de los blancos para conservar la segregación. La utilización de una orden judicial ya se había dado durante las acciones anteriores; por ejemplo, en el transcurso del boicot de Montgomery, cuando el transporte organizado en automóvil había sido declarado ilegal. Ni siquiera se trataba de una orden federal, que King sí habría estado más dispuesto a acatar, aunque después de la campaña de Albany la situación había cambiado. En las reuniones previas a la fase activa, King y los demás líderes habían decidido que no acatarían un mandamiento judicial contra el derecho a manifestarse.

La decisión de no obedecer el mandamiento judicial fue comunicada a la prensa. Martin Luther King quiso situarse en primera línea de acción, pues lo consideraba como un deber ahora que la situación se iba a recrudecer y esperaban una reacción contundente por parte de las autoridades locales, con Bull Connor al frente. El Viernes Santo, una fecha significativa, Martin Luther King y Ralph Abernathy iban a encabezar una gran manifestación y a exponerse por tanto a ser detenidos por desobediencia al mandato judicial.

Sin embargo, antes de que llegara el momento de la gran manifestación recibieron una mala noticia. Un nuevo golpe sacudió el movimiento justo antes del Viernes Santo, cuando supieron que la campaña carecía de fondos y había dejado de recibir crédito. Esto suponía que la organización de las acciones ya no disponía de más fondos para pagar las fianzas de los detenidos precisamente en un momento crucial, puesto que, si se celebraba la manifestación prevista para el día siguiente, iba a haber muchos más detenidos que ya no podían contar con ser puestos en libertad, entre ellos seguramente Martin Luther King y Fred Abernathy. En una reunión el Jueves Santo por la noche en el Gaston Motel, los líderes querían hacer ver a Martin Luther King que desde ese momento la prioridad era conseguir fondos para continuar, por lo cual no era aconsejable que él encabezara la manifestación. Sin embargo, para él era un momento difícil, pues no quería diferenciarse de los demás al no exponerse a ser arrestado y llevado a la cárcel. Martin Luther King no sabía qué decisión tomar. Dejó unos momentos la habitación donde estaban reunidos y entró en la habitación de al lado para meditar su decisión (*Por qué no podemos esperar*, pág. 97):

«Pasé a otro cuarto al fondo de la suite y permanecí en el centro. Me parece que también estaba de pie en el centro mismo de todo lo que mi vida había aportado. Pensé en las veinticuatro personas que aguardaban en la habitación contigua. Pensé en los trescientos que aguardaban en la cárcel. Pensé en la comunidad negra de Birmingham, que también aguardaba. Y entonces, mi pensamiento salió del Gaston Motel, pasó por encima de la cárcel de la ciudad, rebasó los límites urbanos y los del Estado, y pensé en millones de negros que soñaban con poder franquear algún día el Mar Rojo de la injusticia, y abrirse camino hasta la Tierra Prometida de la integración y la libertad. Ya no tenía la menor duda.»

Martin Luther King había tomado su decisión, prefería encabezar la marcha acordada y afrontar la posibilidad del arresto como uno más. La cuestión de la necesidad de dinero era secundaria. Para él los principios eran lo primero y permanecer al lado de los que estaban dando la cara en la cárcel era lo correcto. Martin Luther King pidió a Ralph Abernathy que le acompañara. En la habitación 30 del Gaston Motel había veinticinco hombres que cantaron «We shall overcome» unidos por las manos

La marcha programada para el Viernes Santo 12 de abril partió de la iglesia de Zion Hill. Había varios centenares de negros dispuestos a seguir la marcha. En la iglesia, antes de salir, Martin Luther King se dirigió al púlpito y les contó que se había decidido celebrar la marcha aun en contra de la orden legal de Alabama; King también les dijo que él estaba dispuesto a entrar en la cárcel y como parte del movimiento había que estar dispuesto a sufrir. Finalmente, salió de la iglesia y todos los presentes comenzaron a caminar tras él, así comenzó la marcha. Martin Luther King y Ralph Abernathy la encabezaban. Fueron caminando hacia el centro de la ciudad y al mismo tiempo cantaban, rodeados de muchos otros negros en las aceras que seguían también las canciones y aplaudían. Cerca del centro comenzaron las detenciones. A King y a Abernathy los encarcelaron separados por primera vez y los mantuvieron incomunicados más de veinticuatro horas, sin poder hablar con sus abogados ni con sus familiares. Nadie tenía acceso a ellos.

Coretta Scott temía que le hubiera ocurrido algo e insistía en comunicarse con su marido, pero las autoridades de Birmingham no se lo permitían y Martin Luther King continuaba aislado. El domingo, al salir de la celebración religiosa de su iglesia, intentó acceder a la cárcel para hablar con él un grupo de fieles encabezado por A. D. King, hermano de Martin Luther, con sus ropas de ministro y una Biblia; sin embargo, fueron arrestados y no les dejaron llegar. Coretta se puso en contacto con Wyatt Walker, que estaba en Birmingham. Walker dijo que no era posible hablar con King, todavía incomunicado, y sugirió a Coretta que llamara al presidente Kennedy. Coretta recordó la llamada que le había hecho el presidente Kennedy durante su campaña electoral de 1960, cuando King estaba también en la cárcel en Georgia. Coretta Scott decidió ponerse en contacto con el presidente. Como resultado de las llamadas que realizó recibió la llamada de su hermano Robert Kennedy, fiscal general. Robert Kennedy se ofreció a mejorar la situación; horas más tarde el mismo presidente llamó a Coretta y le prometió que iba a ocuparse del asunto. Así fue; las autoridades de Birmingham recibieron la llamada del presidente y a partir de ese momento la situación mejoró; por lo pronto Martin Luther King pudo hablar con su esposa. A los pocos días Martin Luther King supo por sus abogados que el problema económico se había resuelto, gracias a la intervención de Harry Belafonte. El artista había logrado reunir más de 50.000 dólares para la campaña, gran parte de esta cantidad se iba a destinar a las fianzas.

La intervención del presidente Kennedy influyó claramente en el desarrollo de la campaña. King sugirió a Coretta que comunicara a

Wyatt Walker el contenido de la conversación que había tenido con el presidente, para que de esta forma la prensa fuera informada. Como señala Coretta Scott en sus *Memorias* (pág. 241):

«Creo que la intervención del presidente Kennedy resultó ser un impulso para el Movimiento de Birmingham. El hecho de que estuviera preocupado y de que quisiera que se hiciera justicia infundió ánimos a nuestra gente. Ayudó también a las autoridades de la ciudad a darse cuenta de que no podían cometer acciones tan inhumanas sin quedar expuestos. En cuanto a mí, aunque comprendía que había matices políticos, creí que el presidente Kennedy tenía una preocupación sincera por lo que nos había pasado. Existía una calidez sorprendente en torno a él. Por supuesto, en lo que respecta a la comunidad negra, con su acción en el caso de las sentadas de Atlanta tanto él como la familia Kennedy se habían ganado ya su afecto.»

La «Carta desde la cárcel de Birmingham»

En estos días de aislamiento en la prisión de Birmingham fue cuando Matin Luther King escribió su famosa «Carta desde la cárcel de Birmingham». La carta comenzó siendo una respuesta a una declaración firmada por ocho sacerdotes de Alabama. En esta declaración se decía que las acciones de Martin Luther King y la S.C.L.C. en Birmingham eran poco adecuadas, concretamente «poco hábiles e inoportunas». Martin Luther King era tildado de «agitador de fuera» que venía a Birmingham para buscar publicidad; se criticaba el hecho de que estuviera interviniendo en cuestiones demasiado locales, que debían ser solucionadas por la gente de Birmingham. Martin Luther King quiso contestar a la declaración y empezó a escribir la respuesta al principio de su estancia en la cárcel. Como estaba aislado y no disponía de otros medios, comenzó a redactarla en cualquier trozo de papel que estuviera a su alcance, ya fuera en los márgenes de la hoja del periódico en el que se publicó la declaración o en papel de envolver o incluso en papel higiénico. Martin Luther King cuenta que tuvo que seguir en trozos de papel que le dejó un negro también encarcelado por pertenecer a la campaña y que curiosamente trabajaba en la cárcel. Después sus abogados le facilitaron un cuaderno en el que pudo terminarla.

La carta es un documento de especial interés, ya que Martin Luther King desarrolló en ella las fases que debían constar en cualquier acción del movimiento de la no violencia. Por otro lado, también explicaba sus convicciones y la visión de su propio papel en el movimiento. Martin Luther King justificaba su presencia en Birmingham en primer lugar porque allí se encontraba la injusticia y él no podía limitarse a permanecer en Atlanta sin hacer nada mientras en Birmingham estaban sucediendo hechos tan graves (*Por qué no podemos esperar*, pág. 106):

«No puedo permanecer con los brazos cruzados en Atlanta sin sentirme afectado por lo que en Birmingham acontece. La injusticia, en cualquier parte del mundo en que se cometa, constituye una amenaza para la Justicia en todas partes... Cualquier cosa que afecte a uno de nosotros directamente nos afecta a todos indirectamente. Nunca más podremos permitirnos el lujo de aferrarnos a la idea estrecha, provinciana, de "agitador forastero". Quienquiera que viva dentro de las fronteras de los Estados Unidos tiene derechos a que no se le vuelva a considerar nunca más forastero en el territorio de la nación.»

Martin Luther afirmaba en la carta que la actitud de las autoridades blancas había provocado que la única salida posible fuera iniciar las acciones de protesta del movimiento por la plena implantación de los derechos civiles. Birmingham se había revelado como la ciudad más segregada de Estados Unidos, no como una opinión personal sino por los hechos objetivos que habían ocurrido y las situaciones de la vida diaria que se producían. King estaba al corriente de la historia de Birmingham, plagada de hechos lamentables, como los destrozos o incluso la explosión de bombas en casas e iglesias donde los ciudadanos negros solían reunirse, o la impunidad con que estos hechos eran juzgados en los tribunales si es que se llegaba a juzgar a alguien por ellos. King quería dejar claro ante sus críticos que la campaña no era una reacción espontánea carente de organización. Las acciones no surgían de manera improvisada, sino que eran el resultado de una cuidadosa organización y tenían una estructura detallada, que se desarrollaba en cuatro fases (pág. 107):

«Toda campaña no violenta tiene cuatro fases básicas: primero la reunión de los datos necesarios para determinar si existen las injusticias; luego la negociacion; después la autopurificacion y por

último la accion directa. Hemos pasado en Birmingham por todas estas fases.»

Martin Luther King proseguía su carta con los detalles de cómo se fueron desarrollando estas fases. Antes de iniciar las acciones agotaron todos los cauces posibles de la negociación y sólo consiguieron promesas incumplidas, por lo cual decidieron pasar a la acción directa. En realidad, para Martin Luther King la acción directa no constituía un objetivo en sí mismo, sino únicamente un medio más para poder iniciar las negociaciones, que sí constituían el fin auténtico de la protesta (pág.109):

«La acción directa no violenta trata de crear una crisis tal y de originar tal tensión, que una comunidad que se ha negado constantemente a negociar se ve obligada a hacer frente a este problema.»

En cuanto a la acusación de que la campaña fuera inoportuna en aquel momento concreto, Martin Luther King replicó que aquellos que detentaban las autoridades nunca habrían encontrado un momento oportuno para obligar a los poderosos a estar dispuestos a ceder sus privilegios. Además en la carta recordaba que el movimiento por los derechos civiles había surgido precisamente porque la comunidad negra ya estaba cansada de esperar, como sugería el título del libro en el que después Martin Luther King publicó esta carta. A continuación King se puso a hacer recuento de las innumerables situaciones y argumentos para demostrar que la espera ya no era posible, pues el grado de humillación y de sufrimiento de los negros había llegado a ser tan alto que resultaba plenamente legítimo rebelarse (pág. 111):

«Es posible que resulte fácil decir "Espera" para quienes nunca sintieron en sus carnes los acerados dardos de la segregación. Pero cuando se ha visto cómo muchedumbres enfurecidas linchaban a su antojo a madres y padres, y ahogaban a hermanas y hermanos por puro capricho; cuando se ha visto cómo policías rebosantes de odio insultaban a los nuestros, cómo maltrataban e incluso mataban a nuestros hermanos y hermanas negros; cuando se ve a la mayoría de nuestros veinte millones de hermanos negros asfixiarse en la mazmorra sin aire de la pobreza, en medio de una sociedad

opulenta; cuando, de pronto, se queda uno con la lengua torcida, cuando balbucea al tratar de explicar a su hija de seis años por qué no puede ir al parque público de atracciones recién anunciado en la televisión y ve cómo se le saltan las lágrimas cuando se le dice que el "País de las Maravillas" está vedado a los niños de color, y cuando observa cómo los ominosos nubarrones de la inferioridad empiezan a enturbiar su pequeño cielo mental, y cómo empieza a deformar su personalidad dando cauce a un inconsciente resentimiento hacia los blancos...; cuando el nombre de uno pasa a ser "negrazo" y el segundo nombre se torna "muchacho" (cualquiera que sea la edad que se tenga), volviéndose su apellido "John", en tanto que a su mujer y a su madre se les niega el trato de cortesía de "señora"... entonces, y sólo entonces, se comprende por qué nos parece tan difícil aguardar.»

En estas palabras Martin Luther King estaba hablando también de sus propias experiencias; por ejemplo, cuando menciona al padre que balbucea al explicar a su hija de seis años que no puede ir a un parque público de atracciones porque es negra; Coretta Scott en sus memorias cuenta que tuvieron la desagradable experiencia de tener que explicar a su hija Yoki por qué no podían ir al parque de atracciones de la ciudad que acababa de ser inaugurado.

Después Martin Luther King explicó por qué el movimiento por los derechos civiles consideraba legítimo quebrantar las leyes cuando son injustas. En esta cuestión King estaba claramente influenciado por sus lecturas de pensadores y filósofos, entre ellos por supuesto el *Ensayo sobre la desobediencia civil* de Thoreau y también San Agustín, para quien «una ley injusta no es tal ley». King se remitía además a Santo Tomas de Aquino para delimitar qué leyes podían ser consideradas injustas y cuáles no; la diferencia era muy sencilla de acuerdo con el principio de que si una ley degrada la personalidad humana, en ese caso es injusta. Las leyes que perpetuaban la segregación en los Estados del Sur estaban totalmente en contra del desarrollo de la personalidad, porque otorgaban una falsa superioridad a algunas personas y hacían inferiores a otras. Sin embargo, Martin Luther King quiso dejar claro en la carta que no pretendía llamar a la gente a la rebelión contra todas las leyes, como habría sido el caso de un movimiento a favor de la anarquía. A este respecto expresaba lo siguiente (ídem, pág. 114):

«El que quebranta una ley injusta tiene que hacerlo abiertamente, con amor, y dispuesto a aceptar la consiguiente sanción. Opino que un individuo que quebranta una ley injusta para su conciencia, y que acepta de buen grado la pena de prisión con tal de despertar la conciencia de la injusticia en la comunidad que la padece, está de hecho manifestando el más eminente respeto por el Derecho.»

Otra de las cuestiones que King trata en la carta es el perjuicio que suponía para la causa negra la actitud pasiva de un gran sector de la población blanca. De acuerdo con él, esta pasividad resultaba más dañina que la violencia de minorías abiertamente agresivas como el Ku Klux Klan. Con el fin de preservar el orden establecido estos blancos preferían que todo siguiera como estaba y se mostraban contrarios a los métodos de acción directa y a la tensión que originaban. Se escudaban en que los métodos de acción directa llevaban a la violencia, pero King afirma de manera tajante en la carta que las personas tienen derecho a luchar por sus derechos legítimos de manera pacífica, aun cuando pueda generarse la violencia. El resultado de esta manera de pensar era un silencio cómplice que perpetuaba la segregación y la discriminación. Por supuesto, King alude en su carta también a otros muchos blancos que habían apoyado de corazón el movimiento y habían luchado en primera línea o habían colaborado generosamente, sin que les hubiera importado tener que afrontar insultos como «despreciables negrazófilos».

En la carta también responde a quienes calificaban de extremista el movimiento por los derechos civiles. Martin Luther King señala que su postura estaba diferenciada claramente de otros movimientos más cercanos a la violencia, como el de los nacionalistas musulmanes liderado por Elijah Muhammad. Además el movimiento de la lucha no violenta proporcionaba precisamente otra vía posible para encauzar el descontento y la frustración de la comunidad negra, sin que hubiera que recurrir al odio y a la confrontación. Por otra parte, Martin Luther King afirma que si ser extremista es defender la justicia de todos los hombres, entonces sí que podía ser llamado extremista, como también lo habrían sido otros defensores del amor y la justicia como Jesucristo, Amós, San Pablo, Martín Lutero, John Bunyan, Abraham Lincoln o Thomas Jefferson.

El tono crítico de la misiva alcanza su culminación cuando, precisamente en un texto dirigido a varios ministros religiosos, Martin Luther King mostró su decepción por la actitud de la Iglesia ante el movimiento, en particular la Iglesia de los blancos. Su desilusión se remontaba ya al inicio de la protesta de Montgomery, cuando una parte de los ministros blancos desaprobó la puesta en marcha del boicot contra la segregación en los autobuses y el resto reaccionó con esa pasividad silenciosa que King mencionaba antes. Cuando se produjeron las protestas en Birmingham King hizo manifiesta su decepción al comprobar que los sacerdotes blancos no se habían implicado en absoluto en la defensa de la integración y de la justicia; simplemente, se habían limitado a aconsejar a sus fieles que acataran las nuevas leyes de la integración como tales leyes, sin mencionar el hecho importante de que su contenido era más justo y estaba más de acuerdo con el Evangelio que las leyes segregacionistas. En un tono personal King reconocía que lo que más le había dolido había sido la pasividad de los hombres de iglesia blancos ante las duras medidas violentas del gobernador Wallace y de Bull Connor. Martin Luther King recordaba con nostalgia la actitud comprometida de la Iglesia de los primeros cristianos, llena de fortaleza en su entrega a los ideales y su rechazo del orden establecido si iba en contra de dichos ideales. La Iglesia del siglo XX resultaba ser muy distinta y Martin Luther King le dedicó unas palabras exhortándola a cambiar y a ocupar de nuevo un lugar activo en la defensa de la justicia (ídem, pág. 124):

«Y es que la Iglesia contemporánea es a menudo una voz débil y sin timbre, de sonido incierto. Es que a menudo es defensora a todo trance del statu quo. En vez de sentirse perturbada por la presencia de la Iglesia, la estructura del poder de la comunidad se beneficia del espaldarazo tácito, y aun a veces verbal, de la Iglesia a la actitud imperante... Si la Iglesia de hoy no recobra el espírtitu de sacrificio de la Iglesia primitiva, perderá su autenticidad, echará a perder la lealtad de millares de personas y acabará desacreditada como si se tratara de algún club social irrelevante, desprovisto de sentido para el siglo XX.»

Si Martin Luther King hubiera vivido lo suficiente como para conocer movimientos de la Iglesia posteriores, como la teología de la liberación en América Latina, sin duda habría admirado su espíritu crítico y su talante cercano a la Iglesia de los primeros tiempos, tal como él consideraba que debía ser la Iglesia ideal.

Por último, Martin Luther King mostraba su desacuerdo con la declaración de los ministros, pues en ella incluían una felicitación a la policía por su actuación durante las protestas de Birmingham; hay que decir que en aquel momento todavía no se había producido la brutal represión posterior. En esta declaración afirmaban que la policía había sabido mantener el orden sin reaccionar con dureza excesiva. Sin embargo, Martin Luther King les recordaba que dicha actuación había sido así porque se había desarrollado en público, a la vista de los medios de comunicación de todo el país e incluso de la prensa internacional; además las autoridades de Birmingham eran plenamente conscientes de que la policía iba a estar en el punto de mira del Gobierno y de la población del país. King quería dejar claro que esta actuación concreta era muy distinta del modo habitual de actuar la policía en Birmingham; King recordaba a los ministros religiosos que en sus acciones habituales la policía de Birmingham dispensaba a la población negra un «horrible e inhumano trato» (pág. 126), del que ofrecía numerosos ejemplos; entre ellos citaba el caso de la reacción brutal contra los manifestantes del movimiento cuando soltaron sus perros. Martin Luther King criticaba esa aparente actuación justa, al considerar que su auténtica finalidad no era obrar con justicia, sino perpetuar el sistema imperante de segregación.

Martin Luther King finalizaba su carta recordando que eran otras personas las que merecían una felicitación: todos aquellos que habían obrado con valentía en favor del movimiento. Él creía firmemente que iban a recibir esa felicitación por parte de todo el mundo en un futuro próximo y se mostraba optimista sobre el movimiento:

«Día llegara en que el Sur se entere de que, cuando aquellos hijos desheredados de Dios se sentaban en los snacks bar de las galerías, de hecho estaban defendiendo lo mejor del sueño norteamericano y los valores más sagrados de nuestro legado judeocristiano, reconduciendo así nuestra nación a los grandes pozos de la Democracia, profundamente cavados por los padres de la nación norteamericana en su formulación de la Constitución y de la Declaración de la Independencia.»

La continuación de la campaña

El 18 de abril Coretta Scott y Juanita Abernathy viajaron a Birmingham y pudieron visitar a sus maridos. El sábado 20 de abril

Martin Luther King y Ralph Abernathy salieron de la cárcel bajo fianza después de ocho días de encarcelamiento. King aceptó que se pagara la fianza para seguir en la organización de la campaña. Aquella misma noche se reunió con los demás líderes de la S.C.L.C. en el Gaston Motel y les propuso ampliar la participación de la campaña a los jóvenes, para que el movimiento alcanzara una repercusión mayor. King era consciente de que se trataba de una decisión delicada y de que suscitaría amplias críticas por parte de muchos sectores, pues iba a comprometer a jóvenes menores de veinte años, estudiantes de instituto en la mayoría de los casos. Aun así, Martin Luther King estaba convencido de que su participación sería positiva y demostraría que era la totalidad de la sociedad quien se oponía a las medidas de segregación; por otra parte, como señala Coretta Scott en su libro de memorias, los jóvenes iban a ser los primeros beneficiarios de la integración (pág. 243):

«Además, (Martin Luther King) pensaba que eran los niños los que se iban a beneficiar más con la desegregación, que era por los niños por quienes estábamos luchando y que su participación en el Movimiento iba a darles un sentido de valor y dignidad y aumentaría sus valores espirituales. Al mismo tiempo, se haría todo lo posible para protegerlos de cualquier peligro físico.»

A partir de entonces los colaboradores de Martin Luther King comenzaron a visitar institutos y centros de estudio para invitar a los estudiantes a las asambleas; entre estos colaboradores figuraban Andrew Young, Jim Bevel o Bernard Lee. La respuesta fue positiva y los jóvenes comenzaron a asistir a las reuniones y a familiarizarse con la tesis de la no violencia. En seguida comenzaron a tomar parte activa en las manifestaciones. Eran varios miles los que habían respondido de manera positiva; a veces eran niños demasiado pequeños como para participar en las marchas; Andrew Young les decía: «Sois demasiado pequeños para ir a la cárcel. Id a la biblioteca. Allí aprenderéis algo.» Como las bibliotecas hasta entonces estaban reservadas a los blancos, de esta manera también podían poner su granito de arena.

La prensa criticó la utilización de los jóvenes, pero Martin Luther King consideraba que había sido peor la utilización de los jóvenes negros para trabajar o la discriminación a la que eran sometidos desde que nacían en ciudades como Birmingham. Martin Luther King cuenta cómo le impresionó la respuesta de una niña de ocho años que participaba en una manifestación junto con su madre, cuando un policía le preguntó muy serio: «¿Qué quieres?» La niña, sin miedo, respondió «libertá», casi no sabía pronunciar bien la palabra. La participación de los jóvenes en la campaña permitió que se pusiera en práctica el principio de Ghandi de llenar las cárceles. Se determinó un día para que todos los jóvenes se manifestaran y se acordó el 2 de mayo; ese día entraron en la cárcel 1.000 jóvenes. Se llegó a un momento en el que los encarcelados, entre adultos y jóvenes, sumaban más de 2.500.

El endurecimiento de la respuesta

Bull Connor ordenó a la policía que cambiara de estrategia y respondiera a las acciones con dureza, aunque esta dureza se empleara contra niños y adolescentes. El empleo de la fuerza fue desmedido. Se utilizaron porras, potentes bombas de agua y perros policía. La policía abría las mangueras y los chorros de agua tenían tal presión que lanzaban a los niños al suelo, contra las paredes, o destrozaba sus ropas; el ensañamiento alcanzó tales extremos que la policía llegó a dejar sueltos a los perros, que corrieron a atacar a los niños y a morderlos. Las imágenes de mujeres y niños golpeados o tirados por el suelo aparecieron en la prensa desde el 4 de mayo. Ante este cambio, la campaña continuó su desarrollo como hasta entonces, acatando los postulados de la no violencia. El adiestramiento en las asambleas daba sus frutos y los manifestantes no respondían con agresividad a la actuación de la policía. Por supuesto, cada vez era más duro para los adultos ver a sus hijos tratados con tal violencia; por ello algunos espectadores que estaban presenciando las manifestaciones comenzaron a arrojar piedras a la policía, pero fueron una minoría. El resto se mantuvo firme en su propósito de no responder con violencia. La actuación salvaje de la policía frente al comportamiento pacífico de los manifestantes se reveló como una estrategia contraproducente que les llevó al fracaso, lo cual finalmente supuso un duro golpe para las autoridades de Birmingham. El efecto de esta violencia fue el contrario: la opinión pública del país se sentía cada vez más indignada contra la política de Bull Connor y más a favor de la comunidad negra, que luchaba pacíficamente por sus derechos.

Martin Luther King subrayó la importancia de que la población blanca de Birmingham no hubiese tomado parte activa contra las manifestaciones de la campaña. Por supuesto, tampoco dieron ninguna señal de apoyo o aprobación, pero su neutralidad adquiría un gran valor como apoyo psicológico para la comunidad negra. Parecía que la campaña cada vez iba pareciendo más justa y legítima a amplios sectores de la población de Birmingham. King recordaba ejemplos de cómo incluso los policías, a pesar de las órdenes que habían recibido, llegaban a flaquear a la hora de ejecutarlas en algunos momentos. En una ocasión el reverendo Charles Billups fue a celebrar una reunión con sus fieles para rezar en las cercanías de la prisión. Cientos de negros se encaminaban hacia el punto de reunión, cuando los policías, de acuerdo con la orden de Bull Connor, les esperaban en la zona límite entre blancos y negros con los perros y las mangueras. Billups y los fieles se arrodillaron y comenzaron a rezar. El mismo Bull Connor llegó a donde estaban y ordenó a Billups que se marchase. Billups se negó y sus fieles empezaron a gritar a Connor y a la policía: «¡Abrid las mangueras! ¡Soltad a los perros! No nos marcharemos. Perdónalos, Señor.» Connor, furioso, dio la orden de abrir las mangueras. King cuenta así lo que sucedió a continuación (*Por qué no podemos esperar*, pág. 139):

«Lo que ocurrió en los treinta segundos siguientes fue uno de los acontecimientos más fantásticos de la historia de Birmingham. La policía de Birmingham, con sus bombas de agua apercibidas para la acción, permanecieron inmóviles frente a los manifestantes. Éstos, de rodillas muchos de ellos, se quedaron así mismo parados, mirándoles sin temor. Los negros se pusieron en pie lentamente y echaron a andar. Los hombres de Connor, como hipnotizados, se retiraron, colgándoles de las manos las mangueras sin utilizar, mientras varios centenares de negros pasaban a su lado, sin ulterior interferencia, y celebraban su piadosa asamblea según tenían previsto.»

Las autoridades de Birmingham poco a poco se estaban dando cuenta de que iban a tener que ceder. Las manifestaciones de los jóvenes continuaban; cada vez se congregaban más y la policía, al encontrarse con varios cientos o incluso miles por diferentes zonas, ya no tenía capacidad para detenerlos a todos y llevarlos a la cárcel. En cuanto a las manifestaciones anteriores, todos los que habían participado en ellas fueron citados judicialmente por haber desobedecido el mandato de no manifestarse. La sanción en este tipo de infracciones consistía simplemente en un arresto de cinco días. Sin embargo, los líderes de la manifestación, entre ellos, por supuesto, Martin Luther King, fueron convocados por la justicia de la ciudad con el pretexto de que habían cometido un delito de infracción civil. En el Estado de Alabama, si tenía que producirse un encarcelamiento por este tipo de delitos, sólo se podía salir de la cárcel si la persona que había cometido el delito se retractaba públicamente de él. Las autoridades de la ciudad podían estar seguras de que si condenaban a la cárcel a los líderes de la maniestación iba a ser de manera indefinida o puede decirse que para siempre, pues su grado de compromiso con la causa era tal que nunca iban a retractarse. Se trataba de una situación imposible y sobre todo negativa para las autoridades locales ante la opinión pública. Por ello se vieron obligados a acusarlos de otro delito que no fuera la desobediencia civil, como había sido en un primer momento. Esto causó una nueva derrota a las autoridades de Birmingham.

Los difíciles pasos de la negociación

A pesar del desgaste en las autoridades el camino hacia un acuerdo no se hizo nada fácil. Las demandas de los manifestantes podían resumirse en cuatro puntos, que desde luego nos muestran lo injusto de la situación social de la ciudad y cómo la segragación impedía a la comunidad negra llevar una vida normal en su propia ciudad como cualquier ciudadano de derecho. En palabras del propio King, las demandas eran las siguientes:

1. *La integración de los mostradores en los que se vende comida, en las salas de espera, de las cabinas de prueba y de los surtidores de agua para beber en galerías y almacenes.*
2. *La promoción y contratación de negros en toda la comunidad mercantil e industrial de Birmingham sin criterio discriminador.*
3. *El abandono de todas las actuaciones contra los manifestantes encarcelados.*

4. *La creación de un comité birracial que decidiría el momento en que se integrarían los demás sectores de la vida cotidiana.*

Con motivo de la intervención policial de los primeros días de mayo, las protestas a lo largo del país llegaron a tal extremo que el Gobierno se vio obligado a intervenir. Dos asesores del Ministerio de Justicia, Burke Marshall y Joseph D. Dolan, fueron enviados a Birmingham el 4 de mayo para intentar lograr la calma en representación del presidente mismo. Martin Luther King en principio se mostró escéptico ante su llegada; temía que los representantes del Gobierno les pidieran que suavizaran las demandas o cedieran de inmediato a una tregua. Sin embargo, su actuación fue positiva, pues lograron que se iniciase un periodo de reuniones entre el movimiento por los derechos y el Senior Citizens Committee (Comité de Ciudadanos Mayores) de la ciudad, del que formaba parte una nutrida representación del poder de Birmingham. El cómite estaba formado por aproximadamente 125 hombres de la ciudad, hombres de negocios y con profesiones liberales. Las conversaciones se habían iniciado, pero los incidentes continuaban. La policía de Bull Connor seguía respondiendo con las mangueras, empleando tal fuerza que Fred Shuttlesworth resultó herido y tuvo que ser llevado al hospital cuando el impacto del chorro de agua de una manguera le arrojó contra un muro.

El comité mantenía una posición intransigente, aunque los sucesos de la calle hicieron ver a sus componentes que el movimiento iba a triunfar. En una de las salidas para almorzar encontraron la ciudad invadida por una multitud de negros que se limitaba a estar en la calle cantando de manera pacífica. No se les podía encerrar en la cárcel, como habría deseado Bull Connor, porque las prisiones estaban ya completas. Quizá fuera esta imagen de la ciudad «tomada» por la comunidad negra la que les hizo recapacitar y mostrarse partidarios de llegar a un acuerdo. En aquel momento el movimiento aceptó una tregua de veinticuatro horas. Sin embargo, las horas de la tregua no transcurrieron sin problemas, ya que Martin Luther King y Ralph Abernathy fueron detenidos por una acusación anterior y esta detención pudo haber originado el quebrantamiento de la tregua y la marcha atrás en el proceso de las negociaciones. Afortunadamente, ambos fueron puestos en libertad de manera rápida y la tregua se mantuvo.

El logro del acuerdo

A pesar de los incidentes y de las dificultades en la negociación, dos días después, el 10 de mayo, se llegó a un pacto en el que se contemplaba la aceptación de las cuatro cláusulas incluidas en las demandas conforme a unos plazos que debían ser respetados:

1. La primera cláusula sobre la integración de los mostradores, salas de espera, probadores y surtidores de agua para beber en galerías y almacenes, fue aceptada en su totalidad. Se estableció un plazo de 90 días desde la firma del acuerdo, para llevarla a cabo.
2. En cuanto a la promoción y contratación de negros en toda la comunidad mercantil e industrial de Birmingham, se acordó que se haría efectiva sin criterios discriminadores, incluyendo la contratación de negros como empleados y dependientes. Al mismo tiempo se acordó la creación de un comité de hombres de negocios, empresarios y profesionales liberales para que elaboraran un programa regional en el que se aceptara el acceso de los negros a puestos de trabajo que hasta entonces se les había negado.
3. Las autoridades oficiales iban a cooperar con los representantes legales del movimiento por los derechos civiles, para conseguir la liberación de todos los manifestantes encarcelados bajo fianza.
4. Con respecto a la creación de un comité birracial, no se aprobó que se fuera a crear como tal, pero sí se estableció que la Cámara de Comercio de la ciudad o el Senior Citizens Committee, en un plazo máximo de dos semanas, iba a reanudar las conversaciones con los líderes del movimiento con el fin de evitar la vuelta a las manifestaciones y actos de protesta.

Cuando se firmó el acuerdo Martin Luther King, Ralph Abernathy y Fred Shuttlesworth hicieron público un comunicado sobre el triunfo que suponía (Coretta Scott, pág. 245):

«La aceptación de la responsabilidad por los líderes locales blancos y negros ofrece un ejemplo de gente libre que se une para solucionar sus problemas. Birmingham bien puede suponer para América un ejemplo de relaciones raciales en progreso; y para toda la humanidad el amanecer de un nuevo día, una promesa para todos los hombres, un día de oportunidades y un nuevo sentido de libertad para toda América.»

La noticia de la aceptación de las condiciones se difundió en todo el mundo. Sin embargo, el hecho de que se aprobaran estas cláusulas y de que la negociación hubiese sido positiva no significó el final de los conflictos. Los sectores más tradicionales de la ciudad no estaban dispuestos a acabar con la política segregacionista. El Ku Klux Klan contaba con muchos adeptos en la ciudad y su respuesta no se hizo esperar: el sábado por la noche la casa de A. D. King, hermano de Martin Luther, sufrió numerosos destrozos. Además estalló una bomba en la habitación que ocupaba Martin Luther King en el Gaston Motel, afortunadamente sin causar heridos de gravedad, porque esa noche King se hallaba en Atlanta. Estas dos actuaciones provocaron, sin duda con arreglo a un cálculo pensado de antemano, que la comunidad negra se echara a la calle y protagonizara disturbios. A su vez la reacción de la policía, bajo las órdenes de los poderes segregacionistas de la ciudad, resultó brutal, con una violencia desmedida similar a la de los peores días de las movilizaciones. A. D. King hizo todo lo que pudo para detener la violencia de la comunidad negra; finalmente, los seguidores del movimiento terminaron cantando «We shall overcome», como tantas otras veces.

Por fortuna los incidentes tuvieron importantes consecuencias en la opinión pública, tan sensibilizada hacia el movimiento y tan satisfecha con la firma del pacto. Por ello el presidente Kennedy se dirigió al país para garantizar que las medidas aprobadas en el pacto se iban a llevar a cabo a pesar de la oposición de los sectores extremistas de Birmingham. Para apoyar esta afirmación dio la orden de que el ejército federal enviara más de 3.000 hombres a la ciudad para velar por el mantenimiento del orden y el cumplimiento de las medidas. También se inició un proceso para convertir la Guardia Nacional de Alabama en un cuerpo federal, con el fin de evitar su apoyo a los sectores segregacionistas que detentaban el poder en las diferentes ciudades del Estado.

Aún hubo otros intentos de desestabilizar la situación para provocar disturbios en la comunidad negra y así quebrantar el pacto firmado. Esta vez se utilizó el poder de la prensa; el 20 de mayo se publicó en titulares que los estudiantes que habían participado en las manifestaciones iban a ser expulsados o suspendidos en el curso que estuvieran haciendo, según se desprendía de un acuerdo de la Junta Urbana de Instrución. Martin Luther King decidió intervenir para evitar una reacción impulsiva de la población negra. De acuerdo con la N.A.A.C.P. decidieron acudir a los tribunales para que la decisión de la Junta de Instrucción fuera suspendida. Consiguieron su objetivo cuando la Corte de Apelaciones anuló la medida e incluso recriminó a la Junta que la hubiera promulgado. El último incidente fue muy grave y conmocionó a todo el país; se produjo en septiembre, meses después del pacto. El 15 de septiembre varios miembros del Ku Klux Klan lanzaron una bomba sobre la iglesia baptista de la 16 Avenida de Birmingham y mataron a cuatro niñas negras; King volvió a Birmingham para hablar en su funeral y volver a condenar la violencia y el odio.

VI. LA MARCHA DE WASHINGTON

El clima generado en Birmingham, con el logro de un gran acuerdo contra la segregación, llevó al triunfo de la marcha sobre Washington celebrada el 28 de agosto de 1963. Esto no quiere decir que no se produjeran momentos trágicos a partir de la firma del pacto, puesto que los blancos extremistas seguían actuando para vengarse y detener el movimiento. Entre los casos más graves de agresiones contra el movimiento de los derechos civiles se puede mencionar el asesinato, el 12 de junio, de Medgar Evers, líder de la N.A.A.C.P. de Jackson, en el estado de Mississipi, que fue tiroteado a la puerta de su casa.

A partir de la firma del pacto en Birmingham, Martin Luther King prosiguió con sus viajes a ciudades de todo el país para hablar sobre el movimiento de los derechos civiles. Cada vez se congregaba más gente para escucharle; en Los Ángeles se reunieron 25.000 personas y en una marcha celebrada en Detroit participaron casi 200.000.

Debido a este acercamiento de la gente a la causa por los derechos civiles, se empezó a pensar en una marcha que reuniera al mayor. número de ciudadanos posible procedentes de todos los puntos del país. Así nació la idea de la Marcha sobre Washington. Se celebró una conferencia de varios líderes de diferentes organizaciones, como A. Philip Randolph, Roy Wilkins de la N.A.A.C.P., John Lewis del S.N.C.C., James Farmer del C.O.R.E., Dorothy Height del Consejo Nacional de Mujeres Negras o Whitney Young de la Liga Urbana. Fue A. Philip Randolph quien propuso la idea, porque ya en el pasado había organizado un proyecto parecido. Si Randolph ideó la marcha, fue Bayard Rustin quien la organizó y consiguió que todo estuviera a punto para que se reunieran 250.000 personas. A continuación se traza la trayectoria de estos dos líderes, por ser dos de las personalidades más importantes que trabajaron con Martin Luther King y figurar entre las que más contribuyeron al movimiento por los derechos civiles.

La conciencia social de A. Philip Randolph

Entre los hombres más próximos a Martin Luther King destacaba Randolph, a quien King consideraba «la conciencia del movimiento del trabajo». Fue él quien propuso la celebración de la Marcha sobre Washington y el lema «Por Puestos de trabajo y Libertad».

Desde el inicio de sus actividades Randolph concentró sus esfuerzos en conseguir derechos laborales para los trabajadores negros y desde muy joven destacó por su talante emprendedor. Con el fin de conseguir mejoras laborales en un sector concreto llegó a fundar un sindicato llamado Hermandad de Porteros de Coches Cama (Brotherhood of Sleeping Car Porters). Más adelante fundó otra organización de ámbito más general, el Consejo del Trabajo de los Negros Americanos.

Al igual que en el caso de Martin Luther King, su padre era un predicador concienciado sobre los problemas raciales. Randolph creció en Crescent City, localidad situada en el Estado de Florida. Después de su graduación se marchó a Nueva York, donde se matriculó en el City College. Allí se familiarizó con los fundamentos de la política socialista y sus ideales, con los que pronto se sintió identificado. Seis años después de establecerse en Nueva York, Randolph fundó un periódico con Owen Chandler llamado *Mensajero*, de corte socialista y centrado en el ámbito afroamericano. En el periódico publicaron una crítica a la intervencion de Estados Unidos en la Primera Guerra Mundial; como consecuencia de este artículo Randolph fue arrestado, aunque sin mayores consecuencias.

Randolph comenzó pronto a adentrarse en el mundo de la política activa. Sus ideas socialistas le ganaron el sobrenombre de «Lenin negro». En 1920 se presentó a las elecciones municipales como candidato socialista al cargo de controlador del Estado y consiguió más de 200.000 votos. En 1925 fundó el sindicato de los encargados de coches cama mencionado anteriormente; desde este sindicato consiguió organizar un comité nacional contra el poder que había adquirido el sindicato oficial de la compañía Pullman y disintiendo también de la prensa negra. En 1937 el sindicato de Randolph culminó su campaña al firmar un primer acuerdo con la empresa y aumentar el número de afiliados en 15.000.

La siguiente campaña de Randolph tuvo como objetivo la industria de defensa, en la que existían prácticas racistas. Randolph advirtió a las autoridades que iba a organizar una marcha a Washington si no se aprobaba una ley federal que pusiera fin a la discriminación racial. La marcha a Washington se habría celebrado en el verano de 1941 y en ella se habrían congregado más de 100.000 personas. Sin embargo, la marcha se canceló, debido a que la reacción del presidente Roosevelt ante estas presiones fue la aprobación de una ley contra las prácticas raciales en la industria de armamento que trabajara para el Estado y la fundación del Comité de Prácticas Justas de Empleo. De nuevo Randolph había conseguido sus objetivos. Además Randolph colaboró con la Liga para la Desobediencia Civil No Violenta Contra la Segregacion Militar, que más tarde en 1948 lograría sus frutos con la decisión del presidente Truman de acabar con la segregación en las fuerzas armadas.

En 1955 se fusionaron en una sola las organizaciones sindicales más poderosas de Estados Unidos: el Congreso de Organizaciones Industriales (C.I.O.) y la Federación Americana del Trabajo (A.F.L.). En la organización resultante Randolph se convirtió en el primer negro con el cargo de vicepresidente. Sus esfuerzos se concentraron en acabar con la discriminacion sobre los trabajadores de las empresas y defender los derechos laborales de los negros y otras minorías. Con el fin de dar cabida a las demandas de los trabajadores negros, en 1959 fundó el Consejo del Trabajo del Negro Americano.

Randolph siempre se caracterizó por sus dotes de mediador entre diferentes sectores y como tal ejerció entre grupos divergentes dentro del movimiento por los derechos civiles a lo largo de los años 60, cuando cada vez con mayor frecuencia aparecían opiniones distintas entre los que apostaban por la no violencia y los que toleraban una postura más radical, que incluía una respuesta violenta.

En cuanto a su colaboración con Martin Luther King, destaca su participación en la organización de la Marcha sobre Washington de 1963, en la que gracias a su poder de convocatoria se logró reunir a 250.000 personas. Otros sindicatos más pequeños decidieron seguir el ejemplo de Randolph, así como asociaciones de trabajadores internacionales. Randolph desempeñó un papel activo en la organización de la marcha, a pesar de que se negara a apoyarla la asociación AFL-CIO, a la que él estaba firmemente vinculado. Randolph consideraba que el verano de 1963 era un momento propicio para la marcha, debido a las campañas en el Sur, los altos índices de paro en la población negra y el bajo número de negros registrados para votar. La gran capacidad de convocatoria de Randolph se debía a su larga trayectoria como líder sindical.

La capacidad de organización de Bayard Rustin

Otra de las personalidades fundamentales en la lucha por los derechos civiles fue Bayard Rustin, principal organizador de la Marcha a Washington. Rustin desempeñó un papel activo en el movimiento por la no violencia al organizar y marchar en primera línea en varias protestas durante tres décadas, ya desde los 40; su gran capacidad para organizar marchas y campañas le valió el apodo de «Mr. March» («Señor Marcha», al mismo tiempo March es un apellido corriente en inglés). En particular destaca su participación en la Marcha sobre Washington de 1963. Rustin trabajó estrechamente con Martin Luther King, ya que fue su consejero durante los años cruciales de sus campañas.

Rustin nació en 1910 y creció con sus abuelos en el Estado de Pensilvania. Recibió una educación cuáquera y desde pequeño estuvo influenciado por su abuela, miembro de la N.A.A.C.P. Realizó estudios superiores en Nueva York; allí se unió a la Hermandad de la Reconciliación (F.O.R.) y fue uno de los fundadores del Congreso de Igualdad Racial (C.O.R.E.). Rustin participó en el «Viaje de la Reconciliación», un viaje a través de varios Estados para comprobar si se cumplía la ley promulgada por el Tribunal Supremo contra la segregación en los viajes interestatales. Este viaje fue el modelo para los Viajes de la Libertad de 1961 y por participar en él Rustin fue detenido. Cuando fue puesto en libertad viajó a la India, donde pasó seis meses estudiando la filosofía de Ghandi; también pasó algún tiempo en África, donde colaboró en los procesos de independencia de algunos países. Rustin se afilió al Partido Comunista, aunque su labor al servicio del partido duró poco tiempo.

Bayard Rustin comenzó a trabajar al lado de Martin Luther King cuando se inició el boicot de Mongomery. La M.I.A. no consideraba adecuado que se asociara públicamente el nombre de Rustin con Martin Luther King, por sus contactos con el Partido Comunista y el hecho de haber sido arrestado anteriormente por delitos relacionados con la homosexualidad. Sin embargo, Martin Luther King continuó trabajando con él, aunque de una manera menos manifiesta, y la amistad entre los dos prosiguió; King valoraba especialmente sus conocimientos, su capacidad de organización y sus contactos. Por ello fue Rustin quien organizó y dirigió muchas actividades y campañas de protesta durante los años 50 y 60; jugó también un papel muy importante en la creación de la S.C.L.C. Además colaboró con King como corrector de los textos de sus libros, profesor de filosofía o asesor de estrategias de la no violencia. Los años en los que King y Rustin trabajaron más juntos fueron los comprendidos entre 1955 y 1960. Desde 1963 hasta 1979 Rustin formó parte del Instituto A. Philip Randolph, organización sindical negra de la que llegó a ser presidente. Rustin no estuvo de acuerdo con King en algunas campañas, como la Campaña para la Gente Pobre.

La preparación

En aquella conferencia de líderes negros la idea de realizar una marcha masiva fue acogida con entusiasmo por todos. Para Martin Luther King se trataba del momento oportuno, pues la comunidad negra y toda la sociedad norteamericana estaban sensibilizadas hacia los derechos civiles; además, una gran marcha pacífica podía tener efectos muy beneficiosos: por un lado, la manifestación podía dar como fruto un efecto tranquilizador sobre los sectores violentos que provocaban disturbios esporádicos y reconducirlos hacia las protestas pacíficas; por otro lado, una gran manifestación podía ejercer una fuerte presión sobre el Congreso para impulsar la aprobación de las leyes sobre los derechos civiles.

Se estableció una fecha: el 28 de agosto de 1963. Se decidió que el trayecto de la manifestación sería corto, desde el Monumento de Washington hasta el Lincoln Memorial, lugar donde se pronunciarían todos los discursos. A. Philip Randolph empezó a organizar la marcha a través de un comité formado para la ocasión: el Consejo de Unidad para los Derechos Civiles (Unity Council for Civil Rights). El comité se reunía con asiduidad para planear todo con detalle, bajo la dirección de Bayard Rustin, nombrado coordinador nacional de la marcha.

La noticia de que se iba a celebrar una manifestación masiva, en la que participarían más de 100.000 personas, llegó a oídos del presidente Kennedy. El equipo del presidente no era partidario de que la marcha se celebrara, por considerar que podía perjudicar los esfuerzos que se habían hecho para cambiar la legislación en favor del establecimiento pleno de los derechos civiles para todos. Le preocupaba además la imagen de los Estados Unidos en la escena internacional; esta imagen podía empeorar con motivo de la manifestación; para la Administración de Kennedy la manifestación iba a agravar las tensiones raciales que existían en el país. A finales de junio Kennedy convocó en la Casa Blanca a Martin Luther King y otros líderes para pedirles que cancelaran la marcha, pero King y sus colaboradores intentaron convencerle de que sus temores eran infundados: lo más urgente era conseguir que las nuevas leyes civiles fueran aprobadas por el Congreso y éste era uno de los principales mensajes que la manifestación pacífica iba a difundir.

Cuando se acercaba la fecha de la manifestación y todo estaba preparado se consituyó la Oficina Nacional de la Marcha a Washington para Puestos de Trabajo y Libertad. La Oficina difundió unos panfletos en los que figuraban los seis objetivos de la protesta: leyes de derechos civiles con sentido, un programa de obras públicas federales a gran escala, empleo justo para todos, viviendas dignas, derecho al voto y una educación integrada y adecuada.

Entre los que se oponían a la marcha no sólo estaban los blancos segregacionistas o la Administración de Kennedy. Hubo otros grupos que se negaron a participar, incluso desde la comunidad negra. Es el caso de la Nación del Islam y de Malcolm X; se advirtió a los miembros de la Nación del Islam que si participaban en la marcha se les impondría una sanción de tres meses de baja en la organización. Tampoco quiso participar el sindicato mayor de los Estados Unidos, el AFL-CIO. Sin embargo, otras muchas organizaciones locales, nacionales e internacionales se mostraron a favor de los objetivos de la manifestación y comunicaron su decisión de participar. Todo había sido preparado con gran celo para que todas las organizaciones y colectivos pudieran viajar a Washington a tiempo de participar en la Marcha.

Mientras se preparaba la Marcha, a cargo sobre todo de Randolph y Rustin, Martin Luther King había estado escribiendo el que iba a ser su tercer libro, *Por qué no podemos esperar*, sobre la campaña de Birmingham. El 27 de agosto Coretta Scott y él llegaron a Washington para participar en la Marcha. King dedicó aquel día y toda la noche a revisar su discurso y resumirlo en los ocho minutos de que iba a disponer.

La celebración de la Marcha

Martin Luther King y Coretta Scott se habían alojado en un hotel muy próximo al lugar donde se iba a celebrar la Marcha. Por la mañana temprano observaron que ya había un grupo numeroso congregado junto al Monumento de Washington. Sin embargo, King y los líderes de la Marcha empezaron a preocuparse porque la hora de inicio se aproximaba y no parecía que hubiera una gran multitud. Los medios de comunicación hablaban de cifras muy bajas, tan sólo 25.000 cuando King salió del hotel. Los organizadores habían pensado que iban a conseguir reunir a más de 100.000 personas y en más de un momento pensaron que podían fracasar.

Sin embargo, cuando King llegó al lugar donde iba a comenzar la Marcha, se encontró con una gran multitud de 250.000 personas. Los cálculos de los medios de comunicación se habían equivocado en sus estimaciones. Se calculaba que entre todas aquellas personas había una cuarta parte de blancos, lo cual era un triunfo para la causa de los derechos civiles. Los participantes habían llegado a Washington desde cualquier punto del país y en variados medios de transporte, tanto tren o avión como automóvil, bicicleta o a pie.

Como había tanta gente, cuando llegaron los líderes que iban a encabezar la Marcha, entre ellos Martin Luther King, por supuesto, ya había miles de personas que habían comenzado a desplazarse hasta el Lincoln Memorial. King y los demás líderes no caminaron al frente de la Marcha, sino en medio de la gente. Cuando todos llegaron al Lincoln Memorial comenzó la ceremonia, a la una de la tarde. El programa constaba de discursos de los líderes del movimiento de la no violencia y canciones de libertad intercaladas entre los discursos, interpretadas por artistas famosos muy variados en estilo y procedencia, como Marian Anderson, Joan Baez, Bob Dylan o Peter, Paul and Mary. A. Philip Randolph actuó como maestro de ceremonias y presentó a Fred Shuttlesworth, que fue el primer líder que habló. Roy Wilkins fue el líder que habló antes que Martin Luther King, el último en intervenir. Wilkins terminó su discurso cuando ya eran más de las tres. La gente estaba cansada. Antes de King cantó Mahalia Jackson, que volvió a animar a la gente. Entonces Randolph presentó a Martin Luther King, llamándole «el líder moral de la nación».

Martin Luther King comenzó a pronunciar su discurso. Al principio siguió lo que había escrito, pero llegó un momento de tal emoción en el que abandonó el discurso escrito y se dejó llevar por su espíritu de fe y de amor; el resultado fue un discurso inolvidable, que durante unos momentos unió a la multitud presente y a todos los que le escuchaban desde sus casas, dejando todas sus vidas en suspenso, unidas en una misma emoción. Coretta Scott recuerda así aquel momento mágico (pág. 253):

«Al abandonar su discurso escrito, al olvidar el tiempo, habló desde el corazón; su voz se elevaba hacia el cielo por encima de aquella enorme multitud, por encima de todo el mundo. Nos parecía a todos allí, aquel día, que sus palabras iban volando desde algún lugar superior y pasaban a través de Martin hasta la gente cansada que estaba frente a él. Sí, el Cielo mismo se abrió de par en par y parecía que todos nos habíamos transformado.»

Cuando Martin Luther King terminó toda la multitud estaba en éxtasis y se produjo un gran silencio. Después las 250.000 personas rompieron a aplaudir y a gritar como si fueran una sola persona.

La Marcha terminó así. No hubo ningún incidente violento, la gente se dispersó de manera pacífica y todos volvieron a sus casas. Se había conseguido uno de los principales objetivos: la gente volvía a creer en la no violencia como método para luchar contra la injusticia. La efectividad de la Marcha se puso de manifiesto cuando el presidente Kennedy por fin hizo que las nuevas leyes sobre derechos civiles fueran promulgadas poco tiempo después.

Cuando King terminó su discurso hubo grupos que subieron a la plataforma para acercarse a él, pero entonces fue rodeado de policías para llevarlo a donde estaban los automóviles, junto con los demás líderes. King y otros nueve líderes se marcharon a la Casa Blanca para entrevistarse con el presidente Kennedy y con el vicepresidente Lyndon B. Johnson. Los dos estaban impresionados por el seguimiento de tantos miles de personas que había tenido la Marcha y se mostraron dispuestos a ocuparse con urgencia de las leyes por los derechos civiles.

El sueño de Martin Luther King

King pronunció su discurso en último lugar, cuando todos los demás ya habían intervenido. La multitud estaba deseando escuchar sus palabras, su liderazgo estaba en pleno apogeo tras la campaña de Birmingham. Su discurso debía ajustarse a una duración de ocho minutos. King ya había pronunciado en Detroit un discurso sobre su sueño de una tierra libre y unida, pero le parecía que en la Marcha de Washington no iba a tener tiempo para desarrollarlo. Por ello había pensado en cambiarlo por el tema del cheque falso que América había dado a la comunidad negra, para mencionar también que en 1963 se cumplía el centenario de la Proclamación de la Emancipación y recordar a Lincoln. King era consciente de que la televisión y la radio iban a estar allí, así que cientos de millones de personas iban a escuchar su discurso desde Estados Unidos y el resto del mundo. Debido a la trascendencia que podían tener sus palabras, King pasó toda la noche escribiendo y pidiendo consejo a sus amigos y colaboradores. Cuando por fin terminó de trabajar con la máquina de escribir, ya de día, King pensó que había escrito un buen discurso. No se imaginaba que a poco de empezar a leerlo iba a encontrar la elocuencia necesaria para pronunciar desde el corazón un discurso mucho mejor que el que había preparado. En el discurso que pronunció King desarrolló el tema del sueño que había tratado en Detroit, pero con gran profundidad y emoción:

«Hace cien años que un gran americano, que proyecta hoy sobre nosotros su sombra simbólica, firmó la Proclamación de Emancipación. Este decreto de una importancia capital vino a traer la luz, como un faro de esperanza, a los millones de esclavos negros, marcados por las llamas de una injusticia feroz, y anunció el amanecer gozoso que iba a poner fin a la larga noche de la cautividad. Pero un siglo más tarde, debemos hacer la trágica constatación de que los negros no son todavía libres. Un siglo más tarde la vida de los negros permanece obstaculizada por la segregación y encadenada por la discriminación.

Un siglo más tarde, los negros representan un islote de pobreza en medio de un vasto océano de prosperidad material. Un siglo más tarde, los negros languidecen aún en los márgenes de la sociedad americana, exiliados en su propia tierra. Por ello venimos aquí hoy a poner de manifiesto nuestras condiciones lamentables.

Venimos a la capital de nuestra nación para pedir, de alguna manera, el pago de un cheque. Cuando los arquitectos de nuestra república escribieron los textos magníficos de la Constitución y de la Declaración de Independencia, firmaron un pagaré del que cada americano iba a ser beneficiario. Era la promesa de que todos y cada uno tendrían asegurados el derecho inalienable a la vida, a la libertad y a la búsqueda de la felicidad.

Hoy es evidente que América ha faltado a este compromiso en lo que se refiere a sus ciudadanos de color. En lugar de hacer honor a aquella obligación sagrada, América ha entregado al pueblo negro un cheque sin valor, devuelto con el sello de "sin fondos". Pero nosotros no podemos creer que ya no haya bastantes fondos en los grandes cofres de oportunidades de la nación. Por eso venimos a exigir nuestro pago conforme a ese cheque, el pago debido a nuestra demanda de las riquezas de libertad y seguridad que emanan de la justicia.

Venimos igualmente a este lugar sagrado para recordar a América la urgencia absoluta de que sea en este momento. Ahora no es momento de tomarse el lujo de dejar que los espíritus se calmen, ni de tranquilizarnos con soluciones graduales. Ahora es el momento de dejar el valle sombrío y desolado de la segregación para tomar el camino soleado de la justicia racial. Ahora es el momento de abrir las puertas de la oportunidad a todos los hijos de Dios. Ahora es el momento de sacar a nuestra nación de las arenas movedizas de la injusticia racial hasta el promontorio sólido de la fraternidad. Resultaría fatal para el país que no se tenga en cuenta la urgencia del momento, que se subestime la reivindicación de los negros. Este verano sofocante por el descontento legítimo de los negros no tendrá fin sino con la llegada de un otoño vivificador que traerá la libertad y la igualdad. El año 1963 no es un fin, sino un principio.

Aquellos que quieren creer que los negros se sentirán satisfechos simplemente por permitirles desahogarse con energía tendrán un despertar violento si la nación vuelve a sus actividades habituales como si nada hubiera pasado. América no conocerá ni el reposo ni la tranquilidad mientras que los negros no disfruten plenamente de sus derechos civiles. Las tempestades de la rebelión continuarán sacudiendo los cimientos de nuestro país hasta el día en que la esplendorosa luz de la justicia llegue. Pero hay algo que debo decir a mi pueblo, que está a punto de traspasar el umbral que conduce a la sala de la justicia. Al luchar para conseguir nuestro justo lugar, no debemos convertirnos en culpables de actos injustos. No bebamos de la copa de la amargura y del odio para saciar nuestra sed.

Debemos siempre dirigir nuestra lucha con un extremo cuidado por mantenernos en la dignidad y la disciplina. No podemos dejar que nuestra protesta creativa degenere en violencia física. Aún más, debemos alcanzar el plano de las alturas en las que la fuerza física pueda encontrarse con la fuerza del alma. La militancia maravillosa que ha emprendido la comunidad negra no debe llevarnos a desconfiar de todos los blancos; se ve por su presencia aquí hoy, que los hermanos blancos se han dado cuenta de que su destino depende estrechamente del nuestro. No podemos caminar solos.

Y cuando caminemos, debemos hecerlo siempre hacia adelante, en primera línea. No podemos dar media vuelta. Hay quienes preguntan a los defensores de los derechos civiles: ¿Cuándo estaréis satisfechos? No estaremos satisfechos hasta que no consigamos que nuestros cuerpos agotados puedan descansar en los moteles de las carreteras o en los hoteles de las ciudades.

No estaremos satisechos mientras que los negros sólo tengan la posibilidad de trasladarse desde un gueto pequeño hasta otro mayor. No podremos estar satisfechos mientras que a nuestros hijos se les despoje de su personalidad y se les robe su dignidad por un letrero que diga "Sólo para blancos". No estaremos satisfechos mientras un negro de Mississipi no tenga derecho a votar y un negro de Nueva York crea que no tiene a nadie a quien votar. No, no, no estamos satisfechos ni estaremos satisfechos hasta el día en que a la justicia se la deje fluir como a las aguas, y a las virtudes como un torrente poderoso.

No ignoro que algunos de vosotros llegáis aquí después de duras pruebas y tribulaciones. Algunos de vosotros venís directamente de las celdas estrechas de las prisiones. Algunos de vosotros venís de regiones donde la búsqueda de la libertad os ha dejado abatidos por las tormentas de la persecución y derribados por los vientos de la brutalidad policial.

Vosotros sois los veteranos del sufrimiento creativo. Perseverad en la certeza de que el sufrimiento no merecido os traerá la redencion. Volved a Mississipi, volved a Alabama, volved a Georgia, volved a Louisiana, volved a los guetos y a los barrios pobres de nuestras ciudades del Norte, sabiendo que esta situación, de una manera o de otra, puede ser y será transformada. No nos recreemos en el valle de la desesperación.

Os digo hoy, amigos míos, que a pesar de las dificultades y las frustraciones de este momento, yo aún tengo un sueño. Es un sueño enraizado profundamente en el sueño americano.

Tengo el sueño de que un día esta nación se levantará y vivirá el verdadero significado de su creencia: "Mantenemos estas verdades, como tales, que los hombres nacen iguales."

Tengo el sueño de que un día, sobre las colinas de tierra roja de Georgia, los hijos de los esclavos y los hijos de los antiguos propietarios de esclavos podrán sentarse juntos a la mesa de la fraternidad. Tengo el sueño de que un día incluso el estado de Mississipi, un desierto sofocado por la injusticia y la opresión, se transformará en un oasis de libertad y de justicia.

Tengo el sueño de que mis cuatro hijos vivirán un día en una nación donde serán juzgados no por el color de su piel, sino por el contenido de su personalidad.

Tengo un sueño hoy.

Tengo el sueño de que un día el Estado de Alabama, cuyo gobernador actual habla de interposición y de anulación, se transformará en un lugar donde los niños negros podrán ir cogidos de la mano de los niños blancos y caminar juntos como hermanos y hermanas.

Tengo un sueño hoy.

Tengo el sueño de que un día se elevarán todos los valles, se allanarán todas las colinas y las montañas, los lugares pedregosos serán alisados y los tortuosos se harán rectos, y se revelará la gloria del Señor, y todos los hombres la contemplarán juntos.

Ésta es nuestra esperanza. Con esta esperanza vuelvo al Sur. Con esta fe podremos transformar las discordancias de nuestra nación en una bella sinfonía de fraternidad. Con esta fe podremos trabajar juntos, rezar juntos, luchar juntos, ser encarcelados juntos, sabiendo que un día seremos libres.

Cuando llegue este día, todos los hijos de Dios podrán cantar con un sentido nuevo esa canción patriótica: "Mi país es por ti, dulce patria de la libertad; es por ti por quien canto. Tierra en la que reposan mis antepasados, tierra del orgullo de los peregrinos, de cada lado de la montaña, dejemos que la libertad resuene."

Y si América quiere ser una gran nación, esto es lo que se debe hacer realidad. Entonces, que la libertad resuene desde las altas colinas de New Hampshire. ¡Que la libertad resuene desde las montañas poderosas de Nueva York! ¡Que la libertad resuene desde las alturas de los Alleghenies de Pensilvania! ¡Que la libertad resuene desde las Montañas Rocosas cubiertas de nieve que hay en Colorado! ¡Que la libertad resuene desde los hermosos picos de California! ¡Que la libertad resuene desde las Montañas de Piedra de Georgia! ¡Que la libertad resuene desde las Montañas Lookout de Tennessee! ¡Que la libertad resuene desde cada colina y cada montana de Mississipi! ¡Desde cada ladera de la montaña, que resuene la libertad!

Cuando dejemos a la libertad resonar, cuando la dejemos resonar desde todos los pueblos y desde todas las aldeas, desde cada es-

tado y desde cada ciudad, haremos que se acerque el día en que todos los hijos de Dios, Negros y Blancos, Judíos, Católicos y Protestantes, podrán ir de la mano y cantar la letra del viejo canto negro espiritual: "¡Al fin libres! ¡Al fin libres! Dios Todopoderoso; gracias, al fin somos libres".»

La Marcha a Washington de 1963 es para muchos el punto culminante en la trayectoria de Martin Luther King, en el que contó con el máximo apoyo de la comunidad negra y de todo el país. A partir de entonces surgieron desacuerdos en el movimiento de la no violencia, debido a que algunos sectores demandaban una mayor firmeza contra el poder blanco. Además King comenzó a desarrollar las actividades en los guetos de las ciudades, donde los problemas eran mucho más complejos.

VII. DESDE SELMA HASTA MEMPHIS

La continuación de la violencia

El año 1963 fue un año de grandes alegrías y de grandes tristezas. La alegría del éxito de la Marcha a Washington se vio empañada poco después por varios sucesos trágicos. El primero fue el asesinato de cuatro niñas en Birmingham cuando miembros del Ku Klux Klan arrojaron una bomba sobre una iglesia baptista mientras tenía lugar la clase dominical para los niños. La tragedia ocurrió el 15 de septiembre. Martin Luther King se vio afectado profundamente al darse cuenta de que la Marcha sobre Washington tan sólo fue una victoria parcial, una victoria muy pequeña si se comparaba con todo lo que quedaba por hacer en materia de respeto a los derechos de los negros en el país. Aún la sociedad estaba envenenada con el odio e invadida por la violencia interracial.

Martin Luther King acudió a Birmingham para consolar a las familias y pronunciar un discurso en el funeral. Antes de que King hablara tomó la palabra un novelista llamado John Killens; el escritor afirmó que a partir de aquel momento la no violencia iba a desaparecer, pues los negros debían protegerse con armas. El padre de una de las niñas contestó a Killens: «No estoy de acuerdo con eso. ¿Qué bien le habría hecho a Denise tener un arma en la mano?» King llamó a las cuatro niñas «heroínas de una cruzada sagrada por la libertad y la dignidad humanas». Apeló a la necesidad de seguir luchando y a la fe en la justicia de Dios (Coretta Scott, pág. 257):

«Su muerte nos dice que debemos trabajar apasionadamente y sin cesar para convertir el sueño americano en una realidad. (...) No han muerto en vano. Dios tiene aún algún modo de extraer el bien del mal. La historia ha probado una y otra vez que el sufrimiento inmerecido acarrea la redención. La sangre inocente de es-

tas niñas bien puede servir como la fuerza de redención que traerá nuevas luces a esta ciudad oscura.»

En el mes siguiente se produjo otra tragedia que conmovió fuertemente a toda la nación y a todo el mundo. El 22 de noviembre fue tiroteado John Fitzgerald Kennedy y el disparo fue tan grave que el presidente murió poco después aquel mismo día. Martin Luther King y los demás líderes del movimiento de la no violencia sabían que esta muerte, además de ser una gran pérdida para todos, iba a suponer un varapalo al movimiento, pues Kennedy se había revelado como el presidente que más había escuchado sus demandas y el que más había hecho por la plena integración de los negros. Además cuando King se enteró de que el presidente, a poco de recibir el disparo, había fallecido, sus palabras fueron las siguientes: «Esto es lo que me va a ocurrir a mí también. Te lo sigo diciendo, esta sociedad está enferma.» King estaba hablando con su esposa, que no tuvo el valor de contradecirle, porque de alguna manera también era dolorosamente consciente de que era muy probable que eso ocurriera; lo único que Coretta pudo hacer fue coger su mano en silencio.

Las nuevas leyes de derechos civiles

Cuando John Fitzgerald Kennedy fue asesinado las nuevas leyes de derechos civiles aún no habían sido aprobadas. King y el movimiento de la no violencia llevaban muchos años pidiendo al Gobierno que elaborase estas leyes para acabar con la segregación y la discriminación contra los negros. La violencia brutal de la policía en Birmingham contra los manifestantes pacíficos negros había causado un gran impacto en la población del país y como consecuencia de ello existía una mayor conciencia social de que se debían cambiar las leyes de los derechos y libertades de los ciudadanos. El presidente Kennedy tras los sucesos de Birmingham cambió su forma de pensar y dio la razón al movimiento de la no violencia. El presidente anunció que su Gobierno iba a elaborar nuevas leyes que garantizasen los derechos de la Constitución a los ciudadanos negros. Después el éxito de la Marcha sobre Washington y el asesinato de las cuatro niñas en Birmingham aceleraron la puesta a punto de las leyes para empezar a debatirlas en el Congreso.

El presidente Kennedy encontró una fuerte oposición en el Congreso a la hora de debatir el texto de las leyes y conseguir que se aprobaran. Su asesinato tuvo lugar cuando aún no habían sido aprobadas. Fue en 1964 cuando el sucesor de Kennedy en la Casa Blanca, Lyndon B. Johnson, pudo firmar la Ley de Derechos Civiles tras ser aprobada por el Congreso. La ley declaraba ilegal y prohibida la discriminación basada en la raza, color de la piel, religión u origen que tuviera lugar en establecimientos públicos como hoteles, moteles, aparcamientos, restaurantes, estaciones de servicio, bares, tabernas y lugares de ocio. Además esta ley de 1964 dio pie a que se elaboraran otras leyes posteriores que declaraban ilegal la discriminación en centros universitarios y en puestos de trabajo de cualquier tipo; a partir de aquel momento los casos de discriminación que llegaran al Tribunal Supremo iban a tener una rápida resolución por la aplicación de la nueva ley.

A partir de la aprobación de esta ley el movimiento de los derechos civiles continuó, ahora enfocado en el derecho al voto. Todavía los negros encontraban múltiples dificultades para registrarse en los censos de votantes de las ciudades, en muchos casos los blancos exigían a los negros que pagaran una suma excesiva de dinero o les amenazaban con violencia. El S.N.C.C. siempre había centrado sus esfuerzos en conseguir que los negros se registraran. La S.C.L.C. también había desarrollado campañas de registro de votantes. Tras la aprobación de la Ley de Derechos Civiles de 1964, las dos organizaciones intensificaron su labor para presionar al Congreso y conseguir que se aprobara una ley sobre el derecho al voto.

El S.N.C.C. organizó el Verano de la Libertad de Mississipi, en el que más de mil voluntarios de todo el país llegaron a Mississipi para registrar a los votantes negros y crear escuelas de verano que compensaran el bajo nivel de las escuelas para negros en el Estado; el proyecto fue respondido con violencia, los blancos radicales quemaron más de sesenta casas, iglesias y centros de trabajo de la comunidad negra; el hecho más grave fue la desaparición de tres voluntarios: James Cheney, de origen afroamericano; Michael Schwerner y Andrew Goodman, los dos blancos; desaparecieron el 4 de junio y sus cadáveres fueron encontrados el 4 de agosto, los tres habían sido asesinados, Cheney además había sido golpeado brutalmente.

En cuanto a los esfuerzos por registrar a nuevos votantes, el proyecto consiguió que más de 17.000 negros intentaran registrarse, aunque sólo fueron aceptadas 1.600 solicitudes. Las irregularidades que se detectaron durante el proceso de registro fueron denunciadas ante la corte federal y estas denuncias ejercieron cierta influencia en el proceso que llevó a la Ley del Derecho al Voto, aprobada en 1965. Otro de los objetivos del Verano de la Libertad fue la creación de un partido político demócrata alternativo, ya que el que existía en Mississipi sólo aceptaba a blancos. Para ello se creó el Partido Demócrata de la Libertad de Mississipi (M.F.D.P.), con el fin de que los negros pudieran elegir también a sus representantes para la Convención Demócrata Nacional de Atlantic City. En aquella convención el M.F.D.P. reveló las dificultades que los negros tenían para inscribirse en el censo electoral de Mississipi, mediante el testimonio conmovedor de Fannie Lou Hamer, hija de jornaleros negros. El asunto tuvo trascendencia nacional y el presidente Johnson se sintió presionado para admitir el voto del nuevo partido en la Convención Demócrata. Se llegó a un compromiso aceptado por Martin Luther King, pero no por los activistas más jóvenes del S.N.C.C.

Además del Verano de la Libertad la opinión pública seguía con indignación los sucesos violentos que estaban ocurriendo en Selma. Todos estos factores hicieron posible que la Ley del Derecho al Voto fuera aprobada finalmente por el Congreso en 1965. Su contenido no era nuevo, ya estaba incluido en las enmiendas a la Constitución, especialmente en la número quince, pero otorgaba mayor protección federal para que se cumplieran las normas que prohibían la discriminación. La ley declaraba que era ilegal aplicar criterios de cualificación, requisitos o cualquier otro procedimiento para negar o restringir el derecho al voto a cualquier ciudadano de Estados Unidos en razón de su raza o su color. La ley tuvo un gran impacto en la población negra de los Estados del Sur. La comunidad negra acudió a los censos para registrarse; por ejemplo, en 1960 en Mississipi había sólo 22.000 negros registrados, mientras que en 1966 ya podían votar más de 175.000; en Alabama el número subió desde 66.000 en 1960 hasta 250.000 en 1966, y en Carolina del Sur los votantes pasaron en los mismos años de 58.000 a 191.000.

La concesión del Premio Nobel

Tras el verano de 1964 Coretta Scott aconsejó a su marido que se hiciera un chequeo médico en el hospital de Saint Joseph de Atlanta. Mientras King estaba en el hospital su esposa recibió una llamada de una asociación de prensa para comunicarles que Martin Luther King acababa de ganar el Premio Nobel de la Paz de 1964. King sabía que era uno de los nominados, pero estaba convencido de que se lo darían a alguien comprometido con cuestiones de ámbito más internacional. Pronto empezó a llegar gente al hospital para entrevistarle o para felicitarle.

El premio consistía en la suma de 54.000 dólares, toda una fortuna. Desde la primera vez que se lo preguntaron King contestó que iba a donar todo el dinero a la causa por los derechos civiles. Así se hizo; se dividió entre varias organizaciones implicadas en el movimiento, como la S.C.L.C., el S.N.C.C., la N.A.A.C.P., el C.O.R.E. y la Fundación Americana de la No Violencia.

King sentía que recibir el premio era un gran honor para él, pero al mismo tiempo una gran responsabilidad, pues todavía quedaba todo por hacer. Como pensaba que el premio no se le había concedido a él sólo, sino a todos los que habían trabajado para el movimiento, intentó que le acompañara a Noruega el máximo número de personas posible. Viajaron a Noruega gran parte de los familiares y del personal de la S.C.L.C., en total cincuenta personas. Partieron a Europa a principios de diciembre, pasando primero por Nueva York. De allí Martin Luther King viajó a Londres, donde pronunció uno de sus sermones favoritos en la catedral de San Pablo: «Las tres Dimensiones de una Vida Completa». La comitiva pasó un par de días en Londres y de allí volaron a Oslo.

La ceremonia de entrega del Premio Nobel se celebró el 10 de diciembre. Al hacerle entrega del premio dijeron de King: «El doctor King ha conseguido mantener a sus seguidores fieles al principio de la no violencia. (...) Sin la efectividad de este principio confirmada por el doctor King, las marchas y manifestaciones podían fácilmente haber sido violentas y terminar con derramamiento de sangre.» King pronunció un discurso en el que afirmó que el verdadero merecedor del premio era el Movimiento por la No Violencia y todos los que estaban luchando por su triunfo. La ceremonia terminó con un concierto de obras de Gershwin.

Después de la ceremonia, King se reunió en privado con su familia y sus acompañantes para celebrar una fiesta. Los días siguientes King tuvo varios compromisos, entre ellos la reunión en Estocolmo con los demás galardonados del Premio Nobel de aquel año o un baile organizado por los estudiantes africanos de Estocolmo para celebrar la independencia de Kenya. A continuación tomaron un avión para ir a París y de allí volvieron a Estados Unidos. Cuando llegó a Nueva York fue recibido como un héroe, incluso con fuegos artificiales; le hicieron entrega de la llave de la ciudad, lo cual le pareció irónico si pensaba en todas las puertas que la ciudad cerraba a los negros de los guetos. King fue hasta Harlem para hablar con la gente de la lucha por los derechos. Después King acudió a una recepción con el presidente en la Casa Blanca, ocasión que aprovechó para pedirle nuevas leyes sobre el derecho al voto y más puestos de trabajo para la comunidad negra.

Las últimas celebraciones del Premio Nobel fueron las de Atlanta, donde había nacido y donde vivía Martin Luther King. Entre la comunidad blanca había dudas, pues algunos le admiraban pero otros le temían. Además por aquel entonces King y la S.C.L.C. habían apoyado las demandas de los trabajadores de la compañía Scripto, una de las fábricas mayores de Atlanta, en la que trabajaban muchos negros. Los trabajadores querían constituir un sindicato para mejorar sus condiciones de trabajo y la S.C.L.C. les apoyaba, pero habían encontrado oposición entre el equipo directivo de la empresa. Por ello a la llegada de King a Atlanta la comunidad blanca no sabía si participar en los actos de homenaje a King o no, sobre todo había algunos hombres de negocios reacios. Por otra parte el alcalde y gran parte de los ciudadanos deseaban rendir un homenaje a King en el que toda la ciudad estuviera representada. Finalmente, se decidió celebrar un banquete en el Dinkler Plaza Hotel, al que acudieron cientos de invitados blancos y negros y de todas las capas sociales. En el banquete hablaron varias personas, entre ellas el doctor Benjamin E. Mays, presidente del centro Morehouse. Al terminar todos cantaron «We shall overcome» («Venceremos») unidos por las manos. El presidente de la empresa Scripto también se acercó al padre de King para felicitarle por los logros de su hijo. Nunca en Atlanta se había conocido una reunión pacífica y festiva a la que asistiera gente tan distinta, siendo todos habitantes de la misma ciudad.

Los sucesos de Selma

El incremento de votantes en el Estado de Alabama fue espectacular gracias al movimiento por los derechos civiles y a la Ley de Derecho al Voto de 1965. Sin embargo, este avance fue posible gracias a un hecho concreto del movimiento por los derechos civiles: la campaña del derecho al voto que se llevó a cabo en Selma, ciudad del condado de Dallas. Antes de aprobarse la ley de 1965 las campañas por los derechos civiles habían conseguido que 30.000 negros de Alabama se registraran en 1963 y 40.000 en 1964. Este registro no se había dado por igual en todo el Estado. En los condados de las ciudades y en algunos concretos como Lowndes o Wilcox no se había inscrito ni un solo votante negro durante este tiempo, lo mismo sucedía en los llamados condados del «cinturón negro» de Alabama. Entre estos condados se hallaba Selma, en el corazón de ese «cinturón negro», el lugar donde mayor opresión se había ejercido contra la comunidad negra durante muchas décadas.

Selma era una ciudad de tamaño medio, a medio camino entre Montgomery y Birmingham. Martin Luther King eligió Selma, una comunidad pequeña, como objetivo del movimiento por los derechos civiles, porque representaba la pervivencia del odio racial más enraizado en la sociedad, a pesar de que en los demás Estados la comunidad blanca había comenzado a evolucionar, aunque de manera lenta o imperceptible en algunos casos. El S.N.C.C. ya había estado trabajando en Selma en 1964 para conseguir que la población negra se inscribiera en el censo. King llegó por primera vez a la ciudad el 1 de enero de 1965, con una delegación de la S.C.L.C. Lo primero que querían hacer era comprobar la existencia de la segregación, así que se dirigieron a todos los hoteles y restaurantes de la ciudad. King y el personal de la S.C.L.C. habían sido advertidos de una posible reacción violenta; sin embargo, aquel día no ocurrió nada.

Una semana más tarde Martin Luther King y su delegación volvieron a Selma. Un hombre blanco empezó a seguirle como si quisiera hablar con él. King entró en un hotel para inscribirse y el hombre, tras entrar con él, le dijo algo desde atrás; King se volvió para contestarle y en ese momento el hombre le golpeó en la cabeza con gran fuerza. Los que acompañaban a King retuvieron al hombre hasta que llegó la policía y le arrestó.

El 1 de enero se celebró una marcha en Selma, a la que asistieron 250 negros y 15 blancos. La marcha estaba liderada por Martin Luther King y Ralph Abernathy; su destino final era el Juzgado de Selma. Se había convocado por las trabas que encontraban los negros para poder registrarse. La policía arrestó a todos. La mayoría pudo salir bajo fianza, pero King y Abernathy se negaron a pagar la fianza, como en anteriores ocasiones. Pasaron en la cárcel cinco días. Mientras, la campaña de Selma continuó. En una celebración en la iglesia Coretta Scott intervino en nombre de su esposo. Después conoció a Malcolm X, que le dio un mensaje de ánimo para Martin Luther King. Malcolm X fue asesinado aproximadamente un mes después de este breve encuentro con la esposa de King.

La S.C.L.C había estado organizando reuniones en Selma y en Marion, localidad cercana donde se había criado Coretta Scott. Las reuniones tenían como tema principal el registro en el censo de votantes. El personal de la S.C.L.C. acompañaba a los que iban a la oficina de registro de votantes. La primera víctima de la campaña fue un joven llamado Jimmy Lee, de Marion. Lee había tomado parte en una manifestación de protesta por el arresto de varias personas; el recorrido de la manifestación iba desde la iglesia de Marion hasta la cárcel. Cuando los manifestantes se encontraban en la mitad del recorrido, las farolas de la calle se apagaron misteriosamente y la policía, ayudada por los blancos extremistas, cargó contra los manifestantes. Lee intentó proteger a su madre y a consecuencia de ello recibió un disparo. La policía no permitió que entrara una ambulancia para llevarse al herido, que murió unos días después, el 26 de febrero. Las autoridades de Selma tenían el mismo perfil que las de Birmingham; el alcalde, Joe T. Smitherman, era amigo del gobernador Wallace y el sheriff, Jim Clark, se parecía a Bull Connor en la manera de actuar.

King y Abernathy fueron liberados. A partir de entonces King continuó apoyando la campaña, pero tenía que viajar constantemente para cumplir sus compromisos, que consistían en charlas y discursos sobre la no violencia y los cambios que eran necesarios en la sociedad para llegar a la igualdad y la justicia. Cuando sucedió la muerte de Jimmy Lee, King no estaba en Marion ni en Selma, pero viajó enseguida para hablar en su funeral. El 5 de marzo King se reunió con el presidente Johnson en Washington para contarle los problemas que tenía la comunidad negra para registrarse como votantes y le pidió que se aprobara ya la Ley del Derecho al Voto. Cuando volvió King anunció que el 7 de marzo se iba a celebrar una marcha de cuarenta y cuatro millas desde Selma hasta Montgomery para exigir el derecho a registrarse como votantes y a ejercer el voto.Wallace, el gobernador de Alabama, prohibió que se celebrara la marcha. King habló a la gente para animarles a que participaran aunque también les advirtió que la respuesta de la policía iba a ser violenta.

La S.C.L.C. pidió a King que no liderase la marcha, para garantizar su disponibilidad durante toda la campaña, pues imaginaban que todos los participantes serían arrestados. La marcha fue encabezada por Hosea Williams y John Lewis. Participaron en ella 500 personas, entre ellas un grupo de blancos. Al salir de la ciudad se encontraron con el sheriff Clark, el alcalde, la patrulla de carreteras, sesenta soldados del Estado y otros policías a caballo. El sheriff dio la orden a los manifestantes de que se detuvieran y en el plazo de dos minutos volvieran a la ciudad. No había transcurrido un minuto cuando los soldados se pusieron las máscaras antigás y el alcalde gritó a los soldados que cargasen contra los manifestantes. Se produjeron escenas de gran violencia, muchos cayeron al suelo golpeados, otros se arrodillaron para rezar. Después el sheriff ordenó a los policías a caballo que atacaran a los manifestantes al grito de: «¡Coged a esos malditos negrazos («niggers»)! ¡Coged a esos malditos negrazos blancos!» Los policías daban latigazos a la gente con ensañamiento, gritando con histeria, dando pinchazos eléctricos como los que se usaban con el ganado a los que intentaban huir, ya fueran hombres, mujeres o niños. El resultado de aquella tarde espantosa fue un gran número de heridos, dieciséis de ellos hospitalizados. Las fotografías de aquella intervención salvaje de las fuerzas del orden volvió a conmocionar a todo el país y a la opinión internacional.

Martin Luther King estaba horrorizado por la violencia que se había empleado y lamentaba no haber estado allí en la marcha con ellos. Por eso convocó otra marcha similar unos días después, encabezada esta vez por Ralph Abernathy y él. Sin embargo, las autoridades de Alabama consiguieron una orden federal que prohibía la marcha. Comenzaron a circular rumores de que King sería asesinado si lideraba la marcha. King empezó a recibir presiones para que cancelara la marcha. A pesar de las presiones y de la prohibición King decidió seguir adelante, no quería echarse atrás inútilmente como había hecho en Albany. Hizo un llamamiento a todos los hombres y mujeres religiosos del país, del credo que fueran, y a todos los hombres y mujeres laicos para que se unieran a la marcha de Selma. El llamamiento fue efectivo y empezó a llegar gente a Selma dispuesta a participar.

El martes emprendieron la segunda marcha 1.500 personas; de ellas más de la mitad eran blancas. De nuevo se encontraron con las fuerzas del orden y se les dio la orden de detenerse. Todos se arrodillaron y empezaron a rezar. King temió que pudiera producirse alguna muerte a manos de los soldados o los policías, así que ordenó a la gente que volvieran a Selma. Hubo quien criticó esta decisión, pero sin duda haber continuado habría supuesto otra jornada de violencia. A juicio de King era mejor esperar para intentar convocar a muchas más personas.

La violencia continuó. Un sacerdote unitario blanco, James Reeb, que había acudido a Selma desde Boston, fue asesinado brutalmente en un restaurante por miembros del Ku Klux Klan. El asesinato provocó manifestaciones en muchas ciudades. En Washington se congregaron 4.000 líderes religiosos para pedir que se implantara la nueva Ley del Derecho al Voto. El presidente Johnson habló aquella noche desde la televisión sobre los sucesos de Selma y quiso mostrar su apoyo al movimiento negro por los derechos civiles; Johnson dio la máxima prioridad a la aprobación de la Ley del Derecho al Voto e incluso terminó su discurso con la letra del título de la canción del movimiento: «We shall overcome» («Venceremos»).

A pesar de todo, hasta el momento los negros seguían sin poder inscribirse en los registros de Selma. Sólo cuando el presidente Johnson intervino la situación comenzó a cambiar. Se retiró la prohibición federal de la marcha de Selma a Montgomery y el presidente convirtió la Guardia Nacional de Alabama en federal. Además convocó en Selma a 4.000 soldados regulares del país para que protegieran el desarrollo pacífico de la marcha. Por fin pudieron marchar 5.000 personas desde Selma hasta Montgomery, encabezados por Martin Luther King. La organización resultó ejemplar y no hubo incidentes. Participaron artistas famosos para amenizar las veladas durante la marcha, como Leonard Berstein, Nina Simone, Harry Belafonte o Sammy Davis Jr. Cuando llegaron a Montgomery los participantes de la marcha se encontraron con más de 50.000 personas esperándolos. Habían venido de todas partes y representaban toda la variedad de razas, religiones o clases sociales que existían en el país. El ambiente en Montgomery era de fiesta, por los logros que se habían conseguido en diez años, desde el boicot que había tenido lugar allí mismo, hasta la marcha que terminaba ese día. La alegría nunca podía ser completa; una vez más se produjo otro asesinato, esta vez fue la señora blanca Viola Liuzzo, tiroteada cuando llevaba en su automóvil a varios manifestantes de vuelta a Selma.

Los guetos del Norte: Chicago

A partir de la primavera de 1965 Martin Luther King dio un giro al movimiento por los derechos civiles. La lucha en los Estados del Sur había dado importantes resultados contra la segregación. Sin embargo, King era consciente de que en las ciudades del Norte la comunidad negra tenía graves problemas. No se trataba de segregación, sino de dificultades económicas, aislamiento en guetos y falta de oportunidades. Mucha gente carecía de los ingresos suficientes para satisfacer sus necesidades básicas. La única salida que se les ofrecía era la violencia. Por ello se producían violentos disturbios; en 1964, por ejemplo, la violencia había estallado en Harlem y en 1965 se produjo otro brote en Los Ángeles.

King sentía que sus esfuerzos debían concentrarse en sus hermanos de las ciudades del Norte y la única manera de apaciguar esa violencia era ofrecer soluciones para los problemas que la originaban. Por ello en una reunión de la S.C.L.C. celebrada el 2 de abril propuso que las actividades de la organización se desarrollaran en las ciudades del Norte y del Oeste, como Detroit, Chicago, Baltimore, Los Ángeles y Filadelfia. Los dirigentes de la S.C.L.C. se oponían, pero al final King les convenció.

La primera ciudad en la que empezaron a trabajar fue Chicago. Se elaboró un programa para atraer la atención nacional hacia los graves problemas, la desesperación y la pobreza que afectaban a la comunidad negra que vivía en los guetos. King realizó múltiples viajes a la ciudad. Durante el verano de 1965 se organizó un desfile de más de 20.000 personas por el centro hasta el ayuntamiento. En 1966 la S.C.L.C. se trasladó a la ciudad para organizar mejor el movimiento. King dio un paso más, decidió alquilar un apartamento en el gueto para él y su familia. De esta manera podía conocer las condiciones de vida de la gente de manera más directa. Coretta Scott recordaba así el apartamento (pág. 289):

«Era un piso con las habitaciones en línea, con un comedor delante y las habitaciones detrás: dos dormitorios, una cocina y un cuarto de baño en malas condiciones. Había que pasar por los dormitorios para llegar a la cocina. Había un frigorífico viejo que al llenarlo de comida ya no enfriaba ni hacía hielo. (...) Por esta magnífica residencia Martin tenía que pagar 90 dólares al mes, *sin amueblar. ¡Cómo explotan a los pobres!»*

La familia King al completo se mudó al apartamento en el verano de 1966, cuando terminó la marcha de Mississipi. Para los niños no era fácil, aunque vivían mejor que las otras familias del edificio. Desde luego la familia King conoció de cerca las dificultades de las familias que vivían en los guetos. La gente del barrio estaba encantada con la presencia de los King; sólo algunas pandillas de jóvenes protestaron porque los King llevaban a su apartamento a blancos, personal de la S.C.L.C.; en poco tiempo King supo ganarse su confianza y comenzó a hablarles de la no violencia. La S.C.L.C. organizaba talleres para los líderes de las pandillas, en los que se intentaba convencerles de que abandonaran la violencia y adoptaran métodos no violentos; en muchos casos el resultado de los talleres fue positivo.

Martin Luther King había elaborado un programa detallado de acciones con el objeto de conseguir la igualdad racial en Chicago. King leyó el programa en la manifestación que se celebró el 10 de julio de 1966, a la que acudieron 50.000 personas. La manifestación transcurrió sin incidentes. Al terminar se quiso hacer entrega de las demandas al alcalde de la ciudad, Richard Daley. Como las puertas del ayuntamiento se mantuvieron cerradas, King las dejó fijadas en la puerta, en un gesto que salió en todos los medios de comunicación y a muchos les recordó al gesto de Martín Lutero cuando dejó sus noventa y cinco tesis en la puerta de Wittemberg. Al día siguiente King discutió las demandas con el alcalde, quien se negó a hacer cambios. La negativa del alcalde Daley dio paso al estallido de la violencia. Los disturbios se sucedieron toda la noche. King y la S.C.L.C. intentaron detenerlos sin conseguirlo. La violencia duró varios días y afectó también al vecindario donde vivían los King. Cuando terminaron los disturbios la familia King volvió a Atlanta, aunque Martin Luther siguió pasando gran parte de la semana en Chicago.

Luego la S.C.L.C. concentró sus esfuerzos en demandas concretas, como la vivienda, o en acciones concretas como la Operación Granero; esta última consistía en favorecer que en las tiendas y los negocios de la ciudad trabajara gente del barrio, con el fin de que los beneficios de estos establecimientos no salieran del gueto y pudieran favorecer a la gente que vivía en él. Se pedía colaboración a las tiendas en las que los vecinos compraban más para que contratasen a negros del barrio; si se negaban a colaborar, se hacía un boicot al establecimiento. Otras medidas consistían en que los negocios del gueto depositaran su dinero en bancos de negros, que a su vez podían dar facilidades a los negros para emprender un negocio.

La oposición a la guerra de Vietnam

Estados Unidos comenzó su intervención militar en Vietnam en 1961. Martin Luther King hizo su primera declaración pública en 1965, en el transcurso de una conferencia en la Universidad de Howard; en esta ocasión King solicitó que se negociara la paz. Más adelante en el mismo año King pronunció un discurso titulado «¿Por qué estáis aquí?», en el que insistió en su petición de una solución negociada coordinada por las Naciones Unidas. Para King se trataba de extender el concepto de la no violencia a la paz mundial. Durante la convención anual de la S.C.L.C. King expresó formalmente su oposición a la guerra de Vietnam y solicitó a las autoridades de Estados Unidos el cese de los bombardeos de Vietnam del Norte y que se iniciaran negociaciones con el Frente de Liberación Nacional. Esta intervención generó críticas hacia King por parte del Gobierno y de los dirigentes de la S.C.L.C.

En 1966 King no quería ponerse en contra del presidente Johnson, después de su colaboración en materia de derechos civiles. Sin embargo, cuando el presidente desvió fondos de programas contra la pobreza para destinarlos a la guerra de Vietnam, King volvió a criticar la intervención de Estados Unidos en la guerra.

En 1967 King se implicó de manera más activa en la oposición a la guerra. Colaboradores suyos, como el comunista Stanley Levison o James Bevel, así como su esposa, le pidieron que dedicara su atención a esta cuestión. Se trataba de una postura coherente después de haber recibido el Premio Nobel de la Paz. King pronunció un discurso en febrero llamado «Las víctimas de la guerra en Vietnam», en el que criticó abiertamente al Gobierno por centrarse más en la guerra de Vietnam que en la lucha por los derechos civiles. En marzo se celebró una marcha contra la guerra en Chicago, en la que King participó. Durante el mes siguiente King expresó su oposición más rotunda contra la guerra en un discurso titulado «Más allá de Vietnam». King pronunció el discurso en la iglesia de Riverside, de Nueva York, ante un grupo de 3.000 personas. En él señalaba que el esfuerzo de la guerra

«llevaba a los negros jóvenes inutilizados por nuestra sociedad y los enviaba a más de 3.000 millas para garantizar las libertades en el Sudeste de Asia, libertades que no habían encontrado en el sudoeste de Georgia o en el este de Harlem».

La actitud de King provocó reacciones en contra desde la S.C.L.C. y la N.A.A.C.P., pues pensaban que había que mantener separadas la lucha por los derechos civiles de la lucha pacifista; para King las dos luchas formaban en realidad una sola, por la paz y la libertad, conceptos inseparables e interdependientes. Dos semanas después King lideró una manifestación de miles de personas ante las Naciones Unidas para pedir la paz; se la llamó Movilización para la Paz de la Primavera. Después también participó en la creación de grupos de voluntarios que continuaran la oposición a la guerra.

Martin Luther King siguió tomando parte en acciones y proyectos contra la guerra de Vietnam hasta que fue asesinado en abril de 1968.

La Campaña por la Gente Pobre

Los disturbios en las ciudades continuaron durante el verano de 1967. Martin Luther King por supuesto estaba en contra de estos estallidos de violencia, pero al mismo tiempo comprendía que la situación de la gente los provocara. Había que atacar la pobreza para que la gente pudiera superar la violencia. King se esforzó en buscar una solución capaz de cambiar la vida de la gente en los guetos. Era necesario un programa que proporcionara empleos y oportunidades económicas. King conoció en Washington los programas que existían para la gente pobre y le pareció que era necesario extenderlos a más ciudades y Estados.

King concibió un plan que movilizara a toda la gente sin recursos del Sur y del Norte, para que participaran en una marcha en Washington. De esta manera sensibilizarían a la opinión pública y presionarían al Gobierno para que ampliara sus acciones y programas sociales para los más desfavorecidos. Se intentaría movilizar no sólo a los negros, sino a los puertorriqueños, mexicanos, indios americanos e incluso a los blancos pobres. Este plan fue llamado Campaña por la Gente Pobre. La S.C.L.C. aprobó la puesta en marcha de la campaña. Se seleccionaron diez ciudades y cinco zonas rurales para empezar a actuar; en cada lugar había que movilizar a 250 personas, así se llegaría a más de 3.000 personas. A partir de ahí la campaña se extendió más. Los objetivos del plan se resumían en solicitar seguridad económica, vivienda digna y educación de calidad para todos los norteamericanos.

La S.C.L.C. hizo un enorme despliegue logístico para organizar la campaña. La gente cada vez se entusiasmaba más con el plan y acudían en mayor número a escuchar cómo se iba a organizar la marcha. En marzo de 1968 King decidió convocar a los líderes de todos los grupos minoritarios del país a una reunión en Atlanta. Allí se reunieron representantes de los indios de las reservas, los blancos pobres de los Appalaches, los puertorriqueños y los mexicanos. Cada grupo expuso sus demandas concretas y después se intentó elaborar un programa común. Cuando se consiguió terminar el programa los líderes se comprometieron a reclutar a más gente para la campaña.

King siguió trabajando por la campaña y dedicándole todos sus esfuerzos. Viajó a lugares de todo el país, especialmente del Sur, para pronunciar discursos y captar a líderes locales para que participaran en la campaña. Su esfuerzo se vio interrumpido por su muerte el 4 de abril en Memphis.

El acecho del F.B.I.

El apoyo de Kennedy a King no significó que fuera mirado con agrado por el Gobierno y gran parte de las estructuras de poder del país. Durante la década de los años 60 Estados Unidos estaba en plena guerra fría. El comunismo se veía como una amenaza que podía atacar desde dentro del país. Las autoridades comenzaron a pensar que detrás del movimiento de los derechos civiles podían esconderse simpatizantes de las ideas comunistas. En aquella época el hecho de estar relacionado con reformas sociales, aunque fueran simplemente las reformas sociales del New Deal propuestas por Roosevelt, suponía que se podía estar conectado al comunismo detrás de esas reformas; si a alguien le llamaban comunista se exponía a ser vigilado y perseguido. Por ello Martin Luther King empezó a ser considerado como un sospechoso y se convirtió en uno de los objetivos del F.B.I.

Sin embargo, en el caso de King puede afirmarse que tildarle de comunista era un pretexto para desprestigiarle, ya que se había convertido en alguien molesto para un amplio sector del poder del país. Martin Luther King había alcanzado tanto prestigio que se había convertido casi en un mito, capaz de movilizar a cientos de miles de personas. Las manifestaciones pacíficas que organizaba acababan revelando la violencia que existía en la policía de Estados Unidos y esta violencia dañaba la imagen del país en el exterior. Por otro lado, sus denuncias de la segregación y de la discriminación que existían en la sociedad hacían tambalearse los cimientos del sistema social establecido por el poder blanco del país. Todo esto bastaba para que King estuviera en el punto de mira.

La persona que más firmemente emprendió la campaña de desprestigio contra Martin Luther King fue J. Edgar Hoover, director del

F.B.I. Ya en los años 50 ordenó que se realizara una investigación sobre él con el fin de encontrar un motivo para acabar con su prestigio. El F.B.I. se centró en la amistad que tenía King con Stanley Levison, un abogado judío miembro del Partido Comunista. Se conocían desde la época del boicot de Montgomery; Levinson asesoraba a King en las cuestiones legales que surgían en las campañas. El presidente Eisenhower en 1956 solicitó un informe al F.B.I. sobre los problemas raciales y Hoover aprovechó la ocasión para incluir en el informe que la influencia del comunismo en el movimiento contra la segregación era muy elevada y que podía haber miembros del Partido Comunista asesorando a los líderes negros como Martin Luther King. Estos informes de Hoover provocaron que Eisenhower se mostrara cauto a la hora de elaborar una ley de reforma de los derechos civiles. Hoover presentó un informe detallado al presidente el 9 de marzo de 1956, en el que se daban detalles dobre el boicot y se afirmaba que el movimiento por los derechos civiles era algo subversivo y perjudicial para la nación. Además en el gabinete de Eisenhower estaba Sherman Adams, jefe de personal, firme defensor de la segregación; Adams aprovechó la ocasión para convencer al presidente de que la violencia generada en el boicot era responsabilidad de los negros y provocada por ellos. Adams desaconsejó que se elaborara una ley contra los linchamientos y afirmó que la integración iba en contra de la Constitución.

En los informes de Hoover no aparecía ninguna relación de King con el comunismo, pero sí aparecía ya el nombre de Stanley Levison. King había hecho comentarios contrarios al comunismo, por ejemplo, cuando criticó el hecho de que Du Bois, fundador del N.A.A.C.P., solicitara el ingreso en el Partido Comunista en octubre de 1961. King expresó la siguiente opinión sobre la decisión de Du Bois, que suponía (Roig y Coronado, pág. 104):

«la deserción de uno de los más brillantes intelectuales negros en Estados Unidos. No cabe la menor duda de que si el problema de la discriminación racial no se resuelve en un futuro cercano, algunos negros, impulsados contra su frustración, descontento y desesperación, se volcarán a otras ideologías, que yo no comparto».

Cuando Eisenhower abandona la presidencia para dejar paso a John Fitzgerald Kennedy, Hoover continuó con sus investigaciones sobre Levison y su relación con Martin Luther King. Sin embargo, cuando Kennedy lee los informes, no le parece tan claro que a King pueda probársele una filiación con el comunismo. Hoover argüía que King había recibido sangre de Ben Davis, que era claramente comunista, cuando King sufrió el atentado de 1958; como era de esperar, King le dio las gracias públicamente, lo cual daba un argumento a Hoover. Sin embargo, Kennedy no veía en ello una implicación directa, como tampoco en el hecho de que King hubiera pronunciado un discurso de clausura en la Highlander Folk School, una escuela vinculada al Partido Comunista. Hoover seguía insistiendo también en la amistad de King y Levison. Kennedy conocía el informe de Hoover y aconsejó a King que terminara su relación con Levison, pues la Casa Blanca no podía relacionarse con nadie próximo al comunismo y King por su amistad con Levison se arriesgaba a ser tachado de comunista. King respondió al presidente que se trataba simplemente de un amigo, con el que no compartía sus ideas políticas; de hecho, King mantuvo su amistad con él, además de seguir contando con sus servicios como abogado.

Hoover continuó sus investigaciones. En 1962 el F.B.I. instaló micrófonos y un sistema de ecuchas telefónicas en el despacho de Stanley Levison. A partir del 16 de marzo el F.B.I. estaba en condiciones de escuchar cualquier conversación del abogado con Martin Luther King o cualquier otra persona. Las conversaciones más próximas al entorno de King resultaron ser las que trataban de la S.C.L.C., en concreto sobre cómo recaudar fondos para la organización. Aun así Hoover entregó un informe a Kennedy sobre las actividades de King. Ese mismo informe fue entregado al Departamento de Estado y a la C.I.A., a pesar de que no se probaba nada sobre la filiación comunista de Martin Luther King. Las escuchas y grabaciones prosiguieron después de la muerte de John Fitzgerald Kennedy; en este caso Hoover entregaba sus informes al presidente Lyndon B. Johnson. Hoover vinculaba a King con Levison y con Jack O'Dell, comunista amigo de Levison. Sin embargo, en las grabaciones sólo se ponía de manifiesto que Martin Luther King era un hombre normal que bromeaba con sus amigos y que, como cualquier otro ciudadano, hacía algún comentario sobre el presidente.

King supo de la vigilancia continua que se estaba ejerciendo sobre él y se mantuvo tranquilo, al no tener nada que ocultar. Hizo manifestaciones públicas en las que afirmaba que no tenía nada que ver con el comunismo e insistió en que tampoco había hecho ningún uso fraudulento del dinero. Wyatt Walker le comentó a King que Hoover también afirmaba que tenía una amante, con la idea tal vez de empañar su imagen tildándole de mujeriego. King sentía una presión injusta sobre él, pues seguía insistiendo en que no tenía nada que ocultar y, por supuesto, ninguna vinculación con el comunismo; la presión llegó a tal extremo que solicitó una entrevista con Hoover. King le pidió explicaciones sobre la vigilancia a la que estaba sometido y Hoover la negó; sin embargo, los periodistas tuvieron acceso a las cintas grabadas con sus conversaciones. Cuando salió de la conversación con Hoover King comentó a los periodistas:

«Espero sinceramente que podamos olvidar las confusiones del pasado y seguir con la tarea que el Congreso, el Tribunal Supremo y el presidente señalan como el problema más crucial de este país: los derechos civiles.»

Hoover no dejó en paz a Martin Luther King. Hoover le envió un paquete a su casa en enero de 1965. El paquete contenía cintas con las escuchas del F.B.I. y una carta; se trataba de una carta en tono amenazante: si no cesaba la lucha por los derechos civiles, toda la población iba a conocer la «sucia y fraudulenta personalidad» de King. Por supuesto, King continuó con su lucha, pero el F.B.I. continuó vigilándole hasta su muerte.

El asesinato

Martin Luther King era plenamente consciente de que era bastante probable que su vida no fuera muy larga. Conocía muchos ejemplos a lo largo de la Historia de personas que habían pagado con su vida sus esfuerzos por conseguir un mundo mejor. A pesar de ello nunca se obsesionó por la muerte y aceptó el hecho de que su vida siempre estuviera en peligro. King solía repetir que «si un hombre no ha encontrado algo por lo que merezca la pena dar la vida, no merece vivir».

Los últimos meses de su vida King trabajó a un ritmo frenético, como si hubiera sido consciente de que su fin se aproximaba. Estaba volcado en la organización de la Campaña por la Gente Pobre, aunque también cumplía otros compromisos cuando surgían.

En febrero de 1968 King se enteró de que una manifestación pacífica del sindicato llamado Unión de Trabajadores de la Limpieza de Memphis había sido brutalmente reprimida por la policía. King estaba dando una conferencia en homenaje a Du Bois en Nueva York cuando fue informado de este hecho. En Memphis estaba Jim Lawson, que pertenecía a la S.C.L.C.; Lawson canalizó la indignación generada por la acción brutal y consiguió generar un movimiento de protesta en la ciudad contra la acción de la policía, apoyado por negros y blancos. El sindicato AFL-CIO, en su mayoría formado por blancos, se sumó al movimiento de protesta. Lawson llamó por teléfono a King para pedirle ayuda. King acudió de inmediato y se dirigió a la población de Memphis, asistiendo a una reunión multitudinaria. Lawson aprovechó la ocasión para pedirle que participara en una marcha de protesta en la ciudad el 28 de marzo. A pesar de sus múltiples ocupaciones, King aceptó la invitación.

La manifestación de Memphis del 28 de marzo no transcurrió sin violencia. Cuando King llegó ya había empezado. Se encontró con carteles que decían «Poder Negro» y grupos con insignias nacionalistas. Grupos de jóvenes que observaban la manifestación empezaron a tirar piedras. La policía empezó a cargar contra los manifestantes sin ningún miramiento; a consecuencia de esta actuación un joven recibió un tiro en la espalda y murió. Al terminar la manifestación los líderes de la S.C.L.C. le pidieron que volviera al motel, pues era posible que la violencia se dirigiera contra él. King se sentía decepcionado; aquélla había sido la primera vez que había caminado al frente de una manifestación en la que había brotado la violencia. Al día siguiente, en una conferencia de prensa, King insistió en los principios de la no violencia y en la frustración de la comunidad negra que llevaba a algunos a recurrir a la violencia.

King volvió a Atlanta. En una reunión con los dirigentes de la S.C.L.C. se discutió si era oportuno continuar apoyando a la gente de Memphis. Todos eran conscientes de que si se producían más manifestaciones con violencia, la gente iba a tener miedo de lo que pudiera pasar en la Marcha de Washington de la Campaña por la Gente Pobre y este miedo iba a restar efectividad a esta campaña, que era el objetivo más importante. Por ello King afirmaba que era necesario demostrar que en Memphis se podía celebrar una manifestación pacífica. Para conseguirlo habría que preparar a la población de la ciudad y adiestrarla en los principios de la no violencia. King convenció a los dirigentes de que aceptaran este camino.

Se decidió que el día 3 de abril iban a comenzar los preparativos de la manifestación y que el día 8 se iba a celebrar. El 3 de abril King llegó a Memphis. Como había sido criticado anteriormente por alojarse en el Holiday Inn, el hotel más seguro para él, se alojó en un motel regentado por negros, el Lorraine Motel, cercano al lugar donde se iba a iniciar la manifestación.

La noche del 3 de abril King acudió a la iglesia de Clayborn y ante una congregación de 2.000 personas pronunció uno de sus mejores discursos, el que sería el último. El discurso tuvo un tono profético, pues King habló de su propia muerte (Coretta, pág. 328):

«No sé lo que ocurrirá a partir de ahora. Tenemos días difíciles frente a nosotros. Pero en realidad eso no me preocupa ahora. Porque he llegado a la cima de la montaña. No me preocupará.

Como a cualquiera, me gustaría vivir una vida larga. La longevidad tiene su importancia. Pero no es algo que me inquiete mucho. Quiero cumplir simplemente la voluntad de Dios. Me ha permitido subir a la montaña. Y he mirado por encima, y he visto la Tierra Prometida.

Puede que no llegue a ella con vosotros, pero quiero deciros hoy que nosotros como pueblo llegaremos a la Tierra Prometida.

Así que estoy contento esta noche. No me preocupa nada. No temo a nadie. Mis ojos han visto la gloria de la llegada del Señor...».

No pudo terminar la cita «su verdad continúa andando», por la reacción de los asistentes, tan conmocionados por estas palabras que su propia voz se quebró por la emoción.

Al día siguiente King estaba de buen humor, aunque preocupado por cómo se desarrollaría la manifestación. Llamó por teléfono a su madre y habló con su hermano A. D. sobre el sermón que iba a pronunciar en la iglesia de Ebenezer el domingo siguiente. Por la tarde King permaneció en el hotel. A la hora de cenar King iba a salir con Ralph Abernathy. Salomon Jones, el chófer, le sugirió que llevara el abrigo, pues hacía fresco en la calle. King dijo «De acuerdo» y salió a la terraza. En ese momento se produjo el disparo. Abernathy lo encontró desplomado en el suelo, la bala había entrado en su garganta. Rápidamente llegó la ambulancia que lo llevó al hospital de Saint Joseph, donde a las 7:05 los médicos declararon que había fallecido. Joseph Louw pudo hacer una fotografía de King en el suelo cuando acababan de dispararle. La foto dio la vuelta al mundo. El disparo procedía del balcón situado enfrente, que pertenecía a otro hotel.

A Coretta Scott le dijeron que su marido estaba muy grave, sus hijos pusieron la televisión y supieron que a su padre le habían tiroteado. Cuando estaba a punto de tomar el primer avión rumbo a Memphis, el alcalde de Atlanta le comunicó que su esposo había muerto. Coretta Scott volvió a casa para estar con sus hijos. Pensó que su marido había muerto precisamente en la época de Pascua, como Jesucristo, la época en la que llega la alegría de la Resurrección (pág. 332):

«Mi marido había hablado siempre sobre su disponibilidad para dar la vida por una causa en la que creía. Sentía que entregarse completamente serviría como una fuerza redentora en su inspiración para otras personas. Esto significaría que sería resucitado en las vidas de otras personas que se dedicarían también a una gran causa. Martin había sentido una identidad mística con el espíritu y el significado de la Pasión de Cristo. E incluso en aquellos primeros momentos terribles me vino a la mente que en cierta manera resultaba apropiado que el sacrificio supremo de Martin Luther King hubiera sucedido en la época de Pascua.»

El presidente Johnson llamó a Coretta Scott para expresarle sus condolencias. El senador Robert Kennedy también llamó y le ofreció su avión para llevarla a Memphis. Coretta recibió mensajes de apoyo de muchísimas personas; todo el país sentía la muerte de Martin Luther King. El presidente Johnson habló desde la televisión y anunció que iba a convocar una sesión extraordinaria en el Congreso para comenzar un programa de acción sobre las necesidades más acuciantes de los ciudadanos; además estableció que el día 7 iba a ser un día de luto nacional.

Sin embargo, el presidente no pudo evitar la reacción violenta de la comunidad negra al enterarse de la muerte de Martin Luther King. Stokely Carmichael, desde el grupo del Poder Negro, pidió que se vengara la muerte de King. Carmichael declaró ante la prensa (Roig, pág. 167):

«Era el único hombre de nuestra raza que trataba de inculcar a nuestra gente que tuviera amor, compasión y perdón para los hom-

bres blancos. Cuando la comunidad blanca norteamericana asesinó al doctor la otra noche, nos declaró la guerra. No vamos a llorarle ni a rendirle homenajes... Vamos a vengar la muerte de nuestros dirigentes. El ajusticiamiento por esas muertes no se producirá en los tribunales, se producirá en las calles de los Estados Unidos de América.»

Roy Wilkins, como director de la N.A.A.C.P., intentó calmar la situación, diciendo a los defensores de la violencia que King se habría escandalizado al saber que por él se iba a producir precisamente la violencia que siempro quiso evitar. A pesar del llamamiento para evitar la violencia, se produjeron episodios violentos en más de 125 ciudades, a través de 25 Estados. En Washington tuvieron lugar los incidentes más violentos durante tres días. El presidente Johnson tuvo que enviar 20.000 soldados y 24.000 guardias nacionales a diferentes ciudades y hubo que instaurar el toque de queda en muchas de ellas. A finales del mes de abril ya se contaban más de 46 muertos en los disturbios y más de 2.600 heridos.

El presidente Johnson pedía al pueblo norteamericano que se mantuviera unido y se respetara la paz. Se suspendieron numerosos actos oficiales, incluso la ceremonia de los Oscars de Hollywood. En Memphis se celebró una manifestación de 42.000 personas en silencio, la manifestación en la que King iba a participar. Se celebró para honrar a King y en apoyo de los trabajadores de la limpieza. La manifestación estuvo presidida por Ralph Abernathy, elegido nuevo presidente de la S.C.L.C., y Coretta Scott, quien pidió a todos los asistentes que continuaran la lucha pacífica por los derechos civiles.

Después se organizó el funeral. Coretta Scott pensó que su marido habría deseado un funeral sencillo, con la misma sobriedad con la que había vivido. Primero los restos de King permanecieron un día en la capilla del Spelman College, para que la gente que lo deseara pudiera rendirle tributo.

El funeral de Martin Luther King se celebró el 8 de abril en Atlanta, en la iglesia de Ebenezer, donde ejercía de pastor su padre y él mismo como ayudante. Ebenezer era la iglesia más cercana al corazón de King, en ella había sido bautizado y había conocido la vocación religiosa. En la iglesia sólo cabían 750 personas, entre ellas se contaron algunas de las personalidades más importantes del país y también gentes humildes, tanto blancos como negros, de todas las clases sociales; de todas formas cualquier lugar habría sido pequeño para las 150.000 personas que quisieron asistir al funeral. En la iglesia habló Harold de Wolf, uno de sus profesores en la Universidad de Boston. Después escucharon una grabación del mismo King, de un sermón que había pronunciado el 4 de febrero de aquel año, porque en él había hablado sobre su propio funeral; sus palabras, entre otras, habían sido las siguientes (Coretta, pág. 342):

«Me gustaría que alguien mencionara ese día que Martin Luther King intentó dar su vida sirviendo a los demás. (...) Me gustaría que alguien ese día dijera que Martin Luther King intentó amar a alguien (...).»

El ataúd con los restos de King fue llevado por un carro de mulas a lo largo de cinco kilómetros por las calles de Atlanta, seguido por 150.000 personas. Habían decidido que King fuera llevado así, como la gente con pocos recursos, para simbolizar su empeño en la Campaña por la Gente Pobre y llamar la atención de la opinión pública sobre las condiciones en las que vivían las clases desfavorecidas del país. Fue llevado hasta el centro Morehouse, donde el doctor Benjamin Mays iba a pronunciar las últimas palabras de homenaje a King antes de su entierro en el cementerio de South View, donde yacían sus familiares. Sobre su tumba se grabó el siguiente epitafio:

LIBRE AL FIN, LIBRE AL FIN.
GRACIAS, DIOS TODOPODEROSO
SOY LIBRE AL FIN

¿Quién asesinó a Martin Luther King?

Se comenzó a investigar el asesinato de King. Un hombre blanco había pedido una habitación en el hotel de enfrente el 4 de abril. La recepcionista se sorprendió porque se trataba de un hotel al que sólo acudían negros. Aquel señor, alto, elegante y de mediana edad, pidió una habitación desde la que se viera el hotel Lorraine, en el que estaba alojado Martin Luther King. El hombre tenía acento del Sur y dijo llamarse John Willard.

El F.B.I. inició la búsqueda de John Willard, sin grandes resultados, aunque ya había sido identificado. Se llamaba James Earl Ray. La periodista Oriana Fallaci había contribuido al esclarecimiento del crimen, pues supo que el fusil empleado para matar a King había sido robado dos días antes en una tienda de artículos de deporte. Gracias a este dato se supo que James Earl Ray había disparado el fusil.

James Earl Ray era un fugitivo que había huido de la prisión de Missouri, donde estaba condenado a varios años por haber cometido varios atracos a mano armada y otros delitos. Se había escapado en 1967. Pronto comenzaron a surgir rumores de una conspiración según la cual a Ray le habían ofrecido 100.000 dólares si mataba a King. Se hablaba de unos hombres de Missouri y se llegó a mencionar el nombre de Russell G. Byers, vendedor de automóviles en San Luis. La familia de King exigía que se investigara a fondo la posibilidad de la conspiración y de que hubiera más implicados.

En junio de 1968 detuvieron a Ray en Londres. Ray había estado antes en Canadá, Lisboa y Bruselas. Se declaró culpable en el juicio y dijo que el motivo era el odio que sentía hacia los negros. En el juicio se le preguntó de dónde había sacado el dinero para tantos viajes y la vida lujosa que llevaba. Ray contestó que lo había ahorrado. No se pudo saber nada más sobre otros posibles implicados en el asesinato. Ray fue condenado a 99 años de prisión.

En 1977 Ray modificó su declaración y afirmó que él no había disparado el rifle, sino otras personas que también le dieron el arma y una cantidad de dinero. Un tiempo después Ray se escapó de la cárcel, aunque fue encontrado dos días más tarde. De nuevo la teoría de la conspiración ganaba peso, al sugerir que había gente interesada en que Ray no hablara.

Coretta Scott y los hijos de King insistieron una y otra vez en que se abriera de nuevo el caso. En 1998 Bill Clinton accedió a sus peticiones y pidió a la fiscal general, Janet Reno, que atendiera a las reclamaciones de la familia King para decidir si se debía realizar una nueva investigación sobre el caso. Sin embargo, las autoridades de Tennessee no quisieron reabrir el caso. Conseguir una nueva investigación puede resultar aún más difícil desde la muerte de Ray, ocurrida el 23 de abril de 1998.

La familia King afirma que Martin Luther King fue asesinado por una conspiración llevada a cabo por los organismos de seguridad del Gobierno de Johnson. De acuerdo con su teoría, existen testigos y documentos que muestran que la C.I.A. y el F.B.I. habían decidido que Martin Luther King debía ser eliminado.

VIII. MALCOM X Y EL PODER NEGRO

Para comprender el papel de Martin Luther King en la lucha por los derechos de la población negra es necesario conocer otras figuras contemporáneas que desempeñaron también un papel decisivo en la lucha en favor de la igualdad, aunque adoptaran otro punto de vista y no estuvieran de acuerdo con la no violencia defendida por King. Además se puede entender mejor la ideología de Martin Luther King por el contraste con otras maneras de entender la cuestión racial. Uno de los líderes negros coetáneo de King fue Malcom X, que nació en 1925. Malcolm X era partidario del uso de las armas para defenderse de las injusticias de los blancos y no deseaba una integración con ellos, sino la separación total. Se unió a la Nación del Islam, grupo de negros musulmanes fundado por Elijah Muhammad, y pronto se convirtió en su líder. A lo largo de los años Malcolm X fue modificando su manera de pensar, hasta que en 1964 abandonó la Nación del Islam y se hizo partidario de la unión de todos los grupos negros para progresar en la lucha a favor de los derechos. Nunca llegó a estar de acuerdo con los postulados del movimiento de la no violencia, pero intentó colaborar con Martin Luther King y se reunió con otras asociaciones de los Estados del Sur. La influencia de la ideología de Malcolm X persistió tras su muerte en 1965 y alcanzó plena vigencia con el surgimiento del Poder Negro o Black Power.

Los musulmanes negros

La Nación del Islam no fue el primer grupo negro que abrazó la religión islámica. Ya en el siglo XIX un negro de Carolina del Norte llamado Timothy Drew fundó en 1886 un grupo religioso islámico con un fuerte componente nacionalista.

Después Elijah Muhammad fundó el Movimiento de Musulmanes Negros, más conocido por el nombre de Nación del Islam. Este grupo estaba en contra de la integración, al pensar que sólo causaría problemas para la comunidad negra. Su ideología era separatista y defendía la superioridad del negro sobre el blanco. Sobre la Nación del Islam Martin Luther King manifestó lo siguiente :

«Nutrido por la frustración del negro, hijo de la permanencia de la discriminación racial, ese movimiento se compone de gentes que han perdido su fe en los Estados Unidos, que han repudiado definitivamente el cristianismo y que han llegado a la conclusión de que el blanco es un demonio incorregible.»

Elijah Muhammad creó una especie de mitología o credo religioso según el cual el hombre negro era la perfección. De acuerdo con estas creencias todos los hombres negros son divinos y están hechos a semejanza de Alá, a quien representan en la Tierra. Por el contrario, los blancos son imperfectos y carecen de la sabiduría y la creatividad connaturales al hombre negro. Debido a los defectos del hombre blanco, la población negra debía apartarse lo más posible de los blancos, ya que si mezclaba su sangre con ellos se vería perjudicada tanto física como moralmente. La separación total del hombre blanco haría posible que el negro se liberase de la imagen de inferioridad creada por el hombre blanco y adquiriese una nueva identidad real acorde con su propia valía. Algunos pensadores han encontrado en la ideología de la Nación del Islam algo similar al racismo, al conceder la superioridad al hombre negro frente al hombre blanco, este último considerado como una bestia, un impostor, opresor y asesino.

El objetivo fundamental de la Nación del Islam era crear una República Negra dentro de los Estados Unidos. Para ello el Gobierno debía proporcionar las tierras y la ayuda necesarias en concepto de compensación por tantos años de esclavitud y explotación.

En cuanto a la violencia, Elijah Muhammad no era partidario de iniciar la violencia, pero no ponía objeciones a la violencia ejercida en respuesta a un ataque. La Ley del Talión era una ley divina especialmente indicada cuando se ejercía contra el hombre blanco. Puesto que los blancos practicaban también la ley de la represalia, según la Nación del Islam era legítimo usarla contra ellos. King por supuesto estaba en desacuerdo con la Ley del

Talión; solía decir que la «filosofía del ojo por ojo» podía dejar ciega a la Humanidad.

Por otra parte nada había más opuesto a la ideología de King que la creencia en la superioridad del negro. Martin Luther King creía en la igualdad de todos los hombres y en la importancia del amor, por ello pensaba que la Nación del Islam se autodescalificaba al presentar ideas como la de que todos los blancos eran demonios. Además King consideraba que los musulmanes negros eran demasiado intransigentes, ya que se negaban a entablar un diálogo con otras posiciones.

Más adelante la ideología de la Nación del Islam fue evolucionando. El sucesor de Elijah Muhammad como líder del grupo fue su hijo Wallace Muhammad. El nuevo director espiritual de los musulmanes negros rechazó el separatismo y se mostró partidario de admitir a los blancos en su grupo religioso. Quizá en esta transformación influyó el cambio de postura de Malcolm X, que ya había abandonado al grupo mucho tiempo atrás al estar en desacuerdo con Elijah Muhammad.

La vida de Malcolm X

Su verdadero nombre familiar fue Malcolm Little. Al igual que Martin Luther King, nació en el seno de una familia plenamente activa en la causa negra, pues sus padres militaban en la organización fundada por Marcus Garvey llamada Asociación Universal para el Progreso de los Negros. Malcolm nació en Omaha, en el Estado de Nebraska, el 19 de mayo de 1925. Otro dato paralelo con Martin Luther King es que su padre era predicador baptista y se dedicaba a predicar de forma itinerante. Su padre sufrió numerosos ataques racistas por sus opiniones nacionalistas a favor de los negros y por ello tuvo que cambiar de domicilio en numerosas ocasiones. Durante la infancia de Malcolm la familia se estableció en East Lansing, en Michigan. La infancia de Malcolm no fue nada fácil; en este aspecto su vida ya no ofrece ninguna similitud con la de Martin Luther King, quien disfrutó de una familia estable y acomodada. En 1931 tuvo lugar una tragedia familiar que sin duda marcó a Malcolm para el resto de su vida y ejerció una gran influencia en su visión negativa de los blancos. Su padre murió al ser atropellado por un tranvía y Malcolm creció convencido de que no se trató de un accidente, sino de un asesinato perpetrado por un grupo blanco racista de la misma ciudad. Después en 1939 a su madre, aquejada de una enfermedad mental, la ingresaron en una institucion psiquiátrica. Malcolm perdió su hogar familiar y tuvo que pasar su adolescencia en orfanatos e internados.

En 1941, con tan sólo dieciséis años, Malcolm era un chico desarraigado. Se marchó a Boston, donde tuvo que luchar por sobrevivir trabajando en lo que pudo y cometiendo pequeños delitos. Cada vez se iba adentrando más en el mundo de la delincuencia hasta que en 1946 Malcolm fue arrestado por robo y allanamiento de morada. En febrero de 1946 ingresó en prisión. Allí conoció, por medio de su hermaño Reginald, la existencia del Templo del Islam, una pequeña secta islámica negra con ideas nacionalistas, fundada por Elijah Muhammad y que después se llamó Nación del Islam.

Al unirse a este grupo Malcolm comenzó a interesarse por la política y la historia de todo el mundo y por el papel de los negros en la Historia. Malcolm leyó con especial interés todo lo concerniente a la esclavitud de los negros africanos y a la discriminación de la población negra en Estados Unidos. Malcolm permaneció en prisión seis años; en 1952 salió en libertad condicional. Fue en ese momento cuando cambió su apellido y comenzó a hacerse llamar Malcolm X; esta X tenía un valor simbólico, pues servía para reemplazar el apellido africano de sus antepasados africanos esclavos, imposible de conocer. Malcolm X siempre se manifestó agradecido al grupo de la Nación del Islam, porque el hecho de entrar en contacto con ellos hizo posible que se rehabilitara en la prisión, al igual que muchos otros negros encarcelados que de otra forma nunca se habrían rehabilitado. La labor de los musulmanes negros en cuanto a la rehabilitación de presos, drogadictos y otros marginados fue valorada también por Martin Luther King en alguno de sus discursos.

Cuando salió de la cárcel Malcolm X se convirtió en predicador de la Nación del Islam. Al igual que Martin Luther King, Malcolm X poseía unas dotes extraordinarias como orador y era capaz de convertir a cientos de personas en miembros de la Nación del Islam en un corto espacio de tiempo. Elijah Muhammad advirtió en seguida el enorme talento de Malcolm X y empezó a brindarle puestos de mayor responsabilidad. Malcolm X fue nombrado ministro del templo número 7 de Nueva York en 1954, puesto de rango elevado en el grupo, tan sólo dos años después de salir de la cárcel. En 1957

Malcolm ya se había convertido en representante nacional de la Nación del Islam. Sus ideas por supuesto todavía permanecían en sintonía total con las del grupo, partidario de la separación radical de negros y blancos, la constitución de una nación para negros y la defensa de cualquier medio para conseguir estos objetivos. Por ello Malcolm desaprobaba la estrategia de la no violencia de Martin Luther King. En un discurso pronunciado con motivo de la Conferencia del Liderazgo Popular de los Negros del Norte (Northern Negro Grass Roots Leadership Conference), celebrado en noviembre de 1963, Malcolm X afirmaba (Breitman, pág. 9):

«La única revolución cuya meta es amar a tu enemigo es la revolución negra... La revolución es sangrienta, la revolución es hostil, la revolución no conoce compromiso, la revolución arrolla y destruye todo lo que encuentra en su camino. Y ustedes se quedan allí sentados como un bulto en la pared diciendo: "Voy a amar a esas personas sin importar lo mucho que me odian." No, ustedes necesitan una revolución.»

Malcolm X sostenía que la población negra estaba cada vez más desencantada y que el movimiento de Martin Luther King no conseguía los efectos deseados, pues se había revelado insuficiente para solucionar los problemas de la comunidad negra. Debido a estas carencias la población prefería cada vez más líderes locales que se preocuparan de sus problemas concretos, no líderes nacionales centrados en campañas a gran escala mientras que la realidad diaria continuaba siendo igual de dura. Malcolm X vio así la desunión entre los líderes del movimiento de la no violencia, creciente desde los sucesos de Birmingham:

«En cuanto King fracasó en Birmingham, los negros se lanzaron a la calle. King se fue a California, a una gran concentración, y recogió no sé cuántos miles de dólares. Vino a Detroit, realizó una marcha y recaudó unos cuantos miles de dólares más. Y recuerden que, inmediatamente después, Roy Wilkins atacó a King. Acusó a King y al C.O.R.E. de provocar líos en todas partes y luego hacer que la N.A.A.C.P. los sacara de la cárcel y gastara muchísimo dinero; acusaron a King y al C.O.R.E. de recaudar todo el dinero y no restituirlo. Eso ocurrió; lo tengo, en el periódico, en pruebas documentadas. Roy empezó a atacar a King, King empezó a atacar a

Roy y Farmer empezó a atacar a los dos. Y a medida que esos negros de estatura nacional se atacaban unos a otros iban perdiendo su control sobre las masas negras.»

Otro de los motivos por los que Malcolm X estaba en desacuerdo con Martin Luther King es el hecho de que en la Marcha sobre Washington se hubiera permitido la participación de sectores blancos liberales. La Nación del Islam era totalmente contraria a la cooperación con los blancos y mucho más a la integración con ellos:

«Ningún negro en su sano juicio quiere realmente la integración. Ningún blanco en su sano juicio desea la integración. El honorable Elijah Muhammad enseña que la única solución para el hombre negro de América es la separación total del hombre blanco.»

Malcolm X consideraba natural que la comunidad negra recurriera a la violencia para lograr sus objetivos, así había ocurrido durante los sucesos de Birmingham. Según él, la violencia había provocado que por fin se hablara de la cuestión negra a nivel nacional:

«Los negros estaban en la calle. Hablaban de cómo iban a marchar sobre Washington. Precisamente entonces había estallado Birmingham y los negros de Birmingham —acuérdense— también estallaron. Empezaron a apuñalar a los crackers y a reventarles la cabeza. Sí, señores, eso hicieron. Fue entonces cuando salió Kennedy en la televisión y dijo: "Ésta es una cuestión moral." Fue entonces cuando dijo que iba a sacar una ley de derechos civiles. Y cuando mencionó la ley de derechos civiles, los crackers sureños empezaron a hablar de que iban a hacer una marcha hasta la Casa Blanca, una marcha hasta el Congreso para obstaculizarlo, detenerlo, para no dejarlo proseguir. Hasta dijeron que iban al aeropuerto a acostarse sobre la pista para no dejar aterrizar ningún avión. Les estoy diciendo lo que dijeron. Era la revolución. Aquello era la revolución. Era la revolución negra.»

En cuanto a la Marcha sobre Washington, Malcolm X criticaba que se hubiera aceptado pactar con los blancos. En el fragmento de uno de sus discursos que vamos a citar a continuación se puede apreciar que su visión de la marcha desde luego no es nada justa con Martin Luther King:

«Es exactamente igual que cuando uno tiene un café demasiado negro, lo que significa que está demasiado fuerte. ¿Qué hace? Lo mezcla con leche, lo pone flojo. Pero si se le echa demasiada leche, ni siquiera se sabrá que tenía café. Estaba caliente y se enfría. Estaba fuerte y se pone flojo. Te despertaba y ahora te pone a dormir. Eso fue lo que hicieron con la Marcha sobre Washington. Se unieron a ella. No se integraron en ella, sino que se infiltraron en ella. Se le unieron, se hicieron parte de ella, se apoderaron de ella. Y al apoderarse de ella la hicieron perder su combatividad. Dejó de ser furiosa, dejó de ser caliente, dejó de ser intransigente. Y hasta dejó de ser una marcha. Se convirtió en un "picnic", en un circo, con payasos y todo... con payasos que lo dirigían, payasos blancos y payasos negros. Y sé que no les gusta lo que estoy diciendo, pero se lo voy a decir de todas maneras. Porque puedo probar lo que estoy diciendo. Si creen que les estoy diciendo cosas falsas, tráiganme a Martin Luther King y a Philip Randolph y a James Farmer y a esos otros tres, y verán si lo niegan ante un micrófono.»

La postura de Malcolm X tendía hacia un nacionalismo negro que redefiniera el país de tal forma que los negros pudieran controlar la economía de su propia comunidad y por ello dejaran de ser explotados por los blancos.

Martin Luther King apreciaba el talento y las capacidades de Malcolm X, pero lamentaba que su insistencia en el uso de la violencia hiciera que sus dotes se desaprovecharan. Aparte de mostrar su desacuerdo con él sobre esta defensa de la violencia, King manifestó lo siguiente sobre Malcolm X:

«En su letanía de referirse a la desesperación del negro sin ofrecer ninguna alternativa positiva o creativa, siento que Malcolm se ha hecho un flaco favor a sí mismo y a nuestra gente. La oratoria desafiante y demagógica en los guetos negros, instando a los negros a que tomen las armas y se preparen para adentrarse en la violencia, como él ha hecho, no puede conseguir nada sino un gran dolor.»

A pesar de su defensa de la violencia y sus críticas a Martin Luther King, Malcolm X se sentía identificado con el movimiento de protesta por los derechos civiles que se estaba desarrollando en el

Sur. Malcolm X escribió varias cartas a Martin Luther King para pedirle que participara en foros de opinion, pero King siempre declinó estas invitaciones.

Malcolm X mostraba un desacuerdo cada vez mayor con la Nación del Islam tal como el grupo actuaba. Elijah Muhammad era partidario de no adentrarse en la política, mientras que Malcolm X encontraba en el terreno político una oportunidad de pasar a la acción. Tanto Elijah Muhammad como los demas líderes de la organización cada vez encontraban menos adecuada la actitud y los mensajes de Malcolm X y al final le privaron del derecho a hablar en público. Al mismo tiempo Malcolm X se sintió defraudado moralmente por Elijah Muhammad al descubrir que había tenido hijos ilegítimos. La consecuencia de esta crisis fue que Malcolm X se separó definitivamente de la Nación del Islam en marzo de 1964 y fundó su propio grupo.

Durante el mes siguiente Malcolm X realizó un viaje a África y a Oriente Medio, donde visitó como peregrino La Meca. Esta visita le causó un gran impacto; el hecho de ver y convivir en La Meca con gentes de todas las razas y países rezando juntos acabó con su visión de todos los blancos como demonios. Malcolm rechazó de forma definitiva las tesis racistas de la Nación del Islam y comenzó a cumplir las prácticas de la religión islámica ortodoxa. Durante su peregrinación a La Meca adoptó un nombre musulmán, el Hajj Malik El Shabbaz; manifestó que quería ser llamado por este nombre a partir de entonces. En cuanto a la superación de sus ideas racistas anteriores, Malcolm X llegó a manifestar lo siguiente:

«Efectivamente, en el pasado he lanzado fuertes acusaciones en contra de todos los blancos. Nunca volveré a ser culpable de eso, ya que ahora sé que hay algunas personas blancas que son realmente sinceras, sé que algunas son capaces de poder convertirse en hermanas de un hombre negro. El verdadero islam me ha mostrado que una acusación general en contra de todos los blancos resulta tan equivocada como la acusación general que los blancos hacen en contra de los negros.»

Al volver de este viaje formó un nuevo grupo político, llamado Organización de Unidad Afroamericana, en el que pretendía unir la lucha por la libertad de los negros americanos con la de los negros africanos. Una de las líneas fundamentales de acción en dicha organizacion consistió en colaborar con los grupos más activos implicados en la lucha por los derechos civiles. Por ello Malcolm participó en numerosos congresos y actos a favor de la integración. Unos de sus discursos más famosos de este periodo fue el titulado «El voto o la bala» (en inglés «The Ballot and the Bullet», un juego de palabras al unir dos muy parecidas fonéticamente). En este discurso pedía a la comunidad negra que eliminara sus discrepancias y se diera cuenta de que era mejor partir de la conclusión de que todos los negros tenían el mismo problema, un problema común y grave que les podía ocasionar «tocar el infierno ya sea uno baptista, metodista, musulmán o nacionalista».

En marzo de 1964 Malcolm X tuvo un breve encuentro con Martin Luther King al finalizar una conferencia de prensa de este último en el Capitolio. Cuando Martin Luther King estaba organizando la campaña de St. Augustine en Florida, Malcolm X le ofreció su colaboración por medio de «unidades de autodefensa» que respondieran con la misma violencia empleada por el Ku Klux Klan. Por supuesto, King rechazó el ofrecimiento de Malcolm, al considerarlo inmoral y totalmente erróneo. Después en 1965 Malcolm conoció a Coretta Scott y le dijo que no había acudido a Selma para no perjudicar a King.

Tres semanas después del encuentro con Coretta Scott King, en febrero de 1965, Malcolm X murió de un disparo mientras pronunciaba un discurso en Nueva York. Tras su muerte se publicó *La autobiografía de Malcolm X*, obra que dio a conocer sus ideas, entre ellas su filosofía de la autodefensa armada. Un año después se creó el Poder Negro, que incluyó entre sus postulados las ideas de Malcolm X.

El surgimiento del Poder Negro

El «Black Power» o Poder Negro fue un movimiento de jóvenes negros que alcanzó gran popularidad a finales de los 60. En el transcurso de los Juegos Olímpicos de México de 1968 dio la vuelta al mundo la imagen de los atletas Tommie Smith y John Carlos, primero y tercero en la prueba de 200 metros, subiendo al podio con los puños en alto envueltos en guantes negros, mientras inclinaban la cabeza y como fondo sonaba el himno de Estados Unidos; se trataba del gesto característico del «Black Power» que también fue emulado por otros atletas negros, como Lee Evans o James Freeman en los mismos Juegos Olímpicos. De esta manera el «Black Power» se hizo famoso en todo el mundo y se convirtió en fuente de debate en Estados Unidos. Los deportistas negros querían expresar así su rechazo a la discriminación de la comunidad negra, de la que sólo se excluía a los negros que triunfaban en el deporte,el baile o la música. El término había surgido antes y se había escuchado por primera vez en la marcha de Mississipi de 1966, como respuesta a la demanda de mayor firmeza por parte de un sector de la comunidad negra. Este sector procedía del movimiento de la no violencia, pero cada vez se mostraba más en desacuerdo con Martin Luther King. Estaba formado en su mayoría por estudiantes que, al finalizar una sentada en Carolina del Norte, decidieron formar una nueva organización aparte; de esta manera fue como nació el S.N.C.C.

Stokely Carmichael y el S.N.C.C.

El comité fue creado en 1960. Desde su comienzo el líder a escala nacional fue Stokely Carmichael, joven que en 1960 tenía diecinueve años y procedía de otra organización, el C.O.R.E. Carmichael había participado en muchos «viajes de la libertad» («Freedom Rides»), de lo que se deduce que al principio estaba de acuerdo con los postulados del movimiento de la no violencia. Sin embargo, poco a poco el S.N.C.C. comenzó a mostrarse crítico ante la renuncia a cualquier tipo de violencia y a proponer otras medidas con resultados rápidos y concretos. La ideología de Martin Luther King no podía hacerse realidad si se limitaba a los metodos pacíficos. Unos años más tarde Carmichael habló sobre el S.N.C.C. y el posible uso de la violencia en estos términos:

«También se puede necesitar un revólver y el S.N.C.C. reafirma el derecho universal de los negros a defenderse en caso de amenazas o ataques. En cuanto a la violencia, esperamos que programas como el nuestro la hagan innecesaria; pero no es nuestro asunto decirles a las comunidades negras cuándo pueden o cuándo no utilizar determinada acción para resolver sus problemas. La responsabilidad por el uso de la violencia de parte de los negros, ya sea en

defensa propia o iniciada por ellos, le corresponde a la comunidad blanca.»

En la marcha de Mississipi de julio de 1966 se pudieron oír, por primera vez en el movimiento por los derechos civiles, consignas a favor del Poder Negro y del uso de la violencia; por este motivo la marcha fue llamada después «marcha de la discordia». La frase Poder Negro ya había sido usada anteriormente por activistas como el escritor Richard Wright; sin embargo, fue durante la marcha de Mississipi cuando se dio a conocer y empezó a ser debatida entre los diferentes sectores negros de la lucha por los derechos civiles.

Stokely Carmichael explica lo que sucedió en aquella marcha apelando a los problemas fundamentales de los negros en Estados Unidos; por un lado, las dificultades económicas y por otro las limitaciones sociales derivadas por el hecho de ser negro: acceso a la educación en peores condiciones, existencia de leyes segregacionistas en muchos Estados, pervivencia del miedo originado por grupos blancos violentos, como el Ku Klux Klan, o la misma apatía ante estas circunstancias con la que muchos negros vivían, por la falta de expectativas de cambio. Una de las posibles salidas a esta situación desfavorecida era, a juicio de Stokely Carmichael, conseguir el poder político, por medio del derecho al voto. De esta manera podían cambiar la manera de hacer las cosas en los asuntos que les importaban. A pesar de que los negros podían votar según la ley, en muchas ciudades la mayoría de los negros estaba sin censar y por tanto carecían de la posibilidad de votar en la práctica; además no sabían a quién votar para defender sus intereses. El S.N.C.C. llevó a cabo una fuerte campaña en este sentido a lo largo de numerosas poblaciones de varios Estados como Mississipi o Alabama. Las comunidades negras comenzaron a crear partidos independientes para que lucharan por sus derechos. En Estados como Alabama si un grupo de ciudadanos designaba a un grupo de candidatos en las elecciones y obtenía el veinte por ciento de los votos, dicho grupo podía ser considerado a partir de entonces como un partido político. En algunas localidades de Alabama el ochenta por ciento de la población eran negros, pero hasta entonces nunca habían conseguido ser representados en las urnas porque, entre otras razones, carecían de sumas elevadas como 500 dólares, en algunos casos, para poder inscribir a sus candidatos. La labor del S.N.C.C. consistió en coordinar pequeñas organizaciones dentro de cada localidad para que pudieran inscribirse y de esta manera proponer sus propios candidatos a cargos públicos, como el de asesor de impuestos, sheriff o representante de las juntas escolares. Las consecuencias de esta campaña podían alcanzar una gran trascendencia, ya que un sheriff negro en determinados condados de mayoría negra podía acabar con la brutalidad policial contra los negros, o un asesor de impuestos negro podía dedicarse a conseguir fondos para construir escuelas o instalaciones para la comunidad negra. Esto es lo que Stokely Carmichael llamaba Poder Negro. En las propias palabras de Carmichael:

«En los sitios como Landowndes, donde los negros tienen mayoría, intentarán utilizarla para ejercer el control. Eso es lo que buscan, control. Donde los negros no son mayoría, el Poder Negro significa una representación adecuada y participación en el control. Significa la creación de bases de poder desde las cuales los negros puedan trabajar en la transformación de los esquemas estatales o nacionales de opresión, a través de las presiones de la fuerza, que sustituyen a los alegatos de la flaqueza. Políticamente, el Poder Negro significa lo que siempre ha significado para el S.N.C.C.: la agrupación de los negros para elegir representantes y obligar a esos representantes a convertirse en portavoces de sus necesidades. No quiere decir tan sólo situar rostros negros en las legislaturas.»

Los incidentes de la marcha de Mississipi

La marcha de Mississipi de julio de 1966 fue convocada por Martin Luther King, junto con el C.O.R.E., liderado por Floyd McKissik, como reacción al disparo que había sufrido James Meredith, el estudiante al que se le había negado la entrada en la Universidad unos años antes y que ahora había finalizado sus estudios con éxito. Meredith había sido herido de un disparo en una manifestación pacífica celebrada precisamente en conmemoración de su admisión en la Universidad, a la que tuvo que acceder el primer día escoltado por soldados enviados por Kennedy. El motivo de la marcha fue lo que llevó a Stokely Carmichael a participar en ella con el S.N.C.C. Sin duda, el hecho de que esta marcha fuera originada por esta agresión influyó en que muchos participantes estuvieran crispados. Se trataba de una marcha que iba a durar varios días. En este caso estaba organizada de tal forma que los primeros días los participantes volvían a Memphis a pasar la noche a un motel negro, hasta que recibieron las tiendas de campaña en las que pasaron el resto de las noches.

Durante la marcha tuvieron lugar numerosas discusiones, se gritaron muchas consignas y frases como:

«¡Ya me he hartado de esta historia de la no violencia, si uno de esos cochinos blancos desharrapados se mete conmigo, lo mato a golpes!»

Otro de los motivos de discusión fue la participación de los blancos, puesto que había sectores que habían propuesto que a la marcha acudiera exclusivamente la población negra. No faltó quien recriminara y lanzara frases críticas contra la actitud de los blancos:

«No necesitamos que ningún amigo falso, de esos blancos liberales, entre en nuestro movimiento. Ésta es nuestra marcha.»

Cuando los participantes en la marcha se detuvieron para cantar, como tenían por costumbre, «We shall overcome» («Venceremos»), algunos se quedaron callados en la estrofa que hablaba de blancos y negros juntos. Martin Luther King les preguntó después por qué no habían cantado ese fragmento y se encontró con la siguiente respuesta:

«Son ya otros tiempos. No cantaremos más esa frase. Por lo demás creemos que toda la canción ha sido ya superada. No se trata de "We shall overcome", sino de "We shall overrun" ("Nosotros los derribaremos").»

Imaginamos que a Martin Luther King debió resultarle muy duro escuchar estas palabras. Él mismo contó después que no podía creer lo que estaba oyendo; fue una sorpresa desagradable. Aunque también encontraba justificación a este tono de resentimiento en los continuos abusos de que habían sido objeto los negros durante tanto tiempo. Al oír estos mensajes de amargura y encono Martin Luther King respondió con una defensa de los principios de la no violencia activa. Grupos como los Deacons for Defense o Apóstoles de la Autodefensa se mostraban en desacuerdo y argüían que la defensa propia estaba justificada en caso de agresión. Martin Luther King respondía afirmando que el uso de la violencia podía resultar contraproducente para la causa de los derechos civiles, pues proporcionaba a los blancos el argumento y la justificación para seguir negando la integración a la comunidad negra. Se sucedieron los debates durante días y días.

Cuando la marcha llevaba ya diez días se produjo el incidente en el que se habló del Poder Negro por primera vez de manera abierta. La marcha había llegado a la localidad de Greenwood, donde el S.N.C.C. tenía muchos adeptos. Acudió una gran multitud a recibir a los integrantes de la marcha y Stokely Carmichael, en calidad de líder del S.N.C.C., subió a la tribuna para dirigirse a los asistentes. En palabras de Martin Luther King, sucedió lo siguiente mientras Stokely Carmichael hablaba:

«Después de ridiculizar duramente a la pretendida justicia de Mississipi, anunció: "Lo que necesitamos es el Black Power." Willie Ricks, el apasionado orador del S.N.C.C. saltó a la tribuna y gritó: "¿Y vosotros qué queréis?" La multitud clamó: "¡Black Power!" Otra vez gritó Ricks la pregunta: "¿Y vosotros qué queréis?", y los gritos fueron subiendo de volumen hasta alcanzar un tono extático.»

Los asistentes a la marcha recibieron con gran entusiasmo el lema, como si fuera un grito de liberación del poder blanco que habían sentido sobre sí mismos tanto tiempo. Además influyó el hecho de que los que así habían hablado eran los líderes del S.N.C.C., comité que había desarrollado una intensa labor en el verano de 1964 y que era valorado positivamente por la comunidad. Stokely Carmichael era admirado por todos los seguidores del S.N.C.C. y sin duda por la mayoría de todos los asistentes; admiraban en él la entrega a la causa, por la que había sido arrestado ya más de veintisiete veces. Carmichael había ocupado puestos importantes dentro de la comunidad negra, como el de director de la Escuela Libertad del barrio de Greenwood; además había tenido que afrontar ataques con bombas incendiarias en la escuela por parte de los blancos extremistas, así como agresiones salvajes contra activistas negros que no habían utilizado la violencia.

Martin Luther King expuso su parecer contrario a utilizar el término Poder Negro para la marcha, pues se estaban produciendo divisiones. Otros sectores de la marcha seguían con el lema tradicional de las otras campañas: «¡Freedom Now!» («¡Libertad ahora!»). King convocó una reunión con Stokely Carmichael y Floyd McKissick en la que señaló que el término Poder Negro tenía connotaciones que lo acercaban a la violencia y que la prensa ya había asociado Poder Negro con violencia. Después de restar importancia a esta asociación de palabras, Carmichael declaró que la cuestión esencial era la necesidad de los negros de acceder al poder político y económico, puesto que el poder era el instrumento necesario para poder progresar. Sin embargo, King insistía en la imprudencia que suponía el empleo de ese lema; aunque la finalidad última del movimiento era alcanzar el poder para los negros, el lema Poder Negro podía sonar a dominación de los negros y suscitar aún mayor desconfianza y rechazo por parte de los blancos, por ello prefería lemas como «Conciencia Negra» o «Igualdad Negra». A Carmichael no le parecieron apropiados estos lemas, el de Poder Negro poseía para él una mayor capacidad de persuasión. Al final Carmichael cedió sólo en que durante la marcha no se volviera a emplear el término Poder Negro.

La opinión de King sobre el Poder Negro

Martin Luther King analizó el movimiento del Poder Negro y llegó a la conclusión de que era fruto del desencanto y la rabia de muchos negros ante la segregación y la discriminación. Los blancos seguían abusando del poder, sobre todo en el Estado de Mississipi, donde seguían produciéndose linchamientos impunes, incendios de iglesias de negros y asesinatos de los militantes del movimiento de la no violencia; por ejemplo, en aquellos días habían sido asesinados el ministro blanco James Reeb y un negro llamado Jimmy Lee Jackson, durante el Movimiento de Selma. El Gobierno contribuía a agravar el malestar, ya que en un discurso el presidente Johnson había realizado unas declaraciones desafortunadas al mencionar únicamente la muerte de Reeb.

Muchos seguidores de King, especialmente jóvenes, estaban desilusionados y se habían convencido de que la vida de un negro en Estados Unidos, sobre todo en el Sur o los guetos de las ciudades, no tenía ningún valor en un país de mayoría blanca. Además el Gobierno federal todavía no había puesto en marcha la ejecución de las leyes que garantizaran los derechos civiles. Por ello decidieron seguir a quienes promovían acciones que parecían más efectivas, porque no tenían reparo en recurrir al uso de la violencia. Martin Luther King justificaba de esta manera la actitud de Carmichael:

«Si Stokely Carmichael ahora dice que la no violencia es improcedente, ello se debe a que él, como un fiel veterano de muchas batallas, ha visto con sus propios ojos la violencia más brutal de los blancos en contra de los negros y de los defensores blancos de los derechos civiles, y ha visto que ha quedado impune.»

La lista de agravios y desengaños era tan larga que Martin Luther King no se extrañaba de que la gente exigiera dar un paso más en el movimiento de los derechos civiles, paso que el Poder Negro sí estaba dispuesto a dar. Uno de los argumentos del Poder Negro era la desconfianza hacia las soluciones que consistían en medidas legales, ya que en muchos casos las leyes no se cumplían en la práctica, como la Ley del Derecho al Voto de 1965. Esta ley exigía la designación de un número determinado de oficiales del registro electoral y alguaciles federales que protegieran a los votantes; sin embargo, la ley no se cumplía al no ser designado el personal necesario en el Sur cuando se convocaban las elecciones.

King encontraba ciertos aspectos positivos en el movimiento del Poder Negro, aunque no estuviera de acuerdo con los principios de Stokely Carmichael. Uno de ellos consistía en el valor del llamamiento que hacían a los negros para que adquirieran una franja de poder económico y político, necesarios para alcanzar sus derechos, sobre todo dentro de los guetos de las ciudades. King se mostraba partidario de que ese poder tuviera siempre un carácter positivo y se mantuviera siempre dentro de la justicia, sin imitar a los blancos con acceso al poder, que lo utilizan sin escrúpulos. En este sentido la S.C.L.C. realizó múltiples campañas para aumentar el número de votantes negros en los registros, aumento que significaba en muchos barrios una oportunidad de aumentar el poder político de la comunidad negra. De la misma manera que los militantes del Poder Negro, King defendía que la población negra aunara sus recursos económicos para poder mejorar su poder adquisitivo y sus condiciones de vida mediante la puesta en común de sus recursos económicos.

Por otra parte, King consideraba que el interés del Poder Negro en afirmar la hombría del hombre negro resultaba beneficioso psicológicamente para la mayor parte de la comunidad negra. Esto puede parecer chocante, pero se comprende en seguida si se piensa en la labor que los blancos habían llevado a cabo durante generaciones para que los negros se consideraran débiles e inferiores. Este sentimiento de inferioridad se remontaba por supuesto a los tiempos de la esclavitud, cuando se convencía al negro de que su estado natural era ser esclavo y se le inculcaba la creencia en la superioridad incluso sagrada de su amo blanco, frente a su propio color negro como síntoma de inferioridad. De esta forma el negro caía en la sumisión incondicional a su amo, se hacía completamente dependiente de él y también le tenía miedo. El movimiento del Poder Negro, en su actitud desafiante hacia las autoridades blancas, reinvindicaba la erradicación de ese sentimiento de sumisión incondicional, proponía el respeto a la propia individualidad de cada negro y defendía el orgullo de ser negro y de provenir de los hermanos africanos. Por ello podía incluso justificar la oposición del Poder Negro a cualquier tipo de colaboración con los blancos como la reacción ante esa sumisión y servilismo excesivos que habían arrastrado tanto tiempo. En palabras del propio Martin Luther King sobre el Poder Negro:

«No debemos ignorar el valor positivo (del Poder Negro) al hacer un llamado al negro en favor de un nuevo sentido de la hombría, de un profundo sentimiento de orgullo racial y de una audaz apreciación de su herencia. El negro debe estar perfectamente consciente de su dignidad y su valía. Debe enfrentarse a un sistema que aún le oprime y desarrollar un sentido irreductible y majestuoso de su propio valor; no debe avergonzarse de ser negro.»

Frente a estos rasgos positivos Martin Luther King hallaba graves defectos en las convicciones del movimiento del Poder Negro, que lo invalidaban como adalid de los derechos civiles. En el fondo del movimiento King encontraba una desesperación que rayaba en el nihilismo, en contraposición a los postulados de Ghandi a favor de una estrategia en la que intervinieran el amor y la esperanza. Sin esperanza no había posibilidad de una auténtica revolución. Además el separatismo que proponía el Poder Negro le parecía inviable para acceder al poder; en opinión de King era mejor establecer alianzas con otros sectores. Si el movimiento del Poder Negro hubiera triunfado y la población negra se hubiera concentrado en una serie de distritos y zonas urbanas, King sostenía que así se habrían quedado al margen de la vida política general del país y habrían logrado muy pocos representantes en el Congreso. Para King el separatismo era un error, era mucho más adecuado unirse en coalición a los sectores blancos moderados para tratar de obtener muchos más votos y así más representantes favorables. El poder económico tampoco podía proceder del separatismo, sólo del acceso a los programas federales que recibían dotaciones de miles de millones de dólares. Además King no consideraba justo pasar por alto lo que la colaboración de muchos blancos había supuesto para el movimiento de los derechos civiles. Del personalismo le venía a King la creencia en la interconexión de todos los seres humanos, por ello estaba en contra de los que proponían una sociedad e instituciones sólo para negros. Sin embargo, el mayor punto de desacuerdo radicaba en la aceptación de la violencia agresiva por parte de algunos miembros del Poder Negro. King, por supuesto, se mostraba en contra de la violencia agresiva y también de la defensiva, a pesar de que esta oposición le restara adeptos entre los jóvenes, que se identificaban más con el Poder Negro:

«Es peligroso organizar un movimiento basado en la autodefensa. La línea de demarcación entre la violencia defensiva y la violencia agresiva es muy delgada. En el momento en que se enuncia un programa de violencia, aun en el caso de una autodefensa, el ambiente se satura de charlas de violencia y cuando esas palabras llegan a oídos no preparados podrían interpretarse como una invitación a la agresión.»

IX. LOS PANTERAS NEGRAS

El despertar de la comunidad negra propiciado por el movimiento de la no violencia hizo que surgieran otras respuestas a la discriminación y las injusticias que padecían. Estas respuestas se apartaban de los postulados de Martin Luther King y se acercaban a posturas radicales, como el Poder Negro. Durante la década de los 60 nació el grupo más revolucionario en la lucha por los derechos civiles, el llamado partido de los Panteras Negras (Black Panthers). Este grupo mantenía algunos puntos de contacto con el movimiento de los derechos civiles, pero en otros aspectos era radicalmente opuesto. Es posible que este movimiento se inspirara en otros pequeños grupos armados que anteriormente habían desafiado el poder de los blancos; por ejemplo en los años 50 se habían creado unidades de defensa contra los ataques del Ku Klux Klan. Otro activista que organizó un grupo armado fue Robert F. Williams, quien había sido miembro activo de la N.A.A.C.P. y se dedicaba a representar y dirigir la organización en el distrito en el que vivía. Pronto Williams saltó a la fama por su campaña contra un tribunal de Carolina del Norte que había fallado a favor de dos blancos e incriminado a un deficiente mental negro en sendos casos que revelaban claramente la discriminación que tenía lugar en la justicia. Ante este tipo de casos flagrantes de discriminación Williams se mostraba partidario de buscar la justicia fuera de los tribunales, recurriendo al linchamiento si era necesario. Después fundó un grupo, el R.A.M. o Movimiento de Acción Revolucionaria. Desde este grupo, del que era presidente, comenzó a proyectar la idea de llevar a cabo una revolución a favor del poder negro. La revolución consistiría en un plan para apoderarse de las ciudades más importantes del Sur, en las cuales la población negra era mayor; una vez ocupadas estas ciudades el plan proseguiría con la fundación de una república independiente. Las actividades de Williams finalizaron en 1961 cuando fue acusado del asesinato de varios activistas negros moderados y de planear el secuestro de un matrimonio blanco. Ante estas acusaciones Williams se vio obligado a huir a China y después a Cuba.

El grupo de los Panteras Negras nació en San Francisco a finales del año 1966. Surgió en plena epoca de conflictos en los guetos, por ello el grupo procede del gueto de Oakland. A diferencia de los Musulmanes Negros, del S.N.C.C. y del Poder Negro de Stokely Carmichael, los Panteras Negras sí estaban dispuestos a la cooperación con los blancos. Se trataba de un grupo partidario de establecer una alianza con los movimientos de liberación de los países africanos o asiáticos y al mismo tiempo asociarse con las organizaciones blancas de militancia radical. El porqué de llamarse «Panteras Negras» viene del hecho de que las panteras son animales que luchan con desesperación cuando son atacadas y, sin embargo, nunca atacan primero. Por ello los Panteras Negras nacieron como un grupo de autodefensa ante los abusos y la violencia policial contra los negros o las minorías desfavorecidas. Por supuesto, eran partidarios del uso de la violencia. Al principio tanto Stokely Carmichael como el Poder Negro colaboraron con la organización, hasta tal punto que Stokely Carmichael fue nombrado durante un tiempo su «primer ministro»; sin embargo, la alianza entre los dos grupos no se mantuvo por la discrepancia en torno a la cooperación con los blancos, de ahí que Stokely Carmichael se distanciara definitivamente de los Panteras Negras.

Los Panteras Negras tenían como objetivo que la comunidad negra ocupara el puesto que se merecía dentro de la sociedad de Estados Unidos y en el conjunto de sociedades y países de todo el mundo; esto suponía que se acabara con la segregación y con las desigualdades de tipo económico; la consigna del grupo era «dignidad y poder para el negro» . Para hacernos una idea de su ideología con más detalle podemos citar algunas de las reivindicaciones que aparecieron en su primer programa; se advierte desde luego que muchas de ellas coincidían en principio con los postulados de Martin Luther King y el movimiento de la no violencia:

1. *Queremos libertad. Queremos poder para decidir el destino de nuestra comunidad negra.*
2. *Queremos suficientes puestos de trabajo para nuestra gente.*
3. *Queremos el fin de la explotación que nuestra comunidad negra sufre bajo los blancos.*
4. *Queremos casas decorosas, dignas de ser habitadas por seres humanos.*

5. Queremos una educación para los nuestros que muestre la verdadera naturaleza de nuestra decadente sociedad americana. Queremos una educación que nos enseñe nuestra verdadera historia y nuestro papel en la sociedad actual.

6. Queremos que todos los hombres negros sean eximidos del servicio militar.

7. Queremos el fin inmediato de la brutalidad policial y de los asesinatos de negros.

8. Queremos la libertad de todos los negros que están detenidos en las cárceles y prisiones federales, estatales, provinciales y de las ciudades.

9. Queremos que todos los negros que tengan que comparecer ante un tribunal sean juzgados por un jurado compuesto por personas de su mismo grupo o por miembros de sus comunidades negras, como está prescrito en la Constitución de los Estados Unidos.

10. Queremos una patria, pan, viviendas, educación, ropas, justicia y paz. Y queremos, como nuestro principal objetivo político, un plebiscito supervisado por las Naciones Unidas en toda la comunidad negra y en el que sólo puedan participar los negros sometidos a una situacion colonial, con el fin de definir la voluntad del pueblo en cuanto a su destino nacional.

En 1966 y 1967 los Panteras Negras se hicieron muy populares, tal vez por su imagen de fuerza, de desafío a lo establecido y al mismo tiempo por sus ritos de tipo patriótico. La prensa más sensacionalista se hacía eco de cada paso que daban. Sus militantes eran organizados como si fueran grupos paramilitares, en escuadrones; a veces se les podía ver por los guetos buscando reclutas entre los jovenes, intentando deslumbrarlos con su aspecto y su mensaje. Llevaban una especie de uniforme, compuesto por boinas negras, jerseys azules de cuello alto, cazadoras de cuero brillante, y lo más llamativo era que en ocasiones también blandían una pistola. Cuando iban por los guetos buscando nuevos adeptos, sus máximos representantes como Newton o Seazle no tenían reparos en mostrar sus pistolas a los jóvenes para animarles a que se unieran al partido. Eran partidarios de provocar una revolución, como el Poder Negro, pero intentaron mantenerse dentro de la legalidad; ello no impedía que se pasearan por las ciudades diciendo a los jóvenes que iban a organizar comandos para asesinar policías y tirar cócteles molotov contra objetivos industriales cuando llegara el momento adecuado.

Su aceptación de la legalidad existente era un mero trámite para continuar existiendo sin mayores problemas y a la espera de que llegara el momento propicio para iniciar una rebelión. Consideraban que sus dirigentes eran un gobierno exiliado, que en el futuro, cuando triunfara su revolución, volverían al poder; por ello sus dirigentes eran llamados ministros y se ocupaban de diferentes carteras. En primer lugar su primer ministro fue Stokely Carmichael, pero al dimitir éste pasó a serlo Bobby Seale; otros ministros eran Huey Newton, de Defensa; uno de los fundadores del grupo, Rap Brown, de Justicia, y Jim Foreman, líder además del Poder Negro, de Asuntos Exteriores.

El éxito que consiguieron alcanzar los Panteras Negras sin duda se debió al giro que estaba tomando la protesta negra para muchos jóvenes, sobre todo habitantes de los guetos en las ciudades, que se sentían insatisfechos con el movimiento pacífico. Martin Luther King era plenamente consciente de ello y justificaba el éxito de estos grupos en el hecho de que los jóvenes eran las principales víctimas de la penuria económica y la marginación social de los guetos. Grupos como el de los Panteras Negras aceptaban el uso de la violencia, es el caso también del Poder Negro, pero los Panteras Negras en sus sectores más radicales fueron más allá, al provocar disturbios y estimular el uso de la violencia y del lenguaje agresivo. Por ello no es de extrañar que los Panteras Negras llegaran a decir públicamente que había que asesinar al presidente Nixon. En sintonía con este tono violento, en la publicación que difundía sus ideas, llamada *Pantera Negra*, podían encontrarse mensajes como éste:

«*América, serás purificada con fuego, sangre y muerte. Nosotros, los que te purificamos, debemos incrementar nuestro ardor: mayores y más ardientes fuegos, una sola llama para toda América, toda una llama americana; debemos aumentar nuestros saqueos, saquear hasta que desvalijemos tu último tesoro escondido, hasta que nuestros negros pies descalzos aplasten entre tus cenizas tu última joya robada; debemos afinar nuestra puntería hasta que muera el último cerdo, muerto con su propia pistola, con su vientre acribillado con las balas que estaban destinadas a nuestra gente…*».

En su vertiente política buscaron alianzas con grupos blancos radicales de manera infructuosa. El grupo político que mostró mayor afinidad hacia ellos fue el comunista, en el que destacaban miembros negros como Williams L. Patterson. Varios líderes de los Panteras Negras, como Eldridge y Katheleen Cleaver, se convirtieron en militantes comunistas. Eldridge Cleaver llegó a presentarse a las elecciones presidenciales de 1968 como candidato del Partido del Progreso y la Libertad, partido de ideología de izquierda. No logró muchos votos, además los líderes con apoyo mayoritario de la comunidad negra seguían siendo los del movimiento de la no violencia, como Martin Luther King.

La violencia negra en las ciudades alcanzó su límite máximo en 1968, año en el que los Panteras Negras estaban plenamente activos, año también en el que fueron asesinados Martin Luther King y Robert Kennedy. Sin embargo, ya tenían los días contados por la ofensiva que habían desencadenado las autoridades del país contra los sectores radicales de la comunidad negra. Durante 1968 y 1969 se consiguió neutralizar a todos los dirigentes de los Panteras Negras y los que se salvaron huyeron del país, como fue el caso de Eldridge Cleaver. En el transcurso del año 1969 la policía eliminó a veintiocho miembros de la organización. No está claro que la eliminación de todos fuera legal, sobre todo la de dos «panteras negras» de Chicago, Fred Hampton y Mark Clark, cuya muerte se produjo tras la irrupción de la policía en su apartamento; en el juicio federal sobre su muerte se demostró que fallecieron mientras dormían y se desestimaron las acusaciones a otros siete «panteras negras» que compartían su apartamento. De todo esto cabe concluir que se tomó la decisión de acabar con los Panteras Negras y con todos los grupos radicales, aunque los métodos utilizados no fueran nada ortodoxos, sino más bien una represión brutal en algunas ciudades como Oakland o Chicago. Fueron numerosos los negros detenidos y encarcelados durante meses sin que hubieran tenido derecho a juicio; en muchos casos fallecían en circunstancias extrañas, como George Jackson, asesinado en 1971 en la prisión de San Quintín.

En 1971 la organización estaba prácticamente neutralizada, porque además se había escindido en dos bandos a raíz de una discusión entre Newton y Cleaver. Dos «panteras» de Nueva York llamados Paul Tabor y Richard Moore, arrestados bajo fianza, se fugaron para reunirse en Argelia con Cleaver. Newton reaccionó expulsándolos del partido, al considerar que la huida perjudicaba a otros «panteras negras» apresados por la policía. Cleaver no encontraba en su conducta motivo para esta expulsión, así que exigió que los dos fueran readmitidos. A esto le siguió una serie de acusaciones personales por parte de uno en contra del otro. Se formaron dos bandos a favor de cada uno de ellos; cada bando quería hacerse con el poder en Harlem y tanto uno como otro llegaron a asesinar a miembros del bando contrario. Newton se creía ganador en la contienda, pero el partido estaba demasiado mermado. Propuso a sus escasos militantes un cambio de táctica más acorde con el sistema e incluso más cercano a la Iglesia, quizá porque tenía en cuenta la importancia de la Iglesia para la comunidad negra. Sin embargo, ya era demasiado tarde para resucitar el partido. Los Panteras Negras se convirtieron en una leyenda de revolución y violencia; en cierto sentido puede decirse que estaban en el polo opuesto a Martin Luther King, aunque coincidiesen con él en pedir una vida digna para los negros como ciudadanos de pleno derecho en el país al que pertenecían.

CRONOLOGÍA

Año	Martin Luther King y su entorno	Historia, sociedad, economía y literatura de EE.UU.	Historia, sociedad, economía y literatura del resto del mundo
1929	Martin Luther King nace el 15 de enero en Atlanta.	Crack en la Bolsa de Nueva York. Primer calculador estadístico de la IBM (International Business Corporation) Ernest Hemingway escribe *Adiós a las armas*. F. Kellog recibe el Premio Nobel de la Paz. Se alcanza la cifra de tres millones de parados.	Comienza la dictadura de Stalin en Rusia. Cierre de las universidades en España. Aman Ullah es destronado en Afganistán. Se crea el Estado Vaticano. Bertrand Russell escribe su *Etica y moral* y Jean Cocteau *Los niños terribles*. Estreno de la película *Bajo los techos de París*, de René Clair. H. Berger elabora la primera electroencefalografía.
1930	Fundación en Detroit del templo llamado Nación del Islam, por un negro llamado Ward. Ghandi comienza su campaña de desobediencia civil en la India; se inicia la explotación de sal.	Randolph Hearst funda su cadena de periódicos. Kitsh publica su obra *Paraíso americano*. Comienza la tecnocracia. Primer vuelo sin escalas entre París y Nueva York.	Segunda Conferencia Internacional de La Haya. En España dimite Primo de Rivera. Leónidas Trujillo es nombrado presidente en la República Dominicana. Comienza la guerra civil en China. Ortega y Gasset publica *La rebelión de las masas*. Aparece *Poeta en Nueva York*, de Federico García Lorca. Gorki vuelve a la URSS.
1931	Ghandi va a Londres para participar en la conferencia de la Mesa Redonda y después ingresa en la cárcel. El cornetista negro Buddy Bolden fallece en Nueva York. Muere el padre de Malcolm X, él cree que asesinado.	Mayoría republicana en el Congreso en ambas cámaras. Inauguración del Empire State en Nueva York. Entra en vigor la moratoria de Hoover para pagar indemnizaciones de guerra. Se concede el premio Nobel de la Paz a J. Adams, N. Murray y Butler.	Proclamación de la Segunda República en España e inicio del Estatuto de Autonomía en Cataluña. García Lorca funda la compañía de teatro universitario «La Barraca». Japón invade Manchuria. Renuncia de Inglaterra a utilizar el patrón oro. Se produce tráfico de esclavos en Liberia. Barthélemy realiza una emisión pública de televisión. Paul Valéry publica la obra *Miradas al mundo actual*.

Año	Martin Luther King y su entorno	Historia, sociedad, economía y literatura de EE.UU.	Historia, sociedad, economía y literatura del resto del mundo
1932		Celebración de la Exposición Mundial de Arquitectura en el Museo de Arte Moderno de Nueva York. Publicación de la obra de William Faulkner *Luz de Agosto*. Juegos Olímpicos en Los Ángeles.	Conferencia Imperial de Otawa. Levantamiento del general Sanjurjo en Madrid. Proclamación de la República de Chile. Albert Lebrun es nombrado presidente de Francia. Se constituye el reino de Arabia Saudita. Aldous Huxley publica *Un mundo feliz* yArnold Schomberg estrena *Moisés* y *Aaron*. Inicio de la celebración del Festival Cinematográfico de Venecia.
1933	El paro asciende en el país a 17 millones.	Franklin Delano Roosevelt es nombrado presidente y comienza la política del «New Deal». Se abandona el patrón oro. Publicación de la novela *Ann Vickers* por Sinclair Lewis. Derogación de la «ley seca».	Hitler forma su primer gobierno en Alemania. Fundación de la Falange en España por José Antonio Primo de Rivera y sublevación anarcosindicalista de Casas Viejas en Cádiz. Muere el XIII Dalai Lama. Primer calculador astronómico de la compañía IBM. Comienza la dictadura de Andico en Honduras. Se celebra la Conferencia Económica Mundial de Londres. André Malraux publica *La condición humana*.
1934	Martin Luther King padre protesta contra la segregación de los ascensores en el juzgado del condado de Fulton. Elijah Muhammad funda los «Black Muslims» («Musulmanes Negros»).	Se produce una devaluación del dólar (59,6%). Frank Capra estrena la película *Sucedió una noche*. Thornton Wilder publica *El cielo es mi destino*.	Mao Tse Tung encabeza la Larga Marcha. En España comienza el gabinete de Lerroux. Creación de la guardia de asalto en Perú. Federico García Lorca estrena *Yerma*. Graham Greene publica *En un campo de batalla*.
1935	Promulgación de un decreto en el Estado de Arkansas que establece la segregación en hipódromos y otros lugares públicos.	R. Neutra construye la Escuela Experimental de Los Ángeles. George Gershwin estrena la ópera *Porgy and Bess*.	Se crea el Frente Popular en España. Ocupación de Etiopía por Italia. En Brasil levantamiento de Luis Carlos Prestes.

Año	Martin Luther King y su entorno	Historia, sociedad, economía y literatura de EE.UU.	Historia, sociedad, economía y literatura del resto del mundo
1935	Ghandi comienza un ayuno de protesta en Karachi.	Ernest Hemingway publica *Las verdes colinas de África.* El Museo de Arte Moderno de Nueva York inaugura una sección de fotografía y cinematografía.	Comienzo de la emancipación de la mujer en Irán. Inauguración de una estación de televisión en la torre Eiffel. Primeras experiencias con radar. Luis Cernuda publica *Donde habite el olvido.* W. Stern publica *Psicología general y fundamentos de la personalidad.*
1936	Martin Luther King padre se convierte en líder local de la N.A.A.C.P. Jesse Owens consigue batir un récord mundial en los Juegos Olímpicos de Berlín.	Graves tormentas de polvo en el sudeste que obligan a emigrar a la población. William Faulkner publica *Absalom, Absalom.* Charles Chaplin estrena *Tiempos modernos.*	Comienzo de la guerra civil española. Firma del tratado entre Inglaterra y Egipto sobre el canal de Suez. Alemania y Japón establecen el Pacto Antikominter. Conferencia Interamericana de Buenos Aires. Acuerdos de Martignon, sobre la legalización de derechos sociales. Primer vuelo comercial del dirigible «Hindemburg» entre Francfort y Lakehurst. Comienzan a emitirse programas de televisión en Londres de manera regular.
1937	La familia de Coretta Scott King se traslada a una casa mayor. Detención en Alabama de Samuel S. Leibowitz, acusado de violar a cinco jóvenes negras.	En Chicago se produce una ola de violencia. Gropius es nombrado catedrático en la Universidad de Harvard. Publicación de la obra de John Dos Passos *El gran dinero.* Primer vuelo sin escalas entre Estados Unidos y la URSS por la ruta polar.	Campaña del Norte en la guerra civil española. Comienzo de la guerra entre China y Japón. Chamberlain es nombrado presidente de Gran Bretaña. Se crean los estudios Cinecitta en Roma. Von Holtst publica *Organización natural del sistema nervioso central.* Picasso pinta el *Guernica.* André Gide publica *Regreso de la URSS,* y Haupmann, *La aventura de mi juventud.*
1938	Sentencia histórica del Tribunal Supremo de Estados Unidos, al obligar	Acuerdo entre Gran Bretaña e Italia, por el que Gran Bretaña se retira	Nacionalización de las Compañías petrolíferas en México.

Año	Martin Luther King y su entorno	Historia, sociedad, economía y literatura de EE.UU.	Historia, sociedad, economía y literatura del resto del mundo
1938	al Estado de Missouri a ofrecer igualdad de oportunidades a un estudiante negro para entrar en la Universidad. Marian Anderson consigue su doctorado honoris causa en Harvard.	de Abisinia e Italia abandonará España tras el fin de la guerra civil. Se concede el Premio Nobel de la Paz a la oficina Nassen de Ginebra en defensa de los Refugiados. John Dos Passos publica su *Trilogía USA*.	Primera demostración de la fisión del uranio por Otto Hahn y Fritz Strassmann. Schweitzer publica *Historia de África* y Georges Bernanos *El gran miedo de los bienpensantes*. Se realiza por primera vez un documental sobre los Juegos Olímpicos de Berlín. Georg Lucas escribe su *Ensayo sobre el realismo*. R. Goldschmitt da a conocer su *Genética fisiológica*.
1939	Martin Luther King padre, como jefe de la Unión de Ministros Baptistas de Atlanta, lleva en una marcha a varios cientos de negros al ayuntamiento para que se registren como votantes.	John E. Steinbeck publica *Las uvas de la ira*. Walt Disney estrena su película *Blanca Nieves y los siete enanitos*.	Termina la guerra civil española y estalla la Segunda Guerra Mundial. Sudáfrica declara la guerra a Alemania. Faisal II es coronado rey de Irak. Comienzo de la conferencia de Panamá. Fundación del movimiento Moral Revolucionaria» de Frank Buchman. Yves Allegret estrena la película *Jeunes filles de France*. B. Malinovski publica *El grupo y el individuo*.
1940	Fallece Marcus Garvey en Londres, fundador de la Asociación Universal para la Emancipación de los Negros. Creación dentro de la N.A.A.C.P. de un comité de defensa legal y de fondos de educación.	Se crea la Oficina de la Salud, Bienestar y Actividades Relacionadas con la Defensa. Charles Chaplin estrena la película *El gran dictador*. Frank Lloyd Wright construye el Southern College en Lakeland, Florida. Ernest Hemingway publica *Por quién doblan las campañas*.	Los gobiernos de Bélgica, Holanda y Luxemburgo se ven obligados a fijar su residencia en el exilio. Establecimiento del pacto entre Alemania, Italia y Japón. Batalla de Inglaterra y campaña de Italia contra Grecia. España declara su no participación en la guerra. Saint Exupéry publica *Piloto de guerra* y Graham Greene *El poder y la gloria*. Joaquín Rodrigo estrena el *Concierto de Aranjuez*.
1941	La familia King se traslada al Boulevard número 193 de Atlanta.	El presidente Roosevelt y Churchill firman la Carta del Atlántico.	Bartallas de Libia, Yugoslavia y Grecia. Ataque de Alemania a la URSS.

Año	Martin Luther King y su entorno	Historia, sociedad, economía y literatura de EE.UU.	Historia, sociedad, economía y literatura del resto del mundo
1941	Bayard Rustin se une a la Unión para la Reconciliación.	Ataque de la aviación japonesa a las fuerzas de Pearl Harbour, y en consecuencia declaración de guerra a Japón por el Congreso. Puesta en marcha del «Fair Employment Practice Committee» para evitar la discriminación en el trabajo.	Siria y Líbano consiguen la autonomia. Bertold Brecht estrena *Madre Coraje.* En España se crea la RENFE. Matisse pinta *Pareja de jóvenes.* Se emplea por primera vez la cortisona.
1942	Fundación del movimiento juvenil de igualdad racial CORE («Congress of Racial Equality»), por George Houser, estudiante de teología en Chicago. Ghandi ingresa de nuevo en la cárcel, donde permanece dos años.	El presidente Roosevelt designa un comité para la reinserción de los movilizados en la guerra. El Congreso declara la guerra a Hungría, Rumanía y Bulgaria. Estreno de la película de Walt Disney *Bambi.* Comienzo de los vuelos del XP 59 A, primer Jet americano. En IBM Aitken construye el Mark I, cerebro semielectrónico.	Japón invade las Islas Filipinas. Declaración de las Naciones Unidas contra el racismo. H. Reichenbach publica *Fundamentos filosóficos de la mecanica cuántica.* Florey consigue aislar la penicilina. Albert Camus publica *El extranjero.* Richard Strauss estrena la Opera *Capricho.* Publicación del *Estudio sobre economía matemática y econometría,* de Colin Clark.
1943	Tubman, fiel aliado de Estados Unidos, es elegido presidente en Liberia.	Aprobación en el Congreso de medidas de atención de emergencia hacia a la maternidad y la infancia. En Teherán reunión en noviembre del presidente Roosevelt con Churchill y Stalin. Alfred Hitchcock estrena *La sombra de una duda.*	Los aliados desembarcan en Sicilia. Caída de Benito Mussolini. Batalla de Stalingrado. Bombardeos intensos de Alemania sobre Inglaterra. Fermi pone en marcha el primer reactor nuclear. En España se establece el uso de cartillas de racionamiento. Jean Paul Sartre publica *El ser y la nada.* John Manchly crea un cerebro electrónico de números dígitos.
1944	Martin Luther King ingresa en el Atlanta Morehouse Collegue, donde lee el *Ensayo sobre la desobediencia civil* de Henry David Thoreau.	Desembarco en Normandía de un gran ejército de fuerzas estadounidenses y británicas. Reelección de Roosevelt como presidente.	Declaración de guerra de Italia a Alemania. Muere Erwin Rommel. Aprobación de la «Butler Act», reforma educativa en Gran Bretaña.

Año	Martin Luther King y su entorno	Historia, sociedad, economía y literatura de EE.UU.	Historia, sociedad, economía y literatura del resto del mundo
1944	En Birmingham nace Ángela Davis.	Entrada en vigor de la «G. I. Bill of Rights», conjunto de medidas y programas sociales para la reinserción de los veteranos de guerra. Sinclair Lewis publica *Agente presidencial.*	El Comite Internacional de la Cruz Roja recibe el Premio Internacional de la Paz. Descubrimiento de la estreptomicina como principio activo contra la tuberculosis por Waksman. Thomas Mann publica *La ley* y E. Schrodinger *Qué es la vida*.
1945	Nace un nuevo estilo de música de jazz, el *be bop.*	El presidente Roosevelt fallece repentinamente en Warm Springs, Georgia. Asume la presidencia el vicepresidente Harry S. Truman. Las USAF lanzan la bomba atómica contra Hiroshima y Nagashaki. Somerset Maugham publica *El filo de la navaja.*	Final de la Segunda Guerra Mundial. Comienzo del proceso de Nuremberg. Promulgación de la Carta de las Naciones Unidas. Proclamación de la República Democrática de Vietnam por Ho Chi Minh. Fundación de la UNESCO. Roberto Rossellini estrena *Roma ciudad abierta.* J.W. Manchly diseña la primera calculadora electrónica universal (ENIAC). Erich Fromm publica *El miedo a la libertad.*
1946	El periódico *Atlanta Constitution* publica la carta de Martin Luther King en la que afirma que «los negros son dignos de los derechos básicos y las oportunidades de los ciudadanos americanos». Malcolm Little es encarcelado.	El presidente Harry S. Truman nombra un grupo de ciudadanos notables como «Comité presidencial de derechos civiles». Comienzo de agresiones contra veteranos de guerra negros en varios estados.	Bloqueo internacional contra España. En Italia se proclama la República. Stalin es nombrado primer ministro de la URSS. El general Perón se hace con el poder en Argentina. Comienza la guerra de Indochina. Se inaugura el Banco Internacional. Miguel Angel Asturias publica *El señor presidente* y Antoine de Saint Exupéry *El principito.*
1947	Arresto de Bayard Rustin y otros por sus «Viajes de Reconciliación» para comprobar si el proceso de desegregación continúa.	Ley Taft-Hartley, que supone un recorte de actividad para los sindicatos y dota al Ejecutivo de poder contra las huelgas.	Fundación del partido Socialista de los Trabajadores Italianos. El Estado de la India proclama su independiencia, pero disgregada en dos Estados; el otro es Pakistán.

Año	Martin Luther King y su entorno	Historia, sociedad, economía y literatura de EE.UU.	Historia, sociedad, economía y literatura del resto del mundo
1947	El Comité de Derechos Civiles publica un informe sobre convivencia en Estados Unidos, y propone medidas para garantizar los derechos de todos los americanos.	Creación del «Plan Marshall» de ayuda económica a algunos países europeos. Theodore Dreiser publica *El estoico.* Lionel Trilling publica *La mitad del viaje,* sobre la ideología liberal. Concesión del Premio Nobel de la Paz al «Friends Service Council American Committee».	El avión cohete experimental Bell x1 consigue atravesar la barrera del sonido. Orson Welles estrena *La dama de Shangai.* Albert Camus publica *La peste.* Giorgio de Chirico pinta *Perseo y Andrómeda.*
1948	Martin Luther King ingresa en el Crozer Theological Seminary. Es ordenado pastor ayudante en la iglesia de Ebenezer de Atlanta. Rustin Bayard viaja a la India, donde permanece seis meses. Du Bois se retira de la NAACP. Muere asesinado Mahatma Ghandi.	El presidente Truman hace público un decreto en el que se suprime cualquier tipo de racismo en las fuerzas armadas. Se ponen las bases de un sistema de salud nacional.	Conferencia en Londres de las seis potencias mundiales. Se establece el Estado de Israel. Creación de la República Popular de Corea del Norte. Se constituye el Consejo Ecuménico de las Iglesias en Amsterdam. Picasso pinta *La paloma de la paz.* Concierto de Yehudi Menuhin en la Asamblea de las Naciones Unidas: *Canto a los derechos humanos.* Richard Kuhn establece la genética bioquímica.
1949		Creación del Comité de Actividades Antiamericanas, liderado por Joseph MacCarthy, y en el que trabajará Richard Nixon. Estados Unidos, junto a otros países europeos, crea la Organización del Tratado del Atlántico Norte (OTAN). Envío a Corea del Sur de tropas al mando del general Mac Arthur.	Se crea la República Popular China. Primer Congreso Mundial de la Paz, promovido por la Unión Soviética. Fundación del COMECON. Rusia realiza sus primeras pruebas nucleares. Mauriac publica *El fuego en la tierra.* Teilhard de Chardin publica *El grupo zoológico humano.* Stemmle estrena su película *La balada de Berlín.* J. Maritain publica *Significación del ateísmo contemporáneo.*
1950	Martin Luther King lee la obra de Walter Rauschenbusch *El cristianismo y la crisis social*	Comienza la guerra contra Corea. Harrison y Abramo-witz finalizan el edificio de	Comienzo del Plan Colombo en Gran Bretaña. Pacto de amistad entre URSS y China.

Año	Martin Luther King y su entorno	Historia, sociedad, economía y literatura de EE.UU.	Historia, sociedad, economía y literatura del resto del mundo
1950	y escucha la conferencia del doctor Mordecai Johnson, presidente de la Howard University, sobre Ghandi.	la ONU en Nueva York. Ralph Bunche recibe el Premio Nobel de la Paz.	Fundación del Consejo Mundial de la Paz. Ocupación del Tíbet por China. Descubrimiento del núcleo magnético, esencial para la cibernética. Acuerdo aéreo entre España y Estados Unidos. N. Hartmann publica *Filosofía de la naturaleza*. Joseph Barbera estrena la película *El pequeño huérfano*.
1951	Martin Luther King comienza sus estudios de doctorado en teología en la Universidad de Boston. Ella Josephine Baker se une a la NAACP.	Se produce una explosión en una mina de Illinois, que causa más de un centenar de víctimas. El general Mac Arthur es destituido. Se inaugura el edificio de la General Motors en Detroit, construido por Saarinen. Se construye una central atómica experimental. Primera emisión pública de televisión en color.	Firma en California de un tratado de paz con Japón. España recibe ayuda económica de Estados Unidos. Nacionalización del petróleo en Irán. Gran Bretaña rompe sus relaciones con este país. En Uruguay es nombrado presidente Andrés Martínez Trueba. Albert Camus publica *El hombre revolucionario* y Picasso pinta *Los fusilamientos de Corea*. Vittorio de Sicca estrena *Milagro en Milán*.
1952	Martin Luther King conoce a Coretta Scott. Malcolm X sale de la cárcel, se une a Elijah Muhammad y funda la Unión Afronorteamericana. Albert Schweitzer recibe el Premio Nobel de la Paz.	El general Eisenhower, que combatió en la Segunda Guerra Mundial, es elegido presidente. Estados Unidos decide establecer bases militares en varios países. La empresa IBM fabrica el calculador 701. Ernest Hemingway publica *El viejo y el mar*.	Isabel II es coronada reina de Inglaterra. Se desarrollan las acciones de los «Mau mau» en Kenia. Los holandeses se retiran de Indonesia. Perón vuelve a triunfar en las elecciones de Argentina. Explosión de la primera bomba termonuclear en las islas Bikini. Samuel Beckett estrena *Esperando a Godot*. Berlanga estrena la película *Bienvenido Míster Marshall*.
1953	Martin Luther King se casa con Coretta Scott el 18 de julio.	Firma en Panmunjon del armisticio con la República de Corea.	USA establece bases en España. Convención europea sobre los Derechos del Hombre.

Año	Martin Luther King y su entorno	Historia, sociedad, economía y literatura de EE.UU.	Historia, sociedad, economía y literatura del resto del mundo
1953	Al terminar el año finaliza su tesis doctoral.	George C. Marshall recibe el Premio Nobel de la Paz. Saul Bellow publica *Las aventuras de Angie March*. Arthur Miller estrena *Las hechiceras de Salem*.	En la URSS se consigue fabricar la bomba de hidrógeno. Fallece Stalin. En Braunschweig, Alemania, se funda el Instituto Internacional de Libros Escolares, para eliminar los prejuicios nacionales de los libros de historia. Rafael Alberti publica *Oda marítima*. Jean Giraudoux publica *Lucrecia*.
1954	Martin Luther King llega como pastor a la iglesia de Dexter, en Montgomery, Alabama. La segregación escolar es declarada ilegal en una sentencia del Tribunal Supremo. Fundación del White Citizens Council, que favorece la segregación.	El senador MacCarthy extiende su «caza de brujas» al ejército. El Partido Demócrata vence en las elecciones del Congreso. Botadura del submarino nuclear «Nautilus». Ernest Hemingway recibe el Premio Nobel de Literatura. Alfred Hitchcock estrena *La ventana indiscreta*, y Elia Kazan *La ley del silencio*. Elvis Presley graba su primer disco.	Firma de un acuerdo en París para crear la Unión Europea. La Oficina de la ONU para los Refugiados (ACNUR) recibe el Premio Nobel de la Paz. Alemania consigue duplicar su producción con respecto a 1936. Los franceses capitulan en Dien Bien Phu, Vietnam. Comienzan los vuelos entre Los Ángeles y Copenhague por el polo. Federico Fellini estrena *La strada*. Francoise Sagan publica *Bonjour tristesse*.
1955	Martin Luther King recibe el doctorado. Nace Yolanda, la primera hija de Martin Luther King. Arresto de Rosa Parks por negarse a ceder su asiento a un blanco en un autobús en Montgomery. Fundación de la M.I.A.	Las centrales sindicales *Amercian Federation of Labor* y *Congress of Industrial organizations* se unen en la AFL-CIO. El vicepresidente Nixon se entrevista con el dictador de Nicaragua Somoza. Estreno de *La gata sobre el tejado de zinc*, de Tennessee Williams. Fundación de la «In Friendship» para ayudar a las víctimas de la violencia racial.	Creación del Pacto de Varsovia. Reforma monetaria en la República Popular China. Checoslovaquia vende armas a Egipto. Bulganin es nombrado primer ministro de la Unión Soviética. Se inaugura en Barcelona la fábrica de automóviles Seat. La OMS discute la utilización de la energía atómica en la medicina. Salk elabora la primera vacuna contra la poliomielitis.

Año	Martin Luther King y su entorno	Historia, sociedad, economía y literatura de EE.UU.	Historia, sociedad, economía y literatura del resto del mundo
1956	El Ku Klux Klan pone una bomba en casa de Martin Luther King. El Tribunal Supremo declara que la segregación de los autobuses en Montgomery es inconstitucional. Creación del ACHR por Fred Shuttlesworth.	Eisenhower es reelegido presidente. En el sur del país se firma una declaración contra la resolución del Tribunal Supremo sobre el boicot de Montgomery. King Vidor estrena la película *Guerra y paz*, basada en la obra de Tolstoi. Sidney Lumet estrena *Doce hombres sin piedad* y Elia Kazan *Baby Doll*. Primeras pruebas para el lanzamiento de un satélite.	Egipto nacionaliza el canal de Suez, y el país es atacado por Israel. Mohamed V proclama la independencia de Marruecos. Invasión de Hungría por las tropas soviéticas. Un cable submarino une Estados Unidos y Gran Bretaña y permite realizar casi cien conversaciones telefónicas al mismo tiempo. Strawinski estrena su obra *Canticum Sacrum*. Juan Ramón Jiménez recibe el Premio Nobel de Literatura.
1957	Martin Luther King funda la Conferencia de Líderes Cristianos del Sur (SCLC). Viaja por África y Europa. Malcolm X es nombrado representante nacional de la Nación del Islam.	El gobernador del Estado de Arkansas impide a los niños negros entrar en una escuela pública en Little Rock. El Congreso aprueba el plan para el desarrollo de la tecnología nuclear. Fracaso del primer lanzamiento de un satélite desde Cabo Cañaveral. William Faulkner publica *La ciudad*. David Lean estrena *El puente sobre el rio Kwai*.	Mao Tse Tung pronuncia su «Discurso de las Cien Flores». Firma del Tratado de Roma. Inauguración de un tren monorraíl aéreo en Colonia. Federico Fellini estrena la película *Las noches de Cabiria*. Lanzamiento del Sputnik, primer satélite artificial. Rafael Sánchez Ferlosio publica *El Jarama* y M. Stelmakh *La sangre humana no es de agua*.
1958	Martin Luther King publica *Los viajeros de la noche* y *La fuerza de amar*. Atentado contra Martin Luther King. El joven negro Jeremias Reeves, acusado de violación, es ejecutado, a pesar de la intervención de Martin Luther King.	Lanzamiento del primer satélite norteamericano, el Explorer I. Envío de marines al Líbano para terminar con la guerra civil. Alaska y Hawai se convierten en los Estados 49 y 50 de la Unión. Creación de la NASA. Continúan las discusiones en todo el país sobre la integración racial en las escuelas. Orson Welles estrena *Sed de mal*, y Alfred Hitchcock, *Vértigo*.	Se crea el Parlamento Europeo en Estrasburgo. G. Roncalli es proclamado Papa, se trata de Juan XXIII. Nombramiento de Kruschev como primer ministro de la URSS. Boris Pasternak publica *Doctor Zhivago* y Juan Goytisolo *El circo*. Antoni Tapies recibe el premio Carnegie. Desarrollo del lenguaje COBOL. Alvar Aalto construye el edificio de la cultura en Helsinki.

Año	Martin Luther King y su entorno	Historia, sociedad, economía y literatura de EE.UU.	Historia, sociedad, economía y literatura del resto del mundo
1959	Richard y Milfred Loving son condenados a un año de cárcel en Virginia al casarse y ser de distinta raza. Ella Josephine Baker es nombrada presidenta de la SCLC. A. Philip Randolph funda el Consejo de Trabajo de los Negros Americanos.	Visita oficial a Estados Unidos de Mikoyan, ministro de la URSS. Se realiza una exposición norteamericana en Moscú. Tennessee Williams estrena *La noche de la iguana*. William Wyler estrena *Ben Hur*.	Fidel Castro y sus seguidores entran en La Habana y acaban con la dictadura de Batista. Comienza la dictadura de Sukarno en Indonesia. Plan de estabilización económica en España. Visita de Eisenhower. Por medio del radar se obtienen datos del planeta Venus. Paul Hindemith estrena la *Sinfonía de Pittsburgo*. Carlos Saura dirige *Los golfos*.
1960	El movimiento de los «sit ins» o sentadas pacíficas se extiende por la población negra en numerosas ciudades. Creación del SNCC, Comité de Coordinación de Estudiantes No Violentos.	John Fitzgerald Kennedy es elegido presidente. Las relaciones entre Estados Unidos y Cuba pasan por momentos críticos. Un avión norteamericano es derribado en territorio de la URSS. Botadura del portaaviones atómico «Enterprise». Envío de ayuda a Vietnam del Sur en Saigón.	Se celebra el congreso de Moscú, donde China se opone a la coexistencia pacífica. Numerosos estados de África proclaman su independencia: Camerún, Gabón, Tchad, Togo, Costa de Marfil, Dahomey, Níger y República Centroafricana, entre otros. Vietnam del Norte intenta invadir Vietnam del Sur. Francia consigue abrir la bomba atómica. Picasso realiza una exposición en Londres.
1961	Comienzan los «Freedom Rides» o «Viajes de la Libertad» desde el S.N.C.C. DuBois, fundador de la N.A.A.C.P., solicita el ingreso en el Partido Comunista.	Estados Unidos rompe sus relaciones diplomáticas con Cuba. La Comisión de Comercio Interestatal prohíbe la segregación en los viajes interestatales.	Intento de invasión de las fuerzas anticastristas en la bahía de Cochinos en Cuba. Yuri Gagarin, a bordo de la nave Vostok I, se convierte en el primer hombre que viaja al espacio. Conferencia de la Organización de Estados Americanos en Punta del Este. Luis Buñuel estrena *Viridiana*. Hans Werner Henze estrena la ópera *Elegía para jóvenes amantes*. Juan García Hortelano publica *Tormenta de verano*.

Año	Martin Luther King y su entorno	Historia, sociedad, economía y literatura de EE.UU.	Historia, sociedad, economía y literatura del resto del mundo
1962	El gobernador del Estado de Alabama se niega a admitir el ingreso del estudiante negro James Meredith. Los estudiantes del Milles College comienzan acciones de boicot contra la segregación en comercios blancos.	El presidente Kennedy lanza la «Alianza para el Progreso», programa de ayuda a Sudamérica. El Tribunal Supremo ratifica la medida del año anterior sobre la prohibición de la segregación en los viajes interestatales. El Gobierno aumenta de forma considerable la ayuda militar a Vietnam del Sur. Linus C. Panling recibe el Premio Nobel de la Paz.	Expulsión de Cuba de la OEA. Comienzo del Concilio Vaticano II. Uganda, Ruanda y Burundi consiguen la independencia. Crisis política en el Congo. Luis Buñuel estrena *El ángel exterminador.* En Munich se celebra una exposición sobre «arte degenerado». Benjamin Britten estrena su obra *Requiem de guerra.*
1963	Martin Luther King es detenido en Birmingham, donde escribe su «Carta desde la cárcel de Birmingham». La Suprema Corte Federal emite un veredicto favorable al derecho de los negros. Discurso de King: «I have a dream».	Marcha dobre Washington de más de 250.000 personas, la cuarta parte de los asistentes son blancos. El presidente Kennedy es asesinado en Dallas. El vicepresidente Johnson asume la presidencia.	Belaunde Terry es nombrado presidente en Perú. Firma de un tratado de cooperación entre Francia y Alemania. Montini es el nuevo Papa, Pablo VI. Se realizan investigaciones sobre los ácidos nucleicos de los virus y las células cancerosas. Mario Vargas Llosa publica *La ciudad y los perros.* José Antonio Bardem estrena *Nunca pasa nada.*
1964	Martin Luther King marcha en primera línea del «Ejercito de la Paz» en St. Augustine, Florida. Disturbios raciales en los guetos de Nueva York. Concesión del Premio Nobel de la Paz a Martin Luther King. Malcolm X realiza su peregrinación a La Meca.	El presidente Johnson presenta al Congreso el proyecto de la ley de los derechos civiles y se aprueba.	G. Saragat es nombrado presidente en la República Italiana y Eduardo Frei en Chile. Formación del gabinete laborista de Harold Wilson en Gran Bretaña. Lanzamiento de la primera bomba atómica fabricada en China. Louis Aragon publica *La mise a mort* y Saul Bellow *Herzog.* Ingmar Bergmann estrena la película *Y ahora, estas mujeres.* Competición entre un ordenador y el cerebro humano emitida por la radio de Luxemburgo.

Año	Martin Luther King y su entorno	Historia, sociedad, economía y literatura de EE.UU.	Historia, sociedad, economía y literatura del resto del mundo
1965	Malcolm X es asesinado en Nueva York mientras pronunciaba un discurso. Estallido de violencia en Los Ángeles, adonde acude Martin Luther King. Marcha de la S.C.L.C. y otras organizaciones en Selma, Alabama.	Ataque aéreo de Estados Unidos contra Vietnam del Norte. El presidente Johnson se entrevista con el Papa Pablo VI. Se construye por primera vez una grabadora de cinta magnética. M. Carné estrena la película *Tres habitaciones en Manhattan*.	Freire Posso es destituido en Ecuador. Restablecimiento de relaciones diplomáticas entre Alemania e Israel. La organización UNICEF recibe el Premio Nobel de la Paz. Independencia de Rhodesia. Estalla la guerra entre la India y Pakistán. Récord de permanencia del hombre en el espacio; Franck Borman y James Lowell alcanzan las 330 horas en la nave Gemini 7.
1966	Comienzo del movimiento «Black Power» o Poder Negro. Creación de los Panteras Negras.	Retirada de tropas norteamericanas y de la OEA de la República Dominicana.	Retirada de Francia de la OTAN. Golpe de estado en Argentina, que lleva a Ongania a la presidencia. Aprobación de la Ley Orgánica del Estado en España. En Kenya es reelegido como presidente del partido de Unión Nacional Africana Jomo Kenyatta. Se suprime en la Iglesia católica el *Index Librorum Prohibitorum*. Luis Buñuel estrena *Belle de jour*.
1967	Marcha hacia Washington, encabezada por Martin Luther King, que entrega una nota al subsecretario general de la ONU. Disturbios raciales en Newark y Detroit, Martin Luther King condena el uso de la violencia.	Celebración de manifestaciones multitudinarias en Nueva York y San Francisco contra la guerra de Vietnam. Estados Unidos devuelve a México el territorio del «Chamizal».	Convocatoria de una consulta electoral en Puerto Rico para decidir el futuro del país. Guerra de los seis días entre árabes e israelíes. En la República Centroafricana Bokassa se autoproclama jefe de Estado y ministro. Situación crítica de hambre en Biafra. Realización del primer trasplante de corazón en el hombre por el doctor Barnard. Gabriel García Márquez publica *Cien años de soledad*.

Año	Martin Luther King y su entorno	Historia, sociedad, economía y literatura de EE.UU.	Historia, sociedad, economía y literatura del resto del mundo
1968	En la Universidad de Los Ángeles se contrata a Ángela Davis como profesora. Huelga de los trabajadores de la basura en Memphis, considerada ilegal. Martin Luther King acude a Memphis y allí es asesinado en un hotel.	Fin de la guerra contra Vietnam del Norte. Estados Unidos devuelve a Japón las islas Bonin y Volcano.	En mayo, levantamiento de los estudiantes en Francia. Explosión de la primera bomba atómica lanzada por Francia. Independencia de Guinea Ecuatorial. Disturbios y motines en Guatemala. Carlos Saura estrena *Stress es tres, tres*.

BIBLIOGRAFÍA

ANSBRO, JOHN J.: *Martin Luther King Jr. El desarrollo de una mente*, México D.F., Editorial Publigrafics, 1985.

BRANCH, TAYLOR: *Martin Luther King y su tiempo,* Grupo Editor Latinoamericano, 1992.

BREITMAN, GEORGE (editor): *Malcolm X speaks,* New York, Pathfinder Press, 1965.

CARSON, CLAIRBORNE: *The Autobiography of Martin Luther King Jr.*, edición de Internet en http://www.stanford.edu/group/King/publications/autobiographyFrame.htm

GERBEAU, HUBERT: *Martin Luther King, el justo*, Madrid, Editorial Sociedad de Educación Atenas, 1979.

GHANDI, MAHATMA: *Non-violent resistance (Satyagraha)*, Nueva York, Schoken Books, 1961.

KING, MARTIN LUTHER: *Los viajeros de la libertad*, Barcelona, Editorial Fontanella, 1963.

—*La fuerza de amar*, Barcelona, Argos Vergara, 1975.

MALCOLM X. y HALEY, ALEX: *The Autobiography of Malcolm X,* New York, Grove Press, 1965.

MARTÍN BUSTAMANTE, GLORIA: *Martin Luther King,* Madrid, Editorial Hernando, 1977.

ROIG, JOSÉ LUIS, y CORONADO, CARLOTA: *Un corazón libre. Martin Luther King*, Barcelona, Editorial Magisterio Casals, 2001.

SCHLOREDT, VÀLERIE y BROWN, PAM: *Martin Luther King*, Madrid, Ediciones S.M., 1990.

SCOTT KING, CORETTA: *My life with Martin Luther King Jr.*, London, Hodder and Stoughton, 1970.

VARIOS AUTORES: *The Martin Luther King, Jr. Papers Project,* Universidad de Stanford, Estados Unidos, http://www.stanford.edu/group/king

TÍTULOS DE LA COLECCIÓN

JESÚS DE NAZARET
ADOLFO HITLER
ALEJANDRO MAGNO
CHE GUEVARA
J. F. KENNEDY
MARTIN LUTHER KING
GANDHI
NAPOLEÓN BONAPARTE
MAHOMA
WINSTON CHURCHILL
SIMÓN BOLÍVAR
HERNÁN CORTÉS
W. A. MOZART
PABLO R. PICASSO
SIGMUND FREUD
MARCO POLO
MARILYN MONROE
ALBERT EINSTEIN
JULIO CÉSAR
TERESA DE CALCUTA

TÍTULOS DE PRÓXIMA APARICIÓN

JUAN XXIII
VLADÍMIR LENIN
LEONARDO DA VINCI
CARLOMAGNO
MAO ZEDONG
BUDA
JOSIF STALIN
JOHN LENNON
CHARLES CHAPLIN
MARIE CURIE
GROUCHO MARX
ESCRIVÁ DE BALAGUER
ERNEST HEMINGWAY

GRANDES BIOGRAFÍAS